高等学校教学用书

汉语语汇学教程

主编　温端政
编者　温锁林　辛　菊　史素芬
　　　马臻荣　王建华　王洪江
　　　张光明　吴建生　温端政

商务印书馆
2006年·北京

图书在版编目(CIP)数据

汉语语汇学教程/温端政等编. —北京:商务印书馆,2006
ISBN 7-100-05156-8

I. 汉… II. 温… III. 汉语-词汇学-教材 IV. H13

中国版本图书馆 CIP 数据核字(2006)第 083383 号

所有权利保留。
未经许可,不得以任何方式使用。

HÀNYǓ YǓHUÌXUÉ JIÀOCHÉNG
汉 语 语 汇 学 教 程
主编 温端政

商 务 印 书 馆 出 版
(北京王府井大街36号 邮政编码100710)
商 务 印 书 馆 发 行
北 京 民 族 印 刷 厂 印 刷
ISBN 7-100-05156-8/H·1251

2006年9月第1版　　开本 850×1168 1/32
2006年9月北京第1次印刷　印张 13 3/8
印数 5 000 册
定价:22.00元

前　言

汉语语汇学是一门新的、具有广阔发展前景的学科。

说它是一门新的学科，是因为"语"常被看作是"词的等价物"，成为词汇的附属部分。过去，在高等学校的一些《现代汉语》教材里，语汇多被称为"熟语"，作为词汇的一部分，占很少的篇幅。这和"语"在汉语里的地位不相称。进入新世纪以来，随着研究的深入和《汉语语汇学》(温端政，商务印书馆，2005)一书的问世，"语"被确认为在性质和作用上与词不同的语言单位，语汇学才被看成是与词汇学平行的相对独立的语言学分支学科。

说汉语语汇学具有广阔的发展前景，是因为汉语是一种语汇非常丰富的语言。语，不仅品种多、范围广、数量大，而且深深植根于中华民族博大精深的传统文化的沃土之中，具有强大的生命力。语，除了来自书面系统的雅成语外，大部分来自群众，千百年来流传在群众的口语之中，为广大人民群众所喜闻乐见。语，源远流长，雅俗共赏，许多被吸收到古今典籍里，具有生生不息、历久弥新的品质。以汉语语汇为研究对象的汉语语汇学，把对汉语语汇的认识，由感性上升为理性，构建了汉语语汇的理论体系。这不仅丰富了我国的语言学，而且对语汇的运用、语汇的教学和语汇类辞书的编纂，都能起到实际的指导作用。我们深信，随着汉语语汇学走进课堂，将会有越来越多的学者关注或从事汉语语汇研究，汉语语汇学的繁荣指日可待。

　　本书是在《汉语语汇学》的基础上，根据教学需要编写而成的。《汉语语汇学》是一部学术著作，把它教材化是一个再创作的过程。原书共八章，即第一章，语、语汇、语汇学；第二章，语的分类；第三章，语的构成和结构；第四章，语义；第五章，谚语；第六章，惯用语；第七章，成语；第八章，歇后语。改编中，除了对上述各章的内容作了不同程度的改动外，还增写了两章，即第九章，方言语汇；第十章，语典。这对于扩大学生的知识面是有好处的。

　　为了使本书能更加符合教学规律，我们邀请了若干位在高校任教多年，具有较高学术水平和较丰富教学经验的教授、副教授参加编写，组成编写组。分工如下：

　　第一章　语　语汇　语汇学　　　　温锁林

　　第二章　语的分类　　　　　　　　辛　菊

　　第三章　语的构成和结构　　　　　史素芬

　　第四章　语义　　　　　　　　　　马臻荣

　　第五章　谚语　　　　　　　　　　王建华

　　第六章　惯用语　　　　　　　　　温端政（温朔彬协助）

　　第七章　成语　　　　　　　　　　王洪江

　　第八章　歇后语　　　　　　　　　张光明

　　第九章　方言语汇　　　　　　　　吴建生

　　第十章　语典　　　　　　　　　　温端政（温朔彬协助）

　　编写组多次召开会议，反复讨论编写大纲，研讨解决编写中遇到的问题。初稿完成之后，经主编统稿，又在编写组成员之间交流审核。大家兢兢业业，字斟句酌，不敢掉以轻心。但由于水平有限，难免有这样或那样的错漏，欢迎读者批评指正。

本书编写过程中得到商务印书馆周洪波、谢仁友、马志伟等先生的支持和指导,得到语言学界多位专家学者的帮助和指教;出版部的同志积极配合,为本书的顺利出版做了大量工作;王海静同志提供了部分资料,在此表示衷心的感谢!

温端政
2006 年 5 月

目 录

第一章 语 语汇 语汇学……………………………………（1）
  第一节 语……………………………………………………（1）
    1. 什么是语 ………………………………………………（1）
    2. 语的历史考察 …………………………………………（6）
    3. 语的范围 ………………………………………………（13）
  第二节 语汇………………………………………………（16）
    1. 语汇的性质 ……………………………………………（16）
    2. 语汇的系统性 …………………………………………（20）
  第三节 语汇学……………………………………………（24）
    1. 汉语语汇学的研究对象、内容和任务 ………………（24）
    2. 汉语语汇学的研究方法和手段 ………………………（29）
    3. 汉语语汇学的回顾和前瞻 ……………………………（32）
  思考题……………………………………………………（38）
  练习题……………………………………………………（38）

第二章 语的分类………………………………………（40）
  第一节 语的分类原则……………………………………（40）
    1. 科学性原则 ……………………………………………（40）
    2. 可操作性原则 …………………………………………（41）
    3. 通行性原则 ……………………………………………（43）

第二节　语的分类系统 …………………………… (44)
　　　　1. 根据语的"叙述性"特征,把语分为表述语、
　　　　　描述语和引述语 ……………………………… (45)
　　　　2. 以结构上"二二相承"为特征,把成语从表述语
　　　　　和描述语里分离出来 ………………………… (54)
　　　　3. 语的分类的层次性 …………………………… (58)
　　第三节　语的雅俗色彩分类和感情色彩分类 ………… (64)
　　　　1. 语的雅俗色彩分类 …………………………… (64)
　　　　2. 语的感情色彩分类 …………………………… (71)
　　思考题 ……………………………………………………… (75)
　　练习题 ……………………………………………………… (75)

第三章　语的构成和结构 ……………………………………… (77)
　　第一节　语的构成成分 ……………………………………… (77)
　　　　1. 语素 ……………………………………………… (77)
　　　　2. 语步 ……………………………………………… (79)
　　　　3. 语节 ……………………………………………… (83)
　　第二节　构语法和语的结构类型 …………………………… (85)
　　　　1. 构语法 …………………………………………… (85)
　　　　2. 语的结构类型 …………………………………… (94)
　　第三节　语的结构的传承性和变异性 ……………………… (98)
　　　　1. 语的结构的传承性 ……………………………… (98)
　　　　2. 语的结构的变异性 ……………………………… (103)
　　思考题 ……………………………………………………… (109)
　　练习题 ……………………………………………………… (110)

第四章　语义 ………………………………………………………… (111)

第一节 语义的特点 ……………………………………… (111)
1. 叙述性 …………………………………………… (111)
2. 民族性 …………………………………………… (114)
3. 整体性 …………………………………………… (116)

第二节 语义的分析 ……………………………………… (119)
1. 语素分析法 ……………………………………… (119)
2. 层次分析法 ……………………………………… (120)
3. 语源分析法 ……………………………………… (125)

第三节 语义的描写 ……………………………………… (129)
1. 语义描写的要求 ………………………………… (129)
2. 语义描写的基本原则和一般做法 ……………… (134)

思考题 …………………………………………………… (142)
练习题 …………………………………………………… (142)

第五章 谚语 ……………………………………………… (144)

第一节 谚语的性质和范围 ……………………………… (144)
1. 谚语的性质 ……………………………………… (144)
2. 谚语的范围 ……………………………………… (148)

第二节 谚语的结构 ……………………………………… (154)
1. 谚语结构的基本类型 …………………………… (154)
2. 谚语结构的相对固定性 ………………………… (161)

第三节 谚语的语义 ……………………………………… (163)
1. 谚语语义的特点 ………………………………… (163)
2. 谚语语义的结构 ………………………………… (168)
3. 谚语语义的类聚 ………………………………… (173)

第四节 谚语的语法功能和修辞作用 …………………… (177)

1. 谚语的语法功能 …………………………… (177)

2. 谚语的修辞作用 …………………………… (181)

思考题 ……………………………………………… (186)

练习题 ……………………………………………… (187)

第六章 惯用语 ………………………………………… (189)

第一节 惯用语的性质和范围 ……………………… (189)

1. 惯用语的性质 ……………………………… (189)

2. 惯用语的范围 ……………………………… (192)

第二节 惯用语的结构 ………………………………… (196)

1. 惯用语结构的类型 ………………………… (196)

2. 惯用语结构的相对固定性 ………………… (202)

第三节 惯用语的语义 ………………………………… (205)

1. 惯用语语义的特点 ………………………… (205)

2. 惯用语语义的结构 ………………………… (210)

3. 惯用语语义的类聚 ………………………… (213)

第四节 惯用语的语法功能和修辞作用 …………… (215)

1. 惯用语的语法功能 ………………………… (215)

2. 惯用语的修辞作用 ………………………… (219)

思考题 ……………………………………………… (223)

练习题 ……………………………………………… (223)

第七章 成语 …………………………………………… (225)

第一节 成语的性质和范围 ………………………… (225)

1. 成语的性质 ………………………………… (225)

2. 成语的范围 ………………………………… (226)

第二节 成语的结构 …………………………………… (233)

  1. 成语结构的类型 …………………………… (233)
  2. 成语结构的相对固定性 …………………… (242)
 第三节　成语的语义 ……………………………… (243)
  1. 成语语义的特点 …………………………… (243)
  2. 成语语义的结构 …………………………… (251)
  3. 成语语义的类聚 …………………………… (253)
 第四节　成语的语法功能和修辞作用…………… (258)
  1. 成语的语法功能 …………………………… (258)
  2. 成语的修辞作用 …………………………… (262)
思考题 ……………………………………………………… (268)
练习题 ……………………………………………………… (269)

第八章　歇后语 …………………………………… (271)
 第一节　歇后语的性质和名称…………………… (271)
  1. 歇后语的性质 ……………………………… (271)
  2. 歇后语的名称 ……………………………… (280)
 第二节　歇后语的结构…………………………… (281)
  1. 歇后语结构的基本类型 …………………… (281)
  2. 歇后语结构的相对固定性 ………………… (289)
 第三节　歇后语的语义…………………………… (292)
  1. 歇后语语义的特点 ………………………… (292)
  2. 歇后语语义的结构 ………………………… (299)
  3. 歇后语语义的类聚 ………………………… (303)
 第四节　歇后语的语法功能和修辞作用………… (306)
  1. 歇后语的语法功能 ………………………… (306)
  2. 歇后语的修辞作用 ………………………… (311)

思考题 ………………………………………………… (318)
　练习题 ………………………………………………… (318)
第九章 方言语汇 ……………………………………… (320)
　第一节 方言语汇的性质和调查研究的意义………… (320)
　　1. 什么是方言语汇 ………………………………… (320)
　　2. 方言语汇的系统性 ……………………………… (323)
　　3. 调查研究方言语汇的意义 ……………………… (328)
　第二节 方言语汇的调查方法………………………… (339)
　　1. 方言语汇调查的准备工作 ……………………… (339)
　　2. 方言语汇调查的主要方法 ……………………… (344)
　第三节 方言语汇调查研究的回顾、现状和前瞻 …… (345)
　　1. 方言语汇调查研究的回顾 ……………………… (345)
　　2. 方言语汇调查研究的现状和前瞻 ……………… (347)
　思考题 ………………………………………………… (349)
　练习题 ………………………………………………… (349)
第十章 语典 …………………………………………… (351)
　第一节 语典的性质和功能…………………………… (351)
　　1. 语典的性质 ……………………………………… (351)
　　2. 语典的功能 ……………………………………… (352)
　第二节 语典的类型和结构…………………………… (355)
　　1. 语典的类型 ……………………………………… (355)
　　2. 语典的结构 ……………………………………… (363)
　第三节 语汇研究对语典编纂的指导作用…………… (370)
　　1. 立目 ……………………………………………… (371)
　　2. 释义 ……………………………………………… (374)

思考题 …………………………………………………（384）
练习题 …………………………………………………（384）

附录:本书参考文献及相关论著 ………………………（386）

第一章 语 语汇 语汇学

第一节 语

1. 什么是语

语和词一样,都是语言的现成"建筑材料",都是具有表情达意功能的语言单位。在语言里,语的重要性越来越显示出来,但要给语下一个确切的定义,却不是一件容易的事。

过去有一种成说,认为语的性质和作用"相当于一个词",是"词的等价物(equivalent)"。这种说法,似乎已被学术界看成定论,并写进了多种教材。然而,它经不起语言事实的检验。语言事实表明,语和词在性质和作用上,固然有一致的一面,但不同的一面却是主要的。

(1) 从构成要素看,词的构成单位是词素,语则是由词和词组合而成的,是大于词的语言单位。即便是最短小的语,也是由两个词构成的。如:

① 反正事到如今,也不能爱面子(惯用语,"爱"和"面子"均为词)了。(李準《黄河东流去》四九章四)

② 后天是一粒也不剩了,只好喝西北风(惯用语,"喝"和"西北风"均为词)!(茅盾《锻炼》一四)

多数语是由两个以上的词构成的词组(如下例①②),也有不

少语具有句子形式,结构比较复杂(如下例③④):

① 瑞宣晓得院中已然风平浪静(成语)。(老舍《四世同堂》二七)

② 骑着脖子屙屎(惯用语)!登着鼻子撒尿(惯用语)!只要还有点血气的人,就不能忍受。(刘流《烈火金钢》二七回)

③ "好汉不夸当年勇",瞧你今天的吧。(田汉《卢沟桥》二幕)

④ 现在不同了,满鞑子已经摇摇欲坠,尤其从铁路风潮发生,就像老鼠过街,人人喊打(歇后语)。(李六如《六十年的变迁》一章)

这些事实表明,语在结构上,是比词高一级的语言单位。

(2) 从意义上看,语义和词义一样具有整体性,但语是叙述性的语言单位。

对于词,特别是实词来说,虽然概念义不是词义的全部,但却是词义的最重要的成分。概念性是词义的基本特征,而语义的基本特征则是它的叙述性。

有部分成语,语义上具有融合性,但不能简单地看成等同于某一概念。如"居心叵测"的语义是"存心险恶,不可推测",具有叙述性;语义上有"险恶"或"阴险"之意,但并不等同于"险恶"或"阴险"。同样,"一帆风顺"不等于"顺利","胆战心惊"不等于"害怕","咬牙切齿"不等于"痛恨"。至于惯用语、歇后语和谚语,语义的叙述性就更为明显。

(3) 从结构上看,语和词一样,都具有凝固性,但语的结构的固定性是相对的。

语的结构的相对固定性表现在:一方面,不同语类,固定性的程度不同;另一方面,同一个语类,固定性也有所不同。一般来说,成语的结构比较固定,谚语次之,惯用语和歇后语则比较灵活。

就成语来说,整体意义不能从组成部分的意义直接引导出来的"融合性成语",如"胸有成竹"、"九牛一毛"、"借花献佛"等,它们的结构比较固定,而整体意义由组成部分的意义直接合成的"组合性成语",结构就不那么固定,如"久安长治"可以说成"长治久安","天渊之别"可以说成"天壤之别","毋庸置疑"可以说成"无可置疑",等等。

拿谚语来说,一些古代沿袭下来的、流传较广、比较习用的谚语,结构比较固定。但就是这类谚语,结构上的固定性也是相对的。如:

① 充国曰:"百闻不如一见。兵难隃度,臣愿驰至金城,图上方略。"(《汉书·赵充国传》)

② 兵难遥度,百闻不如一见。(《金史·陈规传》)

③ 安都谓摩诃曰:"卿骁勇有名,千闻不如一见。"(《陈书·萧摩诃传》)

④ 谚曰:"千闻不如一见。"未经目击而以口舌争,以书数传,虽唇焦笔秃无益也。(明·徐光等《新法算书》卷二)

例①②里的"百闻",在例③④里说成"千闻"。这种情况,惯用语和歇后语更为明显。这个问题,我们将在讨论各语类的结构时,再作详细说明。这里从略。

(4) 从语法功能上看,语和词有相同的一面,也有不同的一面。

相同的一面是,语和词一样可以充当句子的某个成分。或作主语(例①),或作谓语(例②),或作宾语(例③),或作定语(例④),或作状语(例⑤),或作补语(例⑥)。如:

① 长歌当哭(成语)，是必须在痛定之后的。(鲁迅《华盖集续编·记念刘和珍君》)

② 一入伍，他就被分配到侦察连来啦！……他心里白糖拌蜂蜜——甜透了(歇后语)。(峭石《沸腾的军营》)

③ 乡村里的人……净想逮住兔子才撒鹰(惯用语)。(梁斌《红旗谱》五一)

④ 他可是好汉护三村，好狗护三邻(谚语)的人物头儿呢！(臧伯平《破晓风云》三章)

⑤ 不但扭亏为盈，而且开始挣回外汇，小金牛真有点初生牛犊不怕虎(谚语)似的朝国际市场上挤。(李国文《花园街五号》)

⑥ 对她客气招呼，她倒窘得不知所措(成语)。(老舍《四世同堂》九八)

不同的一面是：

(一) 语具有成句的功能

词有时也可以单独成句，即语法著作中所说的"独词句"。这是一种比较特殊的句式，有许多限制。而语成句则是一种常见现象。有两种情况：

一是单独成句，充当句群的组成部分。如：

① 佛争一炉香，人争一口气(谚语)。你要长个志气，回去好好干！(胡正言《非常的日子》一〇)

② 摘了奶，忘了娘(惯用语)！自己翻了身，就只想到守男人抱娃娃，享清福啦！(冯德英《迎春花》二〇章)

③ 怎么啦？吃冰拉冰——没化(话)(歇后语)？进了坛子胡同——闷啦(歇后语)？夹裤改单裤——没里(理)儿(歇后语)？

(吴越《括苍山恩仇记》四六回)

二是相当于一个分句,充当复句的组成部分。如:

① 不得了啦,狗仗人势(成语),连你也打起人来啦!(王西彦《春回地暖》)

② 人心都是肉长的(谚语),你对我的情意,我还看不出来吗?(李英儒《战斗在滹沱河上》一四)

③ 江湖上的道理半点也不懂,头发胡子一把抓(惯用语),全不分个青红皂白,你我咋个闯得过呢?(艾芜《荒山上》)

语之所以能单独成句或充当分句,首先是由于语义上具有叙述性,其次是由于语有不少采取句子形式,有的采用的是单句形式,有的采用的是复句形式。

(二) 语有被引用的功能

词一般没有被引用的功能,语却有这种功能,而且很常见。如:

① 牛主任,你终于沉不住气了,这叫黔驴技穷(成语)!(杨纤如《伞》)

② 二位请消消气,有理慢慢地讲。俗话说得好,有理走遍天下,没理寸步难行(谚语)。(宋之的《微尘》)

③ 这一年来,他郑洪兴白尽义务替她种着六亩地,秋收刚一完,她就一连有个把月没有开开小门儿让他进来,正像俗语说的,打好了江山杀韩信(惯用语)。(秦兆阳《在田野上,前进!》三一章)

④ 你那爹呀,可是俗话说的,铁板钉钢钉,硬到家(歇后语)啦!(杨朔《三千里江山》)

(三) 语有被拆开使用、分别充当不同成分的功能,词除了"离合词"外,一般不能被拆开使用。如:

① 作家以某项政策的推行和成效作为蓝图,于是,下去在生活中找寻"砖瓦材料",既按图而索骥(成语),自必走马以观花(成语)。(茅盾《鼓吹集》)

② 他刚刚度过几个月无债一身轻的日子,他不愿又背上一个大包袱(惯用语)。(艾明之《火种》)

③ 德福道:"师傅,您什么时候改属老母猪的了,怎么光哼哼(歇后语)不说话呀?"(周振天《神医喜来乐》二一章)

综上所述,语和词有着不同的性质和作用,这表明语不是"词的等价物"。词一般定义为"最小的、能够独立运用的、有意义的语言单位";而语则应当定义为:由词和词组合而成的、结构相对固定的、具有多种功能的叙述性语言单位。

在这里,"结构相对固定"和"叙述性语言单位"是最重要的。因此,语的定义也可简化为"结构相对固定的叙述性语言单位"。

2. 语的历史考察

(1) 语的本义

《说文·言部》:"语,论也。从言吾声。"可见语的本义是指议论、辩论、谈论。《诗经·大雅·公刘》:"于时言言,于时语语。"毛传:"直言曰言,论难曰语。"在议论、辩论、谈论中,为增加说服力,常引用民间流行的或古人说过的一些"现成话",称之为语。在先秦文献里,这种情况屡见不鲜。如:

① 语曰:"莫知其子之恶。"非智损也,爱弇(yǎn)之也。(《尸子》卷上)

② 故语有之曰:"人不婚宦,情欲失半;人不衣食,君臣道息。"(《列子·杨朱》)

③ 古语曰:"不知,无害于君子;知之,无损于小人。"(《尹文子·大道上》)

④ 古者有语:"谋而不得,则以往知来,以见知隐。"(《墨子·非攻》)

"语"、"古语"、"古者有语"等,说明语具有引用性,同时具有时代性。

"语"前面还可以加上"鄙"、"野"、"里"、"俗"等。这在先秦和两汉的文献里常可以看到。如:

① 鄙语曰:"见兔而顾犬,未为晚也;亡羊而补牢,未为迟也。"(《战国策·楚策四》)

② 野语有之曰:"众人重利,廉士重名,贤士尚志,圣人贵精。"(《庄子·刻意》)

③ 里语曰:"腐木不可以为柱,卑人不可以为主。"(《汉书·刘辅传》)

④ 俗语曰:"时无赭,浇黄土。"(汉·刘珍等《东观汉记》卷六)

由此可见,语具有民间性。

(2) 语的同义、近义名称

在古代,"语"与"谚"往往相通。如"唇亡齿寒"既可以说是"语",也可以说是"谚"。如:

① 宫之奇谏曰:"语曰:'唇亡则齿寒。'其斯之谓与!"(《穀梁传·僖公二年》)

② 谚所谓"辅车相依,唇亡齿寒"者,其虞、虢之谓也。(《左传·僖公五年》)

"谚"同"语"一样,前面也可以加上"鄙"、"野"、"里"、"俗",作

"鄙谚"、"野谚"、"里谚"、"俗谚"。如:

① 鄙谚曰:"长袖善舞,多钱善贾。"(《韩非子·五蠹》)

② 野谚曰:"前事之不忘,后事之师也。"(《史记·秦始皇本纪》)

③ 里谚曰:"千人所指,无病而死。"(《汉书·王嘉传》)

④ 俗谚云:"数(shuò)面成亲旧。"(晋·陶潜《答庞参军序》)

这些实例表明,"谚"与"语"具有同义性。

与"语"、"谚"相关的还有"言"。同一语言单位,往往可以称之为"语"或"谚",也可以称之为"言"。如上面提到的"唇亡齿寒",《吕氏春秋·权勋》则称作"言":

虞之于虢也,若车之有辅也。车依辅,辅亦依车,虞虢之势是也。先人有言曰:"唇竭而齿寒。"

类似的还有:

A组:

① 古人有言曰:"人无于水监(鉴),当于民监(鉴)。"(《尚书·酒诰》)

② 古者有语曰:"君子不镜于水而镜于人。"(《墨子·非攻中》)

B组:

① 人有言曰:"狼子野心。"(《国语·楚语下》)

② 谚曰:"狼子野心。"(《左传·宣公四年》)

C组:

① 人有言曰:"无过乱人之门。"(《国语·周语下》)

② 谚曰:"无过乱门。"(《左传·昭公十九年》)

但"言"与"语"、"谚"还是有区别的。

一是"言"不像"语"、"谚"那样单独作术语,未见单用的"言曰"或"言云"一类说法。

二是"言"带有动词性质,有时相当于"曰"、"云",如:

① 周谚有言:"察见渊鱼者不祥,智料隐匿者有殃。"(《列子·说符》)

② 谚言"贵易交,富易妻",人情乎?(汉·刘珍等《东观汉记》卷十三)

③ 谚言"生女耳","耳"非佳语。(《三国志·魏志·崔琰传》)

三是"言"虽然也可用来指称流行在民间的话语,但不像"语"、"谚"那样偏指民间口语。"鄙言"、"里言"、"野言"一类的说法比较少见,但却有"雅言"、"格言"等说法,如:"《诗》、《书》、执礼,皆雅言也。"(《论语·述而》)"此周、孔之格言,二经之明义。"(《三国志·魏志·崔琰传》)

《孟子·万章上》记录的一段对话,似乎可以作为一个证明:

"咸丘蒙问曰:'语云:盛德之士,君不得而臣,父不得而子……不识此语诚然乎哉?'孟子曰:'否;此非君子之言,齐东野人之语也。'"

这里,"言"和"语"对举。"君子之言"当然属于雅言,而"野人之语"自然就是"野语"、"鄙语"了,表明"言"和"语"之间还是有某种区别的。不过,这种区分看起来并不是很严格,"语"或"谚"有时也称作"俗言"、"恒言"、"常言"等,如:

① 周谚有之曰:"山有木,工则度之;宾有礼,主则择之。"(《左传·隐公十一年》)唐·陆德明释文:"谚,音彦,俗言也。"

② 人有恒言,皆曰:天下国家。(《孟子·离娄上》)杨伯峻译注:恒言,口头话。

③ 常言"小处不要覆窠",而君须要覆窠之。(宋·宋祁《宋景文公笔记·释俗》)

随着汉语词的双音节化,出现了由"谚"和"语"合成的"谚语"一词:

① 十二月八日为腊日。谚语:"腊鼓鸣,春草生。"(南朝·梁·宗懔《荆楚岁时记》)

② 故一时谚语有"台官不如伶官"。(宋·蔡絛《铁围山丛谈》卷四)

③ 近来觉得诗文一事只是直写胸臆,如谚语所谓"开口见喉咙"者。(明·唐顺之《与洪方洲书》)

④ 谚语"早看东南,晚看西北",见《内经·五运行大论》。(清·傅山《霜红龛》卷三)

在明清白话小说中,谚语被大量引用,多称作"俗语(儿)"或"俗话(儿)"。以《红楼梦》为例:

俗语说的好:"与人方便,自己方便。"(六回)

俗语儿说的,"人怕出名猪怕壮"。(八三回)

俗话说的好:"千里搭长棚,没有个不散的筵席。谁守谁一辈子呢。"(二六回)

他二人竟从来没有听见过"不是冤家不聚头"的这句俗话儿。(二九回)

综上所述,"语"、"谚"、"言"等,用来指称语言单位,具有一致性。"语"、"谚"、"言"及由其组合成的"鄙语"、"野语"、"里语"、"俚语"、"俗语"、"鄙谚"、"野谚"、"里谚"、"俚谚"、"俗谚"、"俗话"、"俗言"、"常言"、"恒言",等等,都是同义或近义名称。

(3) 语的内涵的具体化

上述名称混用的情况,直至上世纪初才开始发生变化。

"五四"运动前后,在"文学革命"口号下掀起了白话文运动。胡适在《文学改良刍议》(1917)一文中,把"不避俗字俗语"作为文学改良的"八事"之一。1918年,北京大学成立歌谣征集处,在《北大日刊》上发表征集歌谣的简章,并于1922年创办了《歌谣周刊》。语的调查研究,随之开始受到重视。

具有开创意义的是郭绍虞于1921年发表在《小说月报》上的《谚语的研究》一文,他第一次给谚语下了一个比较清晰的定义:"谚是人的实际经验之结果,而用美的言词以表现者,于日常谈话可以公然使用,而规定人的行为之言语。"这可以说是对语认识的一个突破。

对语认识的另一个突破,是1924年白启明发表在《歌谣周刊》第44号上的《采集歌谣所宜兼收的——歇后语》一文。该文首次把歇后语和谚语区别开来,认为歇后语和谚语有两点不同:

由"体裁"论,谚语或属于"平列"(如"衙门钱当时还,生意钱六十年,庄家钱一百年"),或属于"一贯"(如"为人不干亏心事,不怕半夜鬼叫门");歇后语则分上下两项:"上项包容下项,下项申述上项。"

由"性质"论,谚语多属格言;歇后语纯属"文学"。

白氏对歇后语性质的认识虽然还不够确切,但他把歇后语和谚语区别开来,应予肯定,这使人们对语的认识又前进了一步。

长期以来,人们对成语和"语"的关系,存在着模糊认识。有一些现在认为是成语的,如"唇亡齿寒"、"投鼠忌器"、"艺高胆大"等,古代也称之为"语"或"谚"。把成语和一般的语区别开来,经历了一个相当长的过程。

1915年版《辞源》,把"成语"解释为:"谓古话也。凡流行于社会,可征引以表示己意者皆是。"1988年修订本改为:"习用的古语,以及表示完整意思的定型词组或短句。"旧版《辞海》(1936)"成语"条的释文是:"古语常为今人所引用者曰成语。或出自经传,或来从谣谚,大抵为社会间口习耳闻,为众所熟知者。"这个解释与修改后的《辞源》解释,基本相同。新版《辞海》对"成语"的解释作了较大修改,如1999年修订本为:

> 熟语的一种。习用的固定词组。在汉语中多数由四个字组成。组织多样,来源不一。所指多为确定的转义,有些可以从字面理解,如"万紫千红"、"乘风破浪";有些要知来源才能懂,如"患得患失"出于《论语·阳货》,"守株待兔"出于《韩非子·五蠹》。

这个释义,有四点重要改进:一是确定成语是"熟语"的一种;二是认为成语不限于"古语";三是明确成语是固定词组;四是指出汉语成语多数由四个字组成。尽管这个释义还有继续改进的余地,但它已经在很大程度上把成语与谚语、歇后语分开,使我们对"语"的认识又前进了一大步。

20世纪60年代初期,人们注意到汉语里还有一种既区别于谚语、歇后语,又区别于成语的语言单位,如"碰钉子"、"炒冷饭"、"揪辫子"、"背包袱"、"唱对台戏"、"喝西北风"等,它们以"三字格"、"四字格"为基本形式,以动宾关系为基本语法结构,人们称之为"惯用语"。到了80年代和90年代,发现惯用语数量很多,结构也多种多样,不限于三、四个音节,也不限于动宾结构,像"坐山观虎斗"、"挂羊头,卖狗肉"、"牛头不对马嘴"、"只许州官放火,不许百姓点灯",也都应看成是惯用语。

谚语、歇后语、成语、惯用语等语类的逐步发现,使语的内涵具体化,为进一步认识语的性质和范围提供了基础。

3. 语的范围

根据前文所述,可以确认语应当包括谚语、歇后语、成语和惯用语。这基本上已经取得共识,有争议的主要是谚语,以及一些容易与语相混的言语作品或其他相关的语言单位的归属问题。

(1) 谚语的归属问题

有的学者认为,谚语"是表达思想的语句","无论什么结构,也无论是否单独存在,末了总出现一个表示终止的语调",因此,不属于语言单位,而属于言语单位。有的《现代汉语》教材,在讲到"熟语"时说"熟语包括成语、惯用语和歇后语",把谚语排除在外,就是这种观点的体现。然而,这种观点是需要商榷的。

应当指出,说谚语"是表达思想的语句",并无不妥,但要看到,谚语是群众所创造的,所表达的不是某个人的特定思想;在口耳相传中,形成了相对固定的结构,既可以单独成句,也可以充当句子的成分。因此,谚语不是个人的言语作品,而是内涵社会化了的、可以充当语言"建筑材料"的单位。试以谚语"一山不容二虎"为例:

① 看见那边有两只老虎,<u>一山不能存二虎</u>,它一定不相容,就要过来斗了。(王丽堂《武松》一回)

② <u>一山难容二虎</u>,他投到大帅帐下,当然不愿有更胜过他的人。(梁羽生《大唐游侠记》一)

③ 厂长监委嘱托你们要团结,你们就这么着团结吗？一山不能藏二虎。(罗丹《风雨的黎明》二五)

④ 你比我有见识得多,我不过是提醒提醒你罢了。连俗语都说"一山不容二虎"啊！只有一桩,他跟展公有点"一山不藏二虎"的味道,这是他太狂妄。(欧阳山《三家巷》一五)

⑤ (孙德章)和张冲又是师兄弟,决不会因个人利益产生"一山不容二虎"的卑劣思想。(周良思《飞雪迎春》)

上面几例说明,"一山不容二虎"在结构上的固定性是相对的,可作"一山不能存二虎"、"一山难容二虎"或"一山不(能)藏二虎";在语义上具有"双层性":本义指一座山里不能同时存在两只老虎,通过比喻,表示两个强人不能在同一个地盘上并存,或两个强人不能在一起共事;在功能上,可以独立成句,或充当复句里的分句,也可以成为句子里的某种成分,作宾语或定语。这表明,"一山不容二虎"所表达的思想,是人人可以引用的社会化了的思想。作为语汇形式存在的时候,它没有固定的语调。运用时,单独成句或作分句,语调随语境产生变化,成为句子中某个成分时则失去了独立的语调。

这说明谚语不属于言语单位,而属于语言单位。它具有语所必备的条件,是语汇的重要组成部分。

(2) 容易与语相混的言语作品或其他相关的语言单位的归属问题

这方面涉及的问题较多,主要的有：

(一) 名句、格言的归属

名句通常是指传世的著名句子,能找到出处,有明确的作者。如：

春蚕到死丝方尽,蜡炬成灰泪始干。(唐·李商隐《无题》)

曾经沧海难为水,除却巫山不是云。(唐·元稹《离思》)

春风又绿江南岸,明月何时照我还。(宋·王安石《泊船瓜洲》)

这些名句千百年来为世人所传诵,但它们仍然改变不了作家个人言语作品的性质,因而不属于"语"。

格言通常是指含有哲理或具有劝诫和教育意义的名句。如:

① 立志就是要确立人生的远大理想和奋斗目标,解决前进的动力问题。孔子在强调"志"的重要性时说:"三军可夺帅也,匹夫不可夺志也。"(史习江《中国古代的教育》)

② 人人都有他生来的价值,只要每个人认识和发挥了这个价值,就可以成为一个很好的人。所以孟子提出"人皆可以为尧舜"。(张岱年《黄梨洲与中国古代的民主思想》)

③ "明镜者,所以照形也;往古者,所以知今也。"历史像一面镜子,可以映照出当今世界的是是非非。(陆新代《历史的经验值得注意》)

例①里的"三军可夺帅也,匹夫不可夺志也",出自《论语·子罕》;例②里的"人皆可以为尧舜",出自《孟子·告子下》;例③里的"明镜者,所以照形也;往古者,所以知今也",出自汉·韩婴《韩诗外传》卷五。这些格言由于富有哲理和教育意义而千古流传,它们同一般名句一样,也是个人的言语作品,同样不属于语。

(二)专门用语和专名语等概念性的语言单位的归属

专门用语,如农业方面的"绿色食品"、"家庭联产承包责任制",工业方面的"劳动保险"、"机器制造业",军事方面的"航空母舰"、"反弹道导弹",医药卫生方面的"心律不齐"、"腰椎间盘突出",等等;专名语,如"中华人民共和国"、"美利坚合众国"等国名,"台湾海峡"、"珠江三角洲"等地名,"中华人民共和国教育部"、"中国语言学会"等机关团体名,等等。

专门用语和专名语,虽然也是由词和词组成,也有固定的结构,也属于语言单位,但都表示一定的概念,属于概念性的语言单位,而不属于叙述性的语言单位。它们才真正是"词的等价物",不属于语。

(三) 结构上缺乏必要的固定性条件的语言单位,如:"您好"、"对不起"等交际语,"勤劳勇敢"、"聪明机智"、"爱好和平"等四字语,以及像"大叫"、"大嚷"、"不满"、"不介意"、"不是味儿"等所谓"准固定语",它们带有某种惯用的性质,但不属于惯用语。从结构上看似乎介于自由词组和固定词组之间,但更接近于自由词组。因此,也都不属于语。

综上所述,语应当包括成语、谚语、歇后语和惯用语。包括格言在内的名句、专门用语和专名语、复合词,以及结构上缺乏必要固定性条件的某些习惯性说法等,都不是语。

第二节　语汇

1. 语汇的性质

(1) 语汇与词汇

语汇是语言里语的总汇,如同词汇是语言里词的总汇。汉语语汇,是汉语里所有的语的总汇。这个定义本来很清楚,但由于长期以来,语被看成是"词的等价物",使本来并不复杂的问题复杂化了。

为了说清楚问题的来龙去脉,必须从词汇的定义讲起。

斯大林在《马克思主义与语言学问题》里给词汇下了这样的定义:"语言中所有的词构成为所谓语言的词汇。"(人民出版社,1953,第21页)受这个说法的影响,上个世纪50年代的词汇学著作在讨论词汇问题时,多限于词。如孙常叙的《汉语词汇》说:"每种语言所蕴含的词的总汇叫做'词汇'。"(吉林人民出版社,1957,第161页)稍后问世的《语言学名词解释》也说:"词汇是语言的词的总汇。某一语言中所有的词总合起来,就成为该语言的词汇。"(北京大学语言学教研室编,商务印书馆,1960,第13页)

斯大林在《马克思主义与语言学问题》里又说:"语言,主要是它的词汇,是处在差不多不断改变的状态中。工业和农业的不断发展,商业和运输业的不断发展,技术和科学的不断发展,就要求语言用工作需要的新的词和新的语来充实它的词汇。"(人民出版社,1953,第8页)这里把"新的词"和"新的语"并举为词汇的组成部分,表明词汇似乎还应当包括语。大概是受这种说法的影响,周祖谟的《汉语词汇讲话》,一面说"'词汇'是指语言中所有的词来说的,语言中所有的词构成为语言的词汇";一面又认为"现代汉语词汇中还包括大量的成语"。(人民教育出版社,1959,第9、77页)

1961年,黄景欣在《试论词汇学中的几个问题》(《中国语文》1961年第3期)一文中,对词汇的定义作了较大变动。他认为:"一种语言的词汇是由该种语言的一系列具有一定形式、意义和功能特征的互相对立、互相制约的词汇单位(包括词以及和词具有同等功能的固定词组)构成的完整体系。"黄氏强调,构成语言词汇的,不限于词,"一切具有和词同样功能的固定词组,也是词汇的不可缺少的构成要素"。

这种词汇应包括固定词组的说法,一直延续下来。如:

"所谓词汇就是语言里的词和词的等价物(如固定词组)的总和。"(张永言《词汇学简论》,华中工学院出版社,1982,第1页)

"词汇包括语言中的词和固定语。""固定语包括大量的专门用语和熟语,一些习用词组也可归入固定语。"(符淮青《现代汉语词汇》增订本,北京大学出版社,2004,第9页)

于是,词汇单位包括词和固定词组的说法广为流行,《辞海》1989年和1999年修订本也都采用这个说法,认为词汇是"一种语言里所有的词和固定词组的总汇"。但它并不是当前的唯一说法。《现代汉语词典》(第5版,2005)仍然认为词汇是"一种语言里所使用的词的总称"。《古今汉语词典》(商务印书馆,2000)也采用这种说法。

长期以来,还存在另一种意见,认为词汇应当包括语,但主张把"词汇"改称作"语汇"。胡明扬主编的《语言学概论》说:"语汇就是一种语言中词和语的总和";"语汇也可以叫作词汇,两种术语的意思差不多。不过说词汇容易被误解为只是指'词',说语汇就明确包括了'语'。"(语文出版社,2000,第86—87页)在此之前,就有现代汉语教科书主张把"词汇"改称为"语汇"的,如张志公主编的《现代汉语》(试用本,人民教育出版社,1982)。

产生上述种种分歧,根本原因在于没有区别语与词的不同性质。针对这种情况,温端政提出"语词分立"的主张(《论语词分立》,《辞书研究》2000年第6期),其基本含义是:

(一)给词、语,特别是给"语"下一个确切的定义,明确它的范围;

(二)确认语和词是两种性质不同的语言单位,把语从"词汇"

里分立出来,把词从"语汇"里分立出来;

(三) 明确"词汇"和"语汇"的定义,确认词汇具有系统性,语汇也具有系统性。

我们把语汇定义为"语的总汇",正是"语词分立"主张的体现。

(2) 语汇与"熟语"

由于把"语"看成是词汇的组成部分,把"语汇"作为词汇的同义术语,所以,过去语言学术语系统里就缺乏一个总称"语"的术语。曾经有人把成语、谚语、歇后语和同行语、外来语、科学名词等统称为"特殊词汇"。不过,这个名称流行时间较短。流行时间较长、流行面也较广的是"熟语"。

"熟语",一般认为是从俄语 фразеология 译借过来的。它本来就是一个多义词,译借过来以后,理解和使用上出现了很大分歧,大致上分两派,一派把它作为"属概念",一派把它作为"种概念"。

作为"属概念"的,用它来总称成语、谚语、惯用语、歇后语等;或把成语排除在外,总称谚语、惯用语、歇后语等;或把谚语排除在外,总称成语、惯用语、歇后语等。

作为"种概念"的,有的把"熟语"和成语、谚语、歇后语等相并列,而把惯用语作为属概念;有的把"熟语"作为"惯用语"的别称,与成语、谚语、歇后语并列。

此外,还有的把熟语的范围扩得很大,既包括属于语言范畴的单位,又包括属于言语范畴的单位。成语、谚语、惯用语、歇后语、专名语、专门用语,以及"准固定语"、名言(含格言、警句)、"成句子的俚语"等等,都属于"熟语"。

这种种情况,正如有的学者所说的:"'熟语'这个术语本身是个模糊概念,而且它同其他固定词组同中有异,异中有同。多着眼于'异',则'熟语'与其他固定词组并列;多着眼于同,则'熟语'包容了其他固定词组,而且彼此同异程度又不尽一致,分合划界也费斟酌。"(许威汉《二十世纪的汉语词汇学》,书海出版社,2000,第290页)

科学术语的前提条件是概念必须明确。"熟语"由于概念的模糊性而带来的实际使用中的随意性及不确定性,使它失去作为科学术语的必要条件。同时,汉语里的语,并不存在生熟问题。它的存在只能产生歧义。因此,我们建议不用这个术语,而用概念明确的"语汇"来替代它。

2. 语汇的系统性

王力先生曾经说过:"一种语言的语音的系统性和语法的系统性都是容易体会到的,唯有词汇的系统性往往被人们忽略了,以为词汇里面一个个的词好像是一盘散沙。其实词与词之间是密切联系着的。"(《汉语史稿》,科学出版社,1958,第545页)同样,语也不是一盘散沙,语与语之间是有密切联系的。语汇也具有系统性。

首先,语是在历史上形成并不断发展变化的。有的在先秦文献里就有记载,沿用至今。如:

《慎子·君人》:"家富则疏族,家贫则兄弟离。不聪不明不能王,不聋不聋不能公。"

《太平御览》卷四九六引《慎子》:"谚云:'不聪不明,不能为王;不聋不聋,不能为公。'"

汉·刘熙《释名》卷四:"里语曰:'不痴不聋,不成姑公。'"

《北史·长孙平传》:"谚云:'不痴不聋,不作大家翁。'"

《隋书·长孙平传》:"鄙语曰:'不痴不聋,未堪作大家翁。'"

唐·赵璘《因话录》卷一:"谚云:'不痴不聋,不作阿家阿翁。'"

《资治通鉴·唐代宗大历二年》:"鄙语有之:'不痴不聋,不作家翁。'"

《册府元龟·台省部·正直》:"鄙语曰:'不痴不聋,不堪作大家翁。'"

明·李素甫《闹元宵》二五折:"自古道:'不瞎不痴聋,难为家主公。'"

《镜花缘》九三回:"北方有句俗话……又道:'不痴不聋,不作阿家(gū)翁。'"

钱钟书《围城》七:"'不痴不聋,不作阿家翁。'就算了罢。"《慎子》所引的"不聪不明不能(为)王,不瞽不聋不能(为)公"里,"公"与"王"对举,指公侯。刘熙《释名》开始改为"姑公",指公婆。《隋书·长孙平传》开始,把"姑公"称为"(大)家(gū)翁"、"阿家(gū)阿翁"、"阿家(gū)翁"等。

语和词一样,都是约定俗成的,它的创造者具有群体性。随着社会的发展,语越来越丰富。近代和现当代白话小说和戏曲,吸收了大量的语,构成一个更加完整的体系。

其次,语可以按照形式和意义相结合的原则进行分类。

在这一方面,语和词有相通的地方,也有不同的地方。相通的是,都可以按形式和意义相结合的原则进行分类,不同的是分类的标准和结果。词可以按照词汇意义和语法意义的相互关系分为实词和虚词;按照语法特点划分词类(名词、动词、形容词等);按照形态结构分为单纯词、派生词、复合词和复合-派生词;按照词源特征分为固有词和外来词;按照全民性、稳固性和构词能力分为属于基本词汇的词和词汇的外围部分,等等。这些分类标准和结果都不适用于语。

语的分类要求体现语汇自身的系统性。过去比较常见的分类法有三种:一是以语法结构为标准,把语分为"定型的词组"(如:唱对台戏、一回生二回熟、打开天窗说亮话)和"定型的句子"(如:寡不敌众、旧瓶装新酒、脚正不怕鞋歪、大象的屁股——推不动);二是以语义结构为标准,把语分为"融合性"的(如:塞翁失马、三下五除二、不管三七二十一、长老种芝麻——不见得)、"综合性"的(如:泼冷水、孤掌难鸣、人多出韩信、快刀切豆腐——两面光)和"组合性"的(如:谨小慎微、费力不讨好、人多力量大);三是以表达功能为标准,把语分为"描绘性"的(包括成语、惯用语、歇后语)和"表述性"的(包括谚语、格言)。(参看孙维张《汉语熟语学》,吉林教育出版社,1989,第66—74页)

这三种分类法各有千秋,然均有不足之处。我们主张根据语的特点,采用形式与意义相结合的原则进行分类。这个问题,比较复杂,将在第二章里进行讲解。

第三,语的系统性还表现在各种语类的相互联系以及语义的类聚等方面。

在一定条件下,语类之间是可以转化的。如成语"逆水行舟"后面加上"不进则退",成语"画蛇添足"后面加上"多此一举",谚语"三个秀才讲书,三个屠户讲猪"后面加上"各有各的一套",前后两部分形成"引注"关系,就转化成为歇后语。惯用语"大眼瞪小眼"的前面,加上"张飞穿针",也构成"引注"关系,转化为歇后语。成语"孤掌难鸣"如果说成"一个巴掌拍不响",就成了谚语。成语"班门弄斧",如果说成"鲁班门前掉大斧",就成了惯用语;"鲁班门前掉大斧"后面加上"献丑"或"不自量",就成了歇后语。

以上是由结构扩展发生"语性"转化,还有一种情况是由结构紧缩发生"语性"变化。如谚语和惯用语常常紧缩成成语。如:

疾风知劲草(谚语)→疾风劲草(成语)

擒贼先擒王(谚语)→擒贼擒王(成语)

解铃还须系铃人(谚语)→解铃系铃(成语)

依样画葫芦(惯用语)→依样葫芦(成语)

郎不郎,秀不秀(惯用语)→不郎不秀(成语)

画虎不成反类狗(惯用语)→画虎类狗(成语)

如同词有同义词和反义词,语也有同义语和反义语。"一锹挖不出一口井来"和"一把火煮不熟一锅饭","看菜吃饭"、"量体裁衣"和"到什么山上唱什么歌",分别是同义谚语;而"万事开头难"和"起头容易结梢难"则是反义谚语。"瞎子点灯——白费蜡"和"丈母娘管外甥——白费劲"、"绱鞋不使锥子——针(真)好"和"狗赶鸭子——呱呱叫",分别是同义歇后语;而"黄连树上吊苦胆——苦上加苦"和"糖里掺蜜——甜上加甜"、"芝麻开花——节节高"和"王小二过年——一年不如一年",则分别是反义歇后语。

过去有一个误解,认为语在数量上比词少得多。其实,汉语语汇浩如烟海。一部《语海》(上海文艺出版社,2000)收语达10万条,其中谚语2.4万条,歇后语3.2万条,惯用语3万条;《中国谚语大全》、《中国歇后语大全》、《中国惯用语大全》(上海辞书出版社,2004)收条分别达10万条、8万条、5万条以上,这还不是穷尽性的收集。如果算上各地方言性的谚语、歇后语、惯用语和成语,更是难以估计。可见,汉语语汇不仅是一个系统,而且是一个极其庞大的系统。

第三节 语汇学

语汇学分为普通语汇学和个别语汇学。普通语汇学研究语汇的一般理论,是普通语言学的组成部分;个别语汇学研究具体语言的语汇,是个别语言研究的组成部分。本教程讲的是汉语语汇,称为汉语语汇学,属于个别语汇学范畴。

1. 汉语语汇学的研究对象、内容和任务

(1) 汉语语汇学的研究对象

如同汉语词汇学以汉语词汇为研究对象,汉语语汇学以汉语语汇为研究对象。传统语言学认为语言由语音、词汇、语法三个要素组成。根据"语词分立"的主张,应当用"语词"来替代"词汇"。语汇学和词汇学,是语词学里两个相辅相成的分支学科。

汉语语汇学具有广阔的领域。从纵向看,汉语具有悠久的历史,汉语语汇学可以汉语任何一个历史时期的语汇为研究对象。从横向看,汉民族共同语即普通话和汉语各方言都有丰富的语汇,汉语语汇学首先以民族共同语的语汇为研究对象,也可以各方言区的语汇为研究对象。

语汇广泛流行在群众的口语里,也有不少被吸收到历代的典籍里,因此,口语里的语汇和书面语的语汇,都是语汇学的研究对象。

本教程以汉民族共同语的语汇为研究的主要对象,古今兼顾,以今为主;口语和书面语兼顾,以书面语为主。另设专章,介绍方言语汇。

(2) 汉语语汇学的研究内容

汉语语汇学作为相对独立的学科,内容包括许多层面。既要对汉语语汇的现状进行静态描写,又要对汉语语汇的历史演变进行动态观察;既要对汉语语汇内部结构系统进行分析,又要对外部关系进行考察;既要进行理论上的探讨,又要进行应用方面的研究。

对汉语语汇进行静态描写和动态考察,是汉语语汇学的基础。科学研究要以事实为基础,语汇研究更是如此。静态描写和动态考察是认识汉语语汇事实的两个密切联系的过程,在此基础上,进一步解释事实,把对事实的认识从感性阶段提高到理性阶段,才能有效地进行汉语语汇内部结构系统的分析研究,才能认清语汇和社会历史、人文地理等方面的关系。

理论探讨是汉语语汇学的核心。汉语语汇数量多,历史悠久,类型复杂,只有通过理论概括,认清语汇的性质和构成、各种语类的演变规律及其相互关系等,才能建立起汉语语汇学的科学体系。过去,在语被作为"词的等价物"理论指导下,或者说词汇是词和语的集合体,或者说语汇是语和词的集合体,使得词汇和语汇成为等义术语。这种概念上的含混不清,影响到理论系统的科学性。

应用研究是汉语语汇学的宗旨,包含语汇的运用研究、语汇的教学研究和语汇类辞书编纂研究等多方面的内容。

语汇作为语言的"建筑材料",和词汇一样,具有广泛的使用范围和重要的应用价值。我国古代典籍,如《左传》、《史记》、《汉书》,以及《国语》、《国策》等,都含有大量的语汇。元明杂剧和《水浒传》、《西游记》、《金瓶梅》、《儒林外史》、《红楼梦》等古典小说,在语汇的运用方面达到了很高的水平。鲁迅、茅盾、老舍、赵树理等语言大师都十分重视语汇的运用。总结古今名家名作在运用语汇方面的成功经验,为汉语语汇的使用提供借鉴,是语汇研究的一个重要方面。

从语汇使用的现状来看,由于对语义理解不够准确,或者对语的感情色彩或修辞特色缺乏了解而造成使用上的失误,屡见不鲜。由于缺乏明确规范,语汇在使用上所出现的混乱现象,越来越严重。因此,加强语汇的应用研究具有现实意义,有助于提高正确运用汉语语汇的水平。

语汇的教学研究,是语汇应用研究的另一个重要方面。过去,由于对语的认识有偏差,语汇教学相对于词汇教学来显得相当薄弱。就当前比较通行的几种教材来看,有关语的部分,都程度不同地存在分量不足、内容简略、知识陈旧等问题。要从根本上解决这个问题,必须从改变观念开始。而提高语汇在教材里的地位,适当增加分量,更新知识,则是关键所在。

语汇类辞书的编纂,越来越受到重视,品种越来越多。既有大中型的综合性辞书,又有针对不同读者需要的各种类型的专语辞书,如成语词典、谚语词典、歇后语词典、惯用语词典等。特别是成语类辞书的编纂和出版更是出现了前所未有的繁荣和兴盛局面,数量之多,难以确计,但在质量上参差不齐。如何进一步提高语汇类辞书的质量,还有赖于语汇学研究的深入,使语汇类辞书真正体现语汇研究的成果。

(3) 汉语语汇学的任务

过去,由于语被认为是"词的等价物",语汇系统被看成是词汇的"子系统",语汇研究未能成为相对独立的学科。因此,汉语语汇学当前面临的首要任务,是进行学科自身的建设。

语汇学自身的学科建设是一个复杂而艰巨的工程,要做的事情很多。最根本的是要认清语的性质,划清语与词特别是复合词的界线,划清语和其他固定、准固定词组的界线;建立起语的分类系统,弄清各语类的不同性质及其相互之间的区别性特征;通过大量语汇材料的分析,认清语汇及所属语类的形成及演变规律,认清它们的结构、语义、语法功能、修辞作用,等等,建立起汉语语汇学的理论体系。

科学研究的前提是概念要明确。汉语语汇学的当务之急是要建立起科学的术语体系。目前,汉语语汇研究所用的术语,有的是从外国语借用来的,如上面提到的"熟语";多数是不同历史时期产生的传统用语,数量不少,但缺乏科学的界定。单是涉及"语"、"谚"、"言"的,除了前面提到的里语、鄙语、野语、常语、古语、俗语、里谚、鄙谚、野谚、古谚、俗谚、常言、迩言、恒言外,还有俚语、民语、直语、俚谚、民谚、乡言、俗言,以及俗谈、常谈、土话、街谈巷语,等等。名目繁多,令人眼花缭乱。清理起来,并非易事。

当然,语汇学科的自身建设,也有其有利条件。一方面,语的研究已经开始引起重视,并取得了长足的进步,积累了一定的经验;另一方面,相关学科特别是词汇学研究所取得的大量成果,可以作为借鉴。

语汇学和词汇学的关系最为密切。语是由词和词组合而成的,而有些语又可以紧缩成词。如:

① 我自己的婚事,自有我自己的主张,要我的叔父代庖干什么呢?(蒋光慈《田野的风》)

② 香港虽只一岛,却活画着许多地方现在和将来的小

照:中央几位洋主子,手下是若干颂德的"高等华人"和一伙作伥的奴气同胞。(鲁迅《而已集·再谈香港》)

③ 然而好了,这层担心已被证明是杞忧了。(郭沫若《集外·蒐苗的检阅》)

例①里的"代庖",例②里的"作伥",例③里的"杞忧",分别是成语"越俎代庖"、"为虎作伥"、"杞人忧天"的节缩说法,要了解它们的结构和意义,离不开对这些成语的研究。

语汇学和方言学也有十分密切的联系。方言,通常是指某个地区的话。麻雀虽小,五脏俱全,方言也有语音、语词、语法,方言语词也包括词汇和语汇。汉语里,不论哪种方言都存在大量的成语、谚语、歇后语和惯用语。方言语汇的调查研究和方言词汇的调查研究一样,是方言调查研究的对象。过去,汉语方言调查研究中,存在重语音轻语词的现象;在语词调查研究中,又存在重词汇轻语汇的现象。前一种现象已经有所改变,而后一种现象还没有引起足够重视,亟待解决。

汉语语汇是历史上形成的,古代汉语语汇是古代汉语的组成部分。现代汉语语汇,特别是成语中,仍然保存着大量的古汉语成分。因此,语汇研究应当为古代汉语和汉语史的研究提供有益材料。

汉语语汇,有不少取材于历史事件,如"假途灭虢"、"秦晋之好"、"成也萧何,败也萧何"、"韩信将兵,多多益善"等。可见,语汇学与历史学有着密切联系。有些语汇取材于民俗。谚语和歇后语被作为"民间语言",至今被作为民俗学的研究对象。也有的沿用传统的说法,把谚语、歇后语看成是"民间文艺",作为俗文学的研究对象。由此可见,语汇学与民俗学、俗文学也有密切联系。

汉语语汇学的另一个重要任务,是为精神文明建设服务。语言直接反映社会的变化,语言的词汇对于社会的变化尤为敏感。政治和经济、文化和教育、科学和技术、思想和道德等各个方面的变化,都在词汇里得到反映。语汇在这方面,比词汇有过之而无不及。语不是表示单纯的概念,而是具有叙述性的内容。有的语,特别是谚语,往往体现着某种人生观和世界观,含有一定的哲理和道德观念。汉语语汇学要注意发掘汉语语汇的文化内涵,使其成为中华民族先进文化的组成部分。

2. 汉语语汇学的研究方法和手段

汉语语汇学同其他学科一样,有与其研究对象、内容、任务相适应的研究方法和手段。方法和手段不是一成不变的,随着研究水平的提高和科技的进步,要不断变化和改进。下面从资料收集与整理、基本研究方法和手段现代化等方面,介绍几种做法。

(1) 田野作业法

相关资料的搜集和整理,是科学研究的基础。汉语语汇具有历史传承性,既大量流传在人民群众口语里,又被历代作家作品所吸收,保存在古今文献里。

对于流传在口语里的语汇,可以分地区有计划地进行调查收集。有的学者结合方言调查,收集第一手语汇材料,就属于这种区域性的田野作业。如《忻州方言俗语大词典》(上海辞书出版社,2002)汇集了山西省忻州市通行的词语22018条,其中词汇10005条,语汇12013条(含谚语3342条,歇后语1307条,惯用语1853条,成语5511条)。近年来许多县、市出版的方言志也收集了数量不等的语汇。如果各地都这样做,合起来就可以给汉语方言的语汇做一个比较广泛的调查,加上民族共同语即普通话的语汇,我们对汉语语汇的现状就会有比较全面的了解。

(2) 文献采集法

我国历代文献,包括经史子集等古代典籍,元明杂剧和近代白话小说,都记录着丰富的语汇。鲁迅、茅盾、老舍、赵树理等现代语言大师的作品,更是运用语汇的典范。从古今文献里采集语汇,是语汇资料搜集的另一个重要途径。山西省社会科学院语言研究所曾经组织学者在搜集谚语、歇后语、惯用语等俗语方面做了一些努力,编纂了《古今俗语集成》(山西人民出版社,1989),是这方面的初步尝试。我国古今文献浩如烟海,从文献里采集语汇材料是一项长期而艰巨的工程。

(3) 描写法

描写法是语言研究的一般方法。这种方法,用来进行汉语语汇的共时研究,便形成汉语描写语汇学。描写的对象可以是汉语任何一个历史时期的语汇。当前应当首先把主要目标放在现代汉语的语汇上。现代汉语方言的语汇也可以作共时的描写,但只有汉民族共同语即普通话才能代表现代汉语,所以汉语语汇的共时研究要把普通话语汇作为主要对象。但方言语汇的调查研究,也不应当被忽视。

汉语语汇的描写,要注意三个问题。一是要把罗列事实和分析事实结合起来。罗列事实和分析事实的关系是辩证的。罗列事实是认识的开始,是研究的基础。分析事实,要由表及里,找出事实的内在联系,得出具有规律性的结论。二是要正确看待事实和理论的关系。罗列事实不是简单地堆积事实。事实如何罗列,要受理论的支配。理论出于事实,并受事实的检验。三是要处理好局部事实和整体事实的关系,不能用局部事实来代替整体事实。以谚语为例,不论是社会谚还是自然谚,都有积极的一面,也有消极的一面;有精华的部分,也有糟粕的部分。不能只看一面,而忽视另一面。只有进行整体性的考察,才能得出比较全面的认识。

(4) 比较法

比较法也是语言研究的一般方法。比较研究分为纵向的历时比较和横向的共时比较。通过历时的比较,可以看出汉语语汇形成的历史层次和演变过程。从大的方面来看,汉语语汇里,谚语出现得最早,也最多;惯用语,特别是像"背包袱"、"揪辫子"、"吹牛皮"一类动宾式的惯用语则是后起的。从小的方面来看,具体到每一条语,也都有产生和演变的过程。进行汉语语汇的历时研究,形成历史比较语汇学。

横向的共时比较,是一种更为常用的方法。通过语与其他相关的语言单位(如复合词、专名语、专门用语)的共时比较,可以认清语的性质;通过语汇内部各语类的比较,可以认清语汇成员(谚语、歇后语、惯用语、成语)之间的区别,进行比较合理的分类。同属一个语类的语,还可以通过形式和内容的比较,进行再分类。从语义上进行比较,可以归纳出同义语或反义语。同义语的比较,还可以从语的褒贬义、语体风格等方面进行。除此之外,现代汉语方言语汇和普通话语汇、甲方言语汇和乙方言语汇,相互之间也可以进行比较,以求对汉语语汇作更加全面深入的了解。

(5) 计量法

描写法和比较法偏重于研究对象在质方面的规定,而计量法则偏重于研究对象在量方面的规定。在现代科学中,计量的研究方法越来越显出它的特殊作用。在汉语语汇研究中,如果能对搜集到的大量资料进行数据分析,统计出语的使用频率,对某些问题的解决,往往更具有说服力。如歇后语,过去有的学者认为它是"半截话","后半截说出来不说出来并不重要"。我们对《红楼梦》、《儒林外史》、《西游记》、《暴风骤雨》、《李自成》等古今 520 多部文艺作品中所用的 4892 条歇后语的统计,后一部分"歇"去的只有 375 条,占不到十分之一。这个事实,有力地证明了歇后语的后一部分一般是不"歇"去或不能"歇"去的。把歇后语说成是"半截话",经不起语言事实的检验。

应当看到,语言现象十分复杂,计量法有它的局限性。如何把计量法正确地运用到汉语语汇研究中去,有待于进一步探索。

随着科技的进步,研究手段在不断改进。语汇资料的搜集和整理,过去主要靠手工操作,一般是做卡片。这种手工操作法既费工又费力,随着计算机技术的应用,这种情况已经初步得到改变。随着语料库语言学的兴起,对语料进行计算机处理,建设语料数据库并配以多种检索手段,是当务之急。这不仅能使使用效率大大提高,而且能够实现资源共享。

3. 汉语语汇学的回顾和前瞻

(1) 我国古代的语汇研究

如前所说,先秦文献中就含有大量语汇,但搜集整理语汇的专著出现较晚。通常认为最早的是东汉崔寔的《农家谚》,其中收有"舶棹风云起,旱魃深欢喜"、"二月昏,参星夕,杏花盛,桑叶白"、"云往东,车马通;云行西,马溅泥;云行南,水涨潭;云行北,好晒麦"、"富何卒(cù)?耕水窟;贫何卒(cù)?亦耕水窟"、"麻黄种麦,麦黄种麻"等气象谚和农谚。

唐宋时期，由于市井文学地位的提高，语汇的收集和整理工作进一步受到重视。唐代李义山的《杂纂》是这方面的代表作。该书分上下两卷，所收语汇大致可分为两类：一类属于歇后语。出条的方式，是把歇后语的后一部分作为纲目，然后列举前一部分的不同说法。如：

必不来：穷措大唤妓女、醉客逃席、把棒呼狗、客作偷物去、追王侯家人

不相称：病医人、瘦人相扑、屠家看经

不快意：钝刀切物、破帆使风、树荫遮景致

可以看出，上面这种类型，实际上分别是一组后语相同而前语不同的歇后语。如第一组可以变换为"穷措大唤妓女——必不来"、"醉客逃席——必不来"、"把棒呼狗——必不来"、"客作偷物去——必不来"、"追王侯家人——必不来"等，这同现在所见的歇后语的一般形式没有什么不同。

另一类近似谚语。如：

怕人知：贼脏、匿人子女、透税

须贫：家有懒妇、早卧晚起

必富：勤求俭用、家养六畜

上面这种类型，如果前后两部分联系起来看（如"贼脏怕人知"、"家有懒妇须贫"、"勤求俭用必富"等），都比较明显地属于谚语。

继李义山《杂纂》之后，宋代有王君玉的《杂纂》、苏子瞻的《杂纂二续》，都沿用了李义山《杂纂》的体例。

宋代除了《杂纂》系列著作之外，还有无名氏的《释常谈》三卷。《四库全书总目》认为此书"当出北宋人手"。该书收有"东道"、"开

东阁"、"杨朱泣"、"持两端"、"牛马风"、"便便之腹"、"姜维之胆"、"敝帏之叹"、"王济之癖"、"小官子夏"、"落帽之辰"、"尺布斗粟"、"邓艾之疾"、"无投杼之疑"、"雪东门之耻"等共126条。现在看来,所收的词目多数不属于语。不过该书对后来还是有一定的影响。

宋代真正算得上语汇专集的,是周守忠所撰《古今谚》一卷。该书前面有作者自序。称:"略以所披之编,采摘古今俗语,又得近时常语,虽鄙俚之词,亦有激谕之理。漫录成集,名《古今谚》。古谚多本史传,今谚则鄙俚者多矣。"

明代在收集、考释俗语方面有新的进展,著作也较多。影响较大的有杨慎(1488—1559)的《古今谚》、陈士元(1516—1597)的《俚言解》,以及佚名的《目前集》等。

清代在语汇的收集和整理上进入一个新的阶段,出现了一批带有辞书性的俗语著作。有代表性的是翟灏(1736—1788)的《通俗编》、钱大昕(1728—1804)的《恒言录》、钱大昭(1744—1813)的《迩言》、杜文澜(1815—1881)的《古谣谚》、平步青(1832—1896)的《释谚》、胡式钰的《语窦》、郑志鸿的《常语寻源》、李光庭的《乡言解颐》、王有光的《吴下谚联》、唐训方(1809—1876)的《里语征实》、范寅(1827—1897)的《越谚》等。

古代学者,特别是清代学者,在语汇资料的搜集、整理和考释上取得了不少成就,但还有许多不足之处。主要表现在:

(一) 重资料辑录而轻理论探讨。对语的性质、范围没有形成明确的认识,普遍存在语、词混杂的情况。以钱大昕的《恒言录》为例,全书共收八百多条,分为十九类:吉语类、人身类、交际类、毁誉类(以上卷一)、常语类、单字类、叠字类(以上卷二),亲属称谓类

(卷三),仕宦类、选举类、法禁类、货财类(以上卷四),俗仪类、居处器用类、饮食衣饰类(以上卷五),文翰类、方术类、成语类、俗谚有出(以上卷六)。所收语汇,主要见于卷六"成语类"和"俗谚有出"。其他部分收的大都是词,包括单音词和多音词。

名称上也没有明确规范,有"俗语"、"常言"、"常谈"、"恒言"、"乡言"、"俚言"、"俗言"、"迩言"、"俗谈"、"俚语"、"里谚"、"俗谚"、"直言"等等。

当然,这并不意味着我国古代在语汇理论上一片空白。由于谚语影响比较大,所以历来对谚语的论述比较多。杜文澜所著的《古谣谚》,在卷一百"集说"里收集了先秦至明清各家对谚语的论述。在该书"凡例"里,作者阐述了自己对谚语性质和作用的一些观点,在前人论述的基础上前进了一步,尽管仍未形成系统的理论。

(二)重考源轻释义。辑录语汇资料过程中,一般不重视对语目的解释,而把功夫放在追溯语源上。语的求典寻根工作,从南朝梁代刘霁的《释俗语》就已经开始,到了清代,随着考据之学盛行,达到了顶峰。为《迩言》作序的沈涛,居然认为"街谈巷语,亦字字有所本"。《常语寻源》作者郑志鸿在"自序"里也说:"常语亦无一句无来历者。"街谈巷语,本来出自群众口语,硬要从书本上考证语源,往往出力不讨好。

(三)重典籍而轻口语。古人对语汇的辑录和考源,资料来源主要是古代典籍。不重视,甚至轻视从当时口语和古今口语化的作品里采集资料的倾向,长期存在。明代杨慎编撰的《古今谚》和《古今风谣》收集了当时口语里一些谚语,即遭到清代学者的批评。这种情况在《乡言解颐》和《吴下谚联》等著作里有一定的改变,但没有成为主流。

以上情况表明,语汇研究在我国古代还没有成为一门科学。

(2) 20世纪以来汉语语汇研究概述

20世纪初期,受西方民俗学的影响,谚语、歇后语被看成是"民众文艺"而受到重视。30年代的大众语运动进一步促进了谚语、歇后语的研究。40年代以后,成语的研究也受到重视。在语汇资料的收集、整理和辞书编纂上,出现了胡朴安等的《俗语典》(上海广益书店,1922)、孙锦标的《通俗常言疏证》(江苏省南通县翰墨林石印,1925)、郭后觉的《国语成语大全》(上海中华书局,1925)、史襄哉《中华谚海》(中华书局,1927)等比较有影响的著作。

新中国成立后,语汇的收集、整理和理论研究都取得了新的进展,出现了一批富有新意的论著。清代一批与语汇有关的著作,如翟灏《通俗编》、梁同书《直言补证》、钱大昕《恒言录》、陈鳣《恒言广证》,以及钱大昭《迩言》等由商务印书馆出版,对语汇研究起了很大的推动作用。

近二三十年来,语汇的收集、整理和研究进入繁荣时期。马国凡、武占坤、高歌东等撰写的"熟语丛书",包括《成语》(内蒙古人民出版社,1973)、《歇后语》(内蒙古人民出版社,1979)、《谚语》(内蒙古人民出版社,1980)、《惯用语》(内蒙古人民出版社,1982),是第一批系统的、有深度的理论研究成果;温端政撰写的《谚语》(商务印书馆,1985)、《歇后语》(商务印书馆,1985),以及《20世纪的汉语俗语研究》(与周荐合作,书海出版社,2000)等著作,丰富和发展了语汇的理论研究;孙维张的《汉语熟语学》(吉林教育出版社,1989),对语汇及其所属语类,包括成语、惯用语、歇后语、谚语等,进行了比较深入、系统的理论探讨。此外,王勤的《谚语歇后语概论》(湖南人民出版社,1980)、谭永祥的《歇后语新论》(山东教育出版社,1984)、高歌东的《惯用语再探》(山东教育出版社,1985)、刘广和的《熟语浅说》(中国物资出版社,1989)、徐宗才的《俗语》(商务印书馆,2000)等,也都各有建树。

(3) 汉语语汇学的展望

汉语语汇学虽然还处在草创阶段,面临着许多困难,但前景是辉煌的。语汇学的作用及其在语言学中的地位,被越来越多的人所认识。

语汇和词汇一样,是语言的必要的组成部分。语汇深深植根于中华民族博大精深的传统文化的沃土之中,是历代人民群众创造的语言财富,为群众所喜闻乐见,具有广泛的应用价值。语汇中的精华部分,不仅具有浓厚的民族特色,而且具有极其深刻的含义。像"前事不忘,后事之师"、"百闻不如一见"、"远亲不如近邻"等还常常被国家领导人在外交场合所引用。正如著名学者季羡林先生所说的,语"是中华民族智慧的结晶,它们涉及人们如何处理人与大自然(天人)的关系,人与人的关系(社会关系)以及每个人的个人修养等问题,并且都有精辟的意见,对指导我们的人生有重要意义。这些'语',在全世界所有的民族和国家中,都罕有其匹,是我们中华民族的珍贵的文化遗产"。(《语海·出版说明》,上海文艺出版社,2000,第7页)以语汇为研究对象的语汇学具有深厚的基础,广阔的领域,辉煌的前景。

应当看到,汉语语汇学的现状是和它的地位、作用不相称的。一个重要原因,就是缺乏一支从事语汇研究的专业队伍,更缺乏把专业人员组织起来的学术机构或团体,语汇研究和语汇类辞书编纂还基本上处在"各自为战"的分散状态。不论是全国性的还是地区性的语汇研究和语汇类辞书编纂的学术交流活动,至今基本上尚未进行。这种状况,应当尽快得到改变。有条件的高等院校中文系要考虑开设语汇学课程,以培养语汇研究的专门人才;要采用各种可行的形式,协调各地的语汇研究,在适当的时候,建立全国性和地方性的从事语汇研究的学术机构和团体,以促进和推动汉语语汇学的进一步繁荣和发展。

思 考 题

一、"语词分立"的含义和依据是什么?结合本章的内容加以回答。

二、有的学者认为"风马牛不相及"等于"无关","踏破铁鞋无觅处,得来全不费工夫"等于"巧遇"。你同意这种观点吗?请具体说明同意或不同意的理由。

三、联系实际,谈谈"语"的重要性。

四、2004年全国高考语文试题有一道题是考查学生"语"的相关知识的:

根据下面句子的语境,写出两个适用于句中横线处的熟语。

学生会主席说:"近来大家对学生会的工作有不少意见。今天这个座谈会,就是想请同学们_____,有什么说什么,帮助我们做好工作。"

命题人给出如下的标准答案:①横挑鼻子竖挑眼;②知无不言,言无不尽。

你觉得第一个答案合适吗?为什么?

练 习 题

一、下面有的是词或自由词组,有的是语,在你认为是语的下

面画一横线:

当家的 敲边鼓 翘尾巴 桥头堡 求全责备
敲门砖 肉搏战 放空炮 人云亦云 铁算盘
清一色 蜻蜓点水 艰苦创业 吃闭门羹 黑黝黝
吃吃喝喝 吃鸭蛋 清楚明白 夸夸其谈 灰不溜丢

二、下面有的是专门用语或专名语,有的是语。在你认为是语的下面画一横线:

清凉油 和风细雨 铁合金 铁杵磨成针 灰色市场
化学方程式 依样画葫芦 广角镜头 广开言路
光化学烟雾 固若金汤 告枕头状 何首乌 高瞻远瞩

三、下面有的是名句或格言,有的是语。在你认为是语的下面画一横线:

割鸡焉用牛刀 海水不可斗量 别时容易见时难
高不成,低不就 恭敬不如从命 近水楼台先得月
井水不犯河水 浪子回头金不换 不知其子,观其友
救寒莫若重裘,止谤莫若修身 言必信,行必果
天行健,君子自强不息 种瓜得瓜,种豆得豆
反贴门神,不对脸 你走你的阳关道,我走我的独木桥
先天下之忧而忧,后天下之乐而乐

第二章　语的分类

前一章在讲解语的范围时,我们曾经说明,语应当包括谚语、惯用语、成语、歇后语。包括格言在内的名句、专门用语、专名语(也称"专有名词")、复合词,以及结构上缺乏必要固定性条件的某些习惯性说法,都不属于语。这使我们明确了语的内涵和外延。在讲解语汇的系统性时,我们曾经提到,语是可以按照形式和意义相结合的方法进行分类的;语的分类要求体现语汇自身的系统性。这使我们初步明确了对语进行分类的可能性和基本要求。

本章将在此基础上进一步讲解语的分类原则,如何进行分类,如何建立起体现语汇自身系统性的分类系统。

第一节　语的分类原则

分类是以对象的本质属性或显著特征为依据所作的类型划分。语的分类自然也要以语的本质属性或显著特征为依据。

总结以往的经验,语的分类要注意坚持以下几个原则。

1. 科学性原则

术语概念明确,有严格规定的意义,这是语的分类是否具有科学性的前提。这就要求,所使用的语类名称必须规范,内涵和外延必须确定,相互之间的界限必须清晰。

汉语语汇源远流长,各语类的名称繁多,内涵和外延模糊,这必然影响分类的科学性。以谚语为例,古代就有"谚、鄙谚、野谚、里谚、俚谚、俗谚"等异名,现在称"鄙谚、野谚"的不多见了,但还有称里谚、俚谚、俗谚的,特别是"俗谚"还常见于一些学术论著。歇后语也有"俏皮话、缩脚语、譬解语"等异名。完全同义的异名术语越多,越会干扰正常的科学研究,必须予以消除。

术语的定义模糊,是影响科学性的另一个重要因素。例如成语,有的学者定义为:人们长期习用的、意义完整、结构稳定、形式简洁、整体使用的定型短语。这个定义过于宽泛,不仅适用于成语,也适用于谚语、惯用语和歇后语等其他语类。这就导致成语的内涵和外延模糊,使成语与其他语类界限不清。表现在辞书编纂上,有许多成语词典收了不少谚语、惯用语和歇后语。

这种情况,带有一定的普遍性,说明语类名称内涵和外延的模糊,必然严重损害分类的科学性。

缺乏系统性,是影响科学性的又一个重要因素。汉语语汇是一个庞大而复杂的系统,具有整体性、层次性和稳定性等特点。语的分类应当尽可能地反映这些特点。

2. 可操作性原则

做好语的分类,必须提出既能反映语的本质属性或显著特征,又具有可操作性的分类标准。在这方面,过去有许多经验教训值得我们总结。

例如,在语的分类中,如何区别成语和惯用语是一个难点。有的学者提出以字数(音节数目)来区分:惯用语大多数由三个字组成,成语大多数由四个字组成。两个"大多数",表明惯用语还可以是由少于或多于三个字组成的;成语还可以是由少于或多于四个字组成的,这样,界限就模糊起来,不好操作了。

有人提出以组成部分的结构关系来区分:惯用语以述宾式为主,成语不限于述宾式。"为主"两字本身又具有不确定性,难以操作。实际上,惯用语的语法结构与成语一样,也不限于述宾关系。有一部惯用语大词典,前言里把惯用语定义为"以动宾关系为基本语法结构,以三字格为基本形式",但在词典正文里又收了不少非述宾关系或者非三字格的语言单位。如"龙虎斗"、"鸟兽散"、"狗咬狗"、"鼠见猫"(以上主谓结构)、"挂起来"、"沉到底"、"矮半截"(以上述补结构),"绣花枕头"、"榆木脑袋"、"银样镴枪头"(以上非三字格的偏正结构),"生米煮成熟饭"(以上单句形式),"公说公有理,婆说婆有理"(以上复句形式)。

有人提出以结构的固定程度来区分:成语定型的程度比较高,惯用语定型的程度比较低。然而定型程度只是相对而言,很难作为区别特征。一般来说,述宾式的惯用语,往往可以拆开来说,如"碰了一个钉子"、"敲了好一阵边鼓"、"唱了一出对台戏"。但别的结构的惯用语则不能随便拆开,如"坐山观虎斗"、"牛头不对马嘴"、"雷声大,雨点小"等。成语有的也可以拆开来说,如"重蹈覆辙"、"略胜一筹"可分别说成"重蹈他的覆辙"、"略胜别人一筹"。

有人提出从语体上来区分:成语多带书面语体色彩,惯用语多带口语色彩。可是成语既有雅成语,也有俗成语,如"酒囊饭袋"、"打草惊蛇"、"乱七八糟"等,口语性都很强。惯用语,特别是古代流传下来的惯用语,也具有一定的书面色彩,如"莫须有"、"破天荒"、"只许州官放火,不许百姓点灯"等。因此,以语体为标准来区别成语和惯用语,也不具有可操作性。

由此可见,如何找到既能反映语的本质属性或显著特征,又具有可操作性的标准,是实现语的分类的科学性的关键所在。

3. 通行性原则

汉语语汇及其所属语类名称的形成,具有约定俗成的社会属性,分类标准和结果不能背离大多数人的理念和语感。这方面的经验教训,同样值得我们总结。

再以成语和惯用语的划界为例。由于上述种种方法都缺乏可操作性,无法用来区分成语和惯用语,于是有的学者提出另一种办法,以有无"表意的双层性"为标准进行区分:表意上有双层性的是成语,没有双层性的是惯用语。

所谓"表意的双层性",是指成语和惯用语中,有的语义有字面意义和真实意义之分,"字面的意义具有形象比喻作用或使人联想的作用,透过它曲折地表现仿佛处于内层的真实意义"。表意有这种双层性的,属于成语;没有这种双层性的,属于惯用语。如"雪中送炭",字面意义是"天冷下雪的时候上门送炭让人烤火取暖",真实意义是"比喻在别人急需的时候给以帮助",表意上具有"双层性",所以是成语;"走后门"字面意义是"从后门走进去",真实意义是"比喻用托人情、行贿等不正当手段,达到某种目的",表意上也具有"双层性",所以也是成语。以此类推,"开夜车"、"扯后腿"、"卖关子"等,表意上也具有"双层性",也属于成语。而"明知故犯"(明明知道不对,还故意去做或有意去违反)、"贪得无厌"(贪图名利之心永远没有满足的时候)、"风和日丽"(微风和煦,阳光明媚)、

"大公无私"(秉公持正,不徇私情)等,字面意义就是真实意义,都只有"一层意义",所以都属于惯用语。

这种分类标准和结果,之所以未能被多数人所接受,就在于它不符合通行性的原则。自从惯用语作为一种语类被承认之后,大多数人都已经把"表义的双层性"作为惯用语的一个主要特点。《现代汉语词典》(第5版)"惯用语"条认为惯用语"多用其比喻意义,如'开夜车'、'扯后腿'、'卖关子'等。"《辞海》(1999年版)"惯用语"条认为惯用语的整体意义"不是各组成分个体意义的相加,而是通过比喻等手段造成的一种修辞意义","如:'炒冷饭'喻指重复已经做过的事;'开倒车',喻指向后倒退。"硬把多数人认为是惯用语的,说成是成语;而把多数人认为是成语的说成是惯用语,背离了多数人的理念和语感,理所当然地不可能被接受。

语的分类,具有客观的规律性。科学性、可操作性和通行性等原则,是这种规律性的体现,是进行语的分类时所必须遵循的原则。

第二节 语的分类系统

实践告诉我们,语的科学分类系统,必须建立在对语及其所属语类的本质属性或显著特征的正确认识基础之上。语是结构形式和语义内容的统一体。对语进行分类,不能只着眼于形式或只着眼于内容,必须把形式和内容有机地结合起来。下面谈谈具体做法。

1. 根据语的"叙述性"特征,把语分为表述语、描述语和引述语

在讨论语的性质时,我们曾经把语定义为:汉语里由词和词组合而成的、结构相对固定的、具有多种功能的叙述性语言单位。叙述性是语区别于词和专名语、专门用语等其他定型的语言单位的主要特征,也是语的本质属性所在。进行语的分类,首先要抓住语的叙述性特征,以叙述的内容和方式为标准,把语分为表述语、描述语和引述语三种类型。分述如下:

(1) 表述语

表述语的特点是具有知识性。内容十分广泛,既包含对客观事物的认识,也包含在社会实践中积累的经验。谚语属于表述语,一部分成语也属于表述语。

表述语可以用直陈的表达方式,也可以采用引申或比喻的表达手法。如:

① 凡事百闻不如一见。无论人家说得怎样神乎其神,总要看见,才能相信。(张恨水《啼笑因缘》一九回)

② 活人不能叫尿憋死,这里混不下去,就得向外跑。(老舍《王老虎》一幕)

③ 孩子们自然会选择自己的道路……强扭的瓜儿不甜!(梁斌《红旗谱》四一)

例①里的"百闻不如一见",用的是直陈手法,指听说得再多也不如亲自看一眼来得真实可靠。例②里的"活人不能叫尿憋死",用的是引申义,指有活力的人不会被困难压倒,总会有克服困难的办法。例③里的"强扭的瓜儿不甜",用的是比喻手法,指采用

强制的手段,达不到预期的目的。

无论采用什么表述手法,表述语都是通过判断或推理的思维方式来体现人们对事物的某种认识。

有的用直言判断来断定人或事物有没有某种属性。如:

① 人家说妇女能顶半边天……别的不说,今年这棉花能不能保证丰产,就全看妇女们了。(李準《李双双》二章二三)

② 夫妻无隔宿之仇,饶人三分不为痴。(陈登科《风雷》一部二六章)

例①里的"妇女能顶半边天"是肯定判断,指妇女的作用和男人一样大;例②里的"饶人三分不为痴"是否定判断,指饶恕别人不是愚蠢。

有的用联言判断来断定几种事物情况同时存在。如:

① 门开了,一个少女出现在门口。俗话道,人是衣裳马是鞍,意思是人要穿戴得好才美丽。(冯德英《迎春花》二章)

② 早先我还跟二愣嘀咕过来,只差没个领头的。俗话说:"人无头不走,雁无头不飞。"今儿个铁锤哥领头,咱一百个赞成。(王厚选《古城青史》一七回)

例①里的"人是衣裳马是鞍",指仪表的美好离不开装饰;例②里的"人无头不走,雁无头不飞",指一个集体必须有首领人物。二者分别断定了两种情况同时存在。

有的用选言判断来断定事物存在若干可能情况,并加以取舍选择。如:

① 自古道:"宁为太平犬,勿作乱世人。"我家原来也有几亩薄田,就因为读书,又碰上打仗,搞穷了。(李六如《六十年的变迁》九章二)

② 你今天讲这些话,如珠宝一样贵重。俗话说:"与其有骆驼那样的身躯,不如有纽扣大的智慧。"(柯尤慕《战斗的年代》一部五章)

例①里的"宁为太平犬,勿作乱世人",指宁愿当一只太平盛世的狗,也不愿做荒乱年间的人;例②里的"与其有骆驼那样的身躯,不如有纽扣大的智慧",指躯体再壮实,也不如智慧所产生的力量大。二者都是在选言判断的基础上作出的推理。

有的用假言判断来断定某一事物情况的存在是另一事物情况存在的条件。如:

① 李国涛急躁地说:"只要青山在,不怕没柴烧。眼前,只要你好好的,那天塌下来也不怕了。"(杜鹏程《保卫延安》五章)

② 小妖跟随道:"老夫人,往那里去?"妖精道:"留得五湖明月在,何愁没处下金钩!把这厮送出去,等我别寻一个头儿罢!"(《西游记》八二回)

例①里的"只要青山在,不怕没柴烧",比喻只要保住基本力量,往后仍可再图发展;例②里的"留得五湖明月在,何愁没处下金钩",比喻只要保住自己的才能,就不必担心没有地方施展。二者都是充分条件的假言判断。

表述语所蕴含的知识,有的是由经验得来的感性知识,有些则是由已知认识推理所得的新的理性知识。如:

① 俗话说:"马上摔死英雄汉,河中淹死会水人。"恃勇必败,骄兵必败!(罗旋《南国烽烟》一部七)

② 华克刚咬断了线头,用手揉一揉补好的破洞,忽然想起一句俗话,小洞不补,大洞吃苦啊!这话说得太好了,太有

启发了。补衣服是这样,干别的何尝不是如此呢。(程建《三探红鱼洞》八)

例①里的"马上摔死英雄汉,河中淹死会水人",由两种相关的感性知识,推出一个理性认识:恃勇必败,骄兵必败。例②里的"小洞不补,大洞吃苦",由缝补衣服得来的感性认识,推出一条普遍性的结论:不论做什么事情,小问题不及时解决,等问题闹大了,就会有严重的后果。

(2) 描述语

描述语缺乏表述语所具有的知识性,不像表述语那样采用逻辑推理的形式,而是运用多种手法描述人或事物的形象、状态,或描述行为动作的性状。惯用语属于描述语。大多数成语也属于描述语。

描述语有的采用直描手法,有的采用引申或比喻的手法。如:

① 咱们在重庆,人生地不熟。为了落好名声,咱俩吃了多少苦,费了多大劲。(老舍《鼓书艺人》二二)

② 他们还要在我们面前摆起前辈的架子,说我们没有子侄辈的礼貌!(巴金《家》二九)

③ 我的主张早已发表过许多次了,现在不想再跟你们唱对台戏。(茅盾《锻炼》二二)

例①里的"人生地不熟",指人、地都生疏,用的是直描手法。例②里的"摆架子",指装腔作势,显示自己的身份高贵,用的是引申法。例③里的"唱对台戏",指采取对立的行动来反对或搞垮对方,用的是比喻法。

描述语不受结构形式的限制,可以像"摆架子"、"唱对台戏"那样采用词组形式,也可以像"人生地不熟"那样采用句子形式。采

用句子形式的描述语,有相当数量。下面再举一些例子:

① 黑凤说着,从怀里掏出一个花手帕,她把手帕展开露出一块一眼望去就知道质量很好的生铁来。月艳笑道:"恐怕也是瞎猫碰到死老鼠。"(王汶石《黑凤》一二章)

② 咱们必须替她扔掉那个绊脚石,一朵鲜花插在牛粪上,真把她糟踏啦!(杨沫《青春之歌》一部一二章)

③ 正说得好好的,谁知半路又杀出一个程咬金来,老拱大娘不愿意啦。(白危《垦荒曲》二部三四)

④ 雷声大,雨滴小,不做实际事情,俺还有啥可说的!(陈登科《风雷》一部二三)

⑤ 同志们,白刀子进,红刀子出,用刺刀杀出个威风来!(杜鹏程《保卫延安》五章)

例①里的"瞎猫碰到死老鼠",比喻人侥幸得到意外的收获或成功;例②里的"一朵鲜花插在牛粪上",比喻年轻漂亮的女子嫁给条件很差的男子;例③里的"半路杀出一个程咬金",指事情进行过程中,出现了意想不到的人,使情况突然发生变化,都是采用单句形式。例④里的"雷声大,雨滴小",比喻话说得很有气势,而实际行动却很少;例⑤里的"白刀子进,红刀子出",形容血腥拼杀的样子,都是采用复句形式。

(3)引述语

引述语是由"引子"和"注释"两个部分组成的。它的惯用名称是歇后语。

"引子"(下面简称"引")和"注释"(下面简称"注")之间在内容和表达方式上的关系,比较复杂。根据引述的语气,可以分为以下三类。

(一) 陈述类

根据前后两个部分陈述的内容，又可以分为以下几个小类：

a. "引"讲一种人、物或一件事情，"注"叙述状态或模拟声音。

叙述状态的，如：

  太平洋的警察——管得宽

  磨道里的驴——转圈子

  屋檐下的冰凌——根子在上头

  小葱拌豆腐——一青（清）二白

  阿庆嫂倒茶——滴水不漏

  挨了巴掌赔不是——奴颜媚骨

  瞎子背瞎子——盲（忙）上加盲（忙）

  孙猴子坐天下——毛手毛脚

模拟声音的，如：

  狗撵鸭子——呱呱叫

  半篮子喜鹊——唧唧喳喳

  榔头敲钢板——丁当响

  蛤蟆跳井——扑通（不懂）

  石鸡上南山——咯咕咯（各顾各）

  钢筋打铜锣——当当响

  鸭腿上绑铜铃——响当当，呱呱叫

b. "引"讲一种物或一件事，"注"叙述某种判断，可以是肯定的判断，也可以是否定的判断。

肯定的判断，如：

  唱戏的装大官——乐一回是一回

三伏天喝冰水——真是透心的凉

脚上的泡——是自己走的

豆芽子长上一房高——也是菜

孔夫子搬家——净是书(输)

大年初一吃饺子——都是一家人

小和尚给大和尚捉虱子——是一个庙里的事

否定的判断,如:

唱戏的打旗——不是大人物

唱戏的拿掸子——不是凡人

生铁没烧熟——不是好钢

坟地里的夜猫子——不是好鸟

蒺藜子拌草——不是好料

癞蛤蟆想飞——不是上天的料

中堂上挂草帘——不是画(话)

两股道上跑的车——走的不是一条路

六月里穿棉袄——一看就不是什么好人

有的"注"里虽然没有表示判断的动词"是",但从它和"引"之间的意义关系上看,也是表示一种判断。如:

阎王爷贴告示——鬼话连篇

膝盖上挂暖瓶——水平比脚(较)高

扛着竹竿进城——直来直去

刘关张桃园三结义——生死之交

老婆婆的牙齿——吃软不吃硬

包脚布当孝帽——一步登天

木匠戴枷——自作自受

驴子拉磨牛耕田——各走各的路

c. "引"讲一种物或一件事,"注"说明它的性质、原因、结果或目的等。

说明性质的,如:

夹肢窝生疮——阴毒

六月里的梨疙瘩——有点酸

一条藤上结的瓜——苦都苦,甜都甜

蜂蜜里拌糖——甜上加甜

说明原因的,如:

鸭子不吃瘪谷——肚里有货

卖膏药的不用动嘴——天然就有幌子

猴子不上竿——没有把锣鼓敲紧

一锹掘出个井来——捅在了正经的地方了

说明结果的,如:

黄鼠狼看鸡——越看越稀

穿着蓑衣救火——引火烧身

周瑜谋荆州——赔了夫人又折兵

脚背上长眼睛——把自己看高了

说明目的的,如:

狲狲戴帽子——想充个好人

买麻花不吃——为了看这股劲

黑瞎子蒙红头巾——冒充新娘子

老鸹身上插花翎——自充小孔雀

(二)反问类

"引"讲一种物或一件事,"注"提出某种反问,如:

园子里的韭菜——你算哪一蔸

半边铃铛——咋响（想）的来

忙中拾得一包针——谁顾得数你

大风地里吃炒面——怎么张开口

土豆子上席——算什么丸子

客厅里挂狗皮——那像什么画（话）

猪八戒丢了铁耙——你凭什么保师父

大花公鸡上舞台——你跟谁比漂亮

(三) 感叹类

"引"讲一件事，"注"发出某种感叹，如：

猴子爬到树梢上——你算爬到顶了

倒了油瓶不扶——懒到家啦

正月十五贴门神——晚了半月啦

蚂蚁打哈欠——好大的口气

卖油的敲锅盖——好大的牌子

三张纸画一个驴头——好大的脸面

三斧头砍不入的脸——好厚的脸皮

根据上述三种不同的引述语气，我们可以把歇后语分为三种类型，即陈述型歇后语、反问型歇后语和感叹型歇后语。

应当指出，表述语、描述语和引述语，从逻辑上看，并不完全在一个层面上。引述语，更着重于结构形式，特征是由有"引注关系"的前后两个部分组成。从语义上看，它的表义重点在后一部分，一般采用描述方式。就这个意义来说，它也属于描述语，不过是一种前带"引子"的描述语。

2. 以结构上"二二相承"为特征,把成语从表述语和描述语里分离出来

如上所述,谚语和少数成语是表述语,惯用语和大部分成语是描述语,歇后语全部是引述语。那么,接下来的问题是如何把成语从表述语和描述语里分离出来,成为语的一个大类。

成语多出自经、史、子、集中的名作。下面两条具有代表性:

【三人成虎】出自《战国策·魏策二》:"庞葱与太子质于邯郸,谓魏王曰:'今一人言市有虎,王信之乎?'王曰:'否。''二人言市有虎,王信之乎?'王曰:'寡人疑之矣。''三人言市有虎,王信之乎?'王曰:'寡人信之矣。'庞葱曰:'夫市之无虎明矣,然而三人言而成虎。'"

意思是:庞葱跟魏太子一同到赵国的都城邯郸做人质,为劝魏惠王不要听谗言,他对魏惠王说:"如果有一个人说街市上有老虎,请问君王会不会相信呢?"魏惠王说:"不会相信。""如果有两个人说街市上有老虎,请问君王会不会相信呢?"魏惠王说:"那我将半信半疑。""如果有三个人说街市上有老虎,请问君王会不会相信呢?"魏惠王说:"那我就相信了。"庞葱接着说:"街市上明明没有老虎,只是因为三个人说有老虎,就信以为真。"

【守株待兔】出自《韩非子·五蠹》:"宋人有耕田者,田中有株,兔走,触株折颈而死,因释其耒而守株,冀复得兔。兔不可复得,而身为宋国笑。"

意思是:宋国有一个农夫,他田里有一个树桩子,有只兔子奔跑时撞在树桩上,折断了脖子死了,他便放下手中的农具守在树桩旁边,希望再捡到兔子。结果,兔子没有再捡到,却被宋国人所耻笑。

三人成虎,后用来比喻传播谣言的人多了,人们便会相信。守株待兔,把偶然性当成了必然性,后用来比喻死守狭隘经验而不知变通;也比喻心存侥幸,坐待其成。两个成语的语义都具有叙述性,但所叙述内容的性质明显不同:前者属于肯定判断,具有表述性;后者描绘动作行为,具有描述性。

综观现在人们心目中的成语,可以无一例外地分成这两类。

属于表述性的较少。如:

本性难移	不平则鸣	不破不立	唇齿相依	唇亡齿寒
大器晚成	大智若愚	盗亦有道	福无双至	寡不敌众
红颜薄命	户枢不蠹	吉人天相	集腋成裘	骄兵必败
久病成医	人微言轻	众口难调	众口铄金	众怒难犯
众毛攒裘	众擎易举	众志成城	做贼心虚	

属于描述性的居多。如:

哀鸿遍野	安居乐业	百废待兴	半途而废	杯水车薪
病入膏肓	惨不忍睹	初出茅庐	唇枪舌剑	粗枝大叶
大海捞针	刀光剑影	倒行逆施	当机立断	得意忘形
酒囊饭袋	抛砖引玉	固若金汤	和风细雨	魂不守舍
虎踞龙蟠	千钧一发	投鼠忌器	任劳任怨	

前者从内容上看,和谚语没有什么区别,像"本性难移、不平则鸣、大器晚成、大智若愚"等,有些谚语词典也收;"吉人天相",可说成"吉人自有天相","久病成医"则是"久病成良医"的压缩,完全可以看成是谚语。唯一可以作为区别性特征,与一般谚语分离开来的是四字结构(即四个音节,下同)。

后者从内容上看,都属于描述性,和惯用语没有什么区别,唯一可以作为区别性特征的也是四字结构。

由此,可以得出这样的认识:所谓成语,实际上是由四字结构的表述语和四字结构的描述语组合而成的。

由四字构成的成语,有一条重要的规律,就是在结构上"二二相承"。多数表现在语法或语义结构上,有的表现在语音结构上。

从语法或语义结构上看,相当一部分成语属于并列式,如"刀山火海、胆战心惊、暴风骤雨、赏心悦目、红男绿女"等。在语音结构上,由于成语的构成成分都是单音节词和双音节词,容易出现对偶性的组合,把一个成语分为前后相承的两个节拍。语法结构属于并列式的表现得更为典型,自然而然地形成两字一顿的音步,如"刀山—火海"、"胆战—心惊"、"暴风—骤雨"、"赏心—悦目"、"红男—绿女"等。即使不是并列式结构,如"胸有成竹、一丘之貉、哄堂大笑、江郎才尽、江河日下、揭竿而起"等,音步的划分也是"二二相承"的,甚至像"一衣带水"(本义为像一条衣带那么窄的水面,形容两岸距离很近,往来无阻)这样结构特殊的成语,习惯念法也是"二二相承"。由此,我们可以进一步把成语定义为"二二相承的描述语和表述语"。这样,既体现成语的特征,又可以把成语和非二二相承的描述语(如"唱对台戏、喝西北风、戴高帽子、放马后炮、丢乌纱帽"等是采用"一三"音步的惯用语)和非二二相承的表述语(如"旁观者清"和"物离乡贵",分别是采用"三一"和"一二一"音步的谚语)区别开来。

以结构上"二二相承"为标识,把成语从表述语分离出来,剩下的表述语才是谚语;同样,以"二二相承"为标识,把成语从描述语分离出来,剩下的描述语才是惯用语。因此,可以说谚语是非"二二相承"的表述语;惯用语是非"二二相承"的描述语。

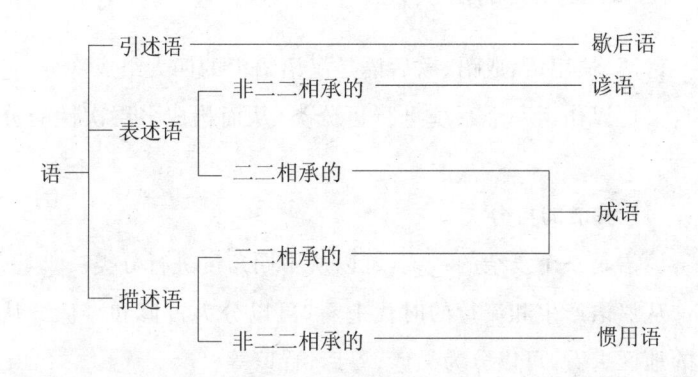

综合前面所述,我们可以把语的分类系统表示为如下图式:

```
         ┌─ 引述语 ──────────────────────── 歇后语
         │           ┌─ 非二二相承的 ─────── 谚语
         ├─ 表述语 ──┤
语 ──────┤           └─ 二二相承的 ──┐
         │                           ├── 成语
         │           ┌─ 二二相承的 ──┘
         └─ 描述语 ──┤
                     └─ 非二二相承的 ─────── 惯用语
```

这个分类系统,较好地反映了汉语语汇系统的特点,基本上符合分类的主要原则和基本要求。具体地说,有以下几个优点。

第一,分类标准明确。抓住语的叙述性特点,先分为表述语、描述语和引述语,然后又根据成语在结构上的特点,作了灵活的处理,提出另一个层面的分类标准,从而把内容和形式较好地结合起来,形成了内在关系清晰的分类系统。

第二,语类之间的界限明确。不仅歇后语和其他语类界线清晰,而且成语与谚语、成语与惯用语、谚语与惯用语之间的界限,也都显得非常清晰,这就使语的分类具有较强的可操作性。

第三,分类结果符合传统习惯和人们的语感。为了使概念明确、分类界限清晰,我们对谚语、惯用语、成语、歇后语等传统名称,作了更加严密的界定,使分类系统更具有科学性。但这种界定,并不脱离传统认识,而是以传统认识为基础,因此,分类结果符合多数人语感,具有可接受性。

3. 语的分类的层次性

谚语、惯用语、成语、歇后语是汉语语汇的四大组成部分,它们各自又可以作为一个系统进行再分类,从而构成多层次性的分类系统。

(1) 谚语的再分类

谚语是一个复杂的系统,可以从不同角度进行分类。

从谚语产生和流行的时代上看,可以分为古谚和今谚。从流行的地区上看,可以分为吴谚、粤谚、晋谚等。

从语义内容上看,可分为"社会谚"和"自然谚",它们各自又可以按内容再细分,从而形成多级性的分类系统。如下表:

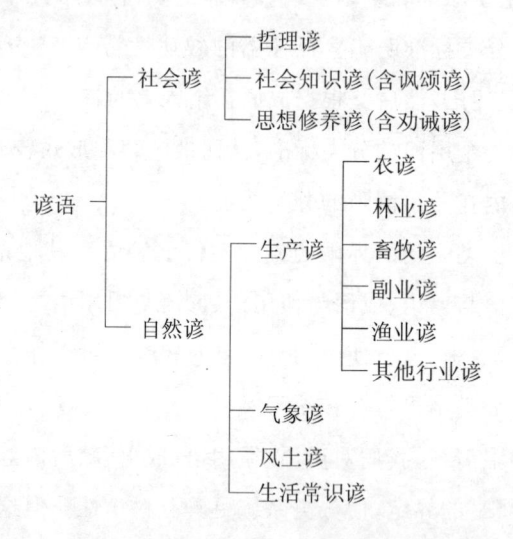

```
           ┌─ 社会谚 ┬─ 哲理谚
           │        ├─ 社会知识谚(含讽颂谚)
           │        └─ 思想修养谚(含劝诫谚)
  谚语 ─┤
           │        ┌─ 生产谚 ┬─ 农谚
           │        │        ├─ 林业谚
           │        │        ├─ 畜牧谚
           │        │        ├─ 副业谚
           │        │        ├─ 渔业谚
           └─ 自然谚 ┤        └─ 其他行业谚
                    ├─ 气象谚
                    ├─ 风土谚
                    └─ 生活常识谚
```

(2) 惯用语的再分类

惯用语可以从两个角度进行分类。

一是根据惯用语在内容上的描绘性特点进行分类。大致上可分为以下十类：

（一）描绘人的相貌，如"缺胳膊短腿"、"大眼瞪小眼"、"人不像人，鬼不像鬼"等。

（二）描绘人的品性，如"一根肠子通到底"、"一锥子扎不出血"、"人前一套，人后一套"等。

（三）描绘人的心理活动，如"一块石头落了地"、"不吃馒头蒸（争）口气"、"又想吃蛇肉，又怕蛇咬手"等。

（四）描绘人的境遇，如"一跤跌在冰窖里"、"一朵鲜花插在牛粪上"、"上天无路，入地无门"等。

（五）描绘人的动作、行为，如"一条道走到黑"、"一竿子插到底"、"一头放火，一头放水"等。

（六）描绘人际关系，如"走后门"、"八竿子打不着"、"一个唱白脸，一个唱红脸"等。

（七）描绘动物的动作行为，如"大鱼吃小鱼"、"羊群里跑出个骆驼来"、"又不打鸣，又不下蛋"等。

（八）描绘人或事物的状态，如"一步一个脚印"、"一个萝卜一个坑"、"一传十，十传百"等。

（九）描绘自然现象，如"一风吹"、"一会儿风，一会儿雨"、"干打雷不下雨"等。

（十）描绘鬼神，如"鬼打鬼"、"泥佛劝土佛"、"神不知，鬼不觉"等。

二是根据惯用语的结构类型进行分类。先把惯用语分为以下五种类型：

（一）单语节词组型，如"摘桃子"、"敲顺风锣"、"吃了砒霜药老虎"等。

(二) 单语节单句型,如"脸皮儿薄"、"瘦驴屙硬屎"、"前言不搭后语"等。

(三) 单语节复句型,如"人生面不熟"、"水过地皮湿"、"机儿不快梭儿快"等。

(四) 双语节并列型,如"数黄瓜,道茄子"、"东也不成,西也不成"、"一不沾亲,二不带故"等。

(五) 双语节非并列型,如"有好心,没好报"、"让了甜桃,去寻酸枣"、"有钱买马,没钱置鞍"等。

单语节词组型又可分为偏正词组型、述宾词组型、述补词组型等;双语节并列型又可分为"主谓+主谓"型、"述宾+述宾"型、"述补+述补"型等;双语节非并列型又可分为选择关系型、转折关系型等(详见第六章第二节"惯用语的结构")。

(3) 成语的再分类

成语也是一个复杂的系统,可以从多种不同的角度进行再分类:

(一) 从语义结构的角度进行分类

有的学者主张把成语分为"组合性成语"和"非组合性成语"两类。前者语义"跟它字面意义的逻辑组合是一致或基本一致的",如"扬长避短"、"既往不咎"、"丰功伟绩"等;后者"实际意义和字面意义的差异较大。字面意义只能为理解实际意义提供一定线索,而不能显示出它全部内容",如"草木皆兵"、"得陇望蜀"、"覆水难收"等。有的学者主张,在此基础上,再把"非组合性成语"分为"融合性成语"和"综合性成语",加上"组合性成语",变成三类。"融合性成语"语义构成方式的特点是整体性最强,融合程度最高,构成成分失去独立性,语义结构不好分析,语义的形成与语源、社会因素直接相关,如"暗度陈仓"、"杯弓蛇影"、"洛阳纸贵"等;"综合性成语"语义构成方式的特点是融合的程度比较高,构成成分具有相对的独立性,"语形"结构可以分析,但不直接表现语义,语义的构成具有相对的语言内部的理据性,如"按图索骥"、"白驹过隙"、"抱薪救火"等。

(二) 从叙述性质的角度进行分类

首先可以分为"表述性成语"和"描述性成语"两大类。表述性成语数量比较少,可以不再分类。描述性成语数量较多,可以根据描述的方式再分为三类。

a. 直陈式,如"爱不释手",指喜爱得不肯放开手,语义是组合语素的直接陈述。

b. 引申式,如"兢兢业业",出自《诗经·大雅·云汉》:"旱既大甚,则不可推。兢兢业业,如霆如雷。"汉·毛亨《传》:"兢兢,恐也;业业,危也。"原形容危惧,后用来形容小心谨慎,不敢懈怠。

c. 比喻式,如"井底之蛙",指生活在浅井或水坑里的青蛙,《庄子·秋水》:"井蛙不可语于海者,拘于虚也。"后比喻眼光狭窄、见识短浅的人。

(三) 从语法性质的角度进行分类

首先可以分为"体词性成语"和"谓词性成语"两大类。

"体词性成语"从结构上看,又可分为两类。

a. "整体定中式结构",如"雕虫小技"、"庞然大物"、"不刊之论"、"嗟来之食"等。

b. "双体定中式结构",如"粗茶淡饭"、"天涯海角"、"南腔北调"、"生龙活虎"等。

"谓词性成语",从结构上看,又可分为主谓结构、述宾结构、状中结构、连动结构、兼语结构等。

(四) 从语义内容的角度进行分类

这种分类法有一定的实用价值,已经出版的成语类语典中就有不少是按语义内容分类排列的。如王理嘉、侯学超编著的《分类成语词典》(广东人民出版社,1985)先把成语分为十二大类:景物描写、评文论艺、教育学习、人物品行、心理情绪、言辞表达、社会斗争、社会生活、行事取法、情势状态、政治法律、军事经济。每一大类下面又分为若干小类。如"景物描写"大类又分为"景色事物"、"天文地理"、"时间光阴"、"比较差别"、"高下低劣"、"丰富繁多"、"热闹繁华"等七小类。"景色事物"又分为"景色"和"事物"两类;"天文地理"又分为"天文"、"地理"两类。如此等等,形成了三级分类系统。

(4) 歇后语的再分类

歇后语的再分类,也有多种做法。大多把歇后语分为两类:喻意类和谐音类。"喻意"有的称"喻义","谐音"有的称"谐声"或"双关"。

有的学者认为这个分法缺乏科学性,因为谐音的歇后语是在喻义的歇后语的基础上形成的,"喻意(义)"和"谐音"不是对立关系。他们主张歇后语分为"不谐音的"和"谐音的"两类。这种分法虽然有些简单,但在逻辑上看,没有什么问题。

歇后语还可以根据"引"和"注"数目的不同,分为一引多注式和多引一注式。

一引多注式是从不同的角度对同一事物或现象作出不同注释的。如:

去年的皇历——翻不得

去年的皇历——今年使不上了

去年的皇历——背时

去年的皇历——不中用

娶媳妇碰见送(出)殡的——有死有活

娶媳妇碰见送(出)殡的——倒霉透了

娶媳妇碰见送(出)殡的——哭的笑的都有

娶媳妇碰见送(出)殡的——又哭又笑

娶媳妇碰见送(出)殡的——净碰些败兴事

刘姥姥进大观园——满载而归

刘姥姥进大观园——出洋相

刘姥姥进大观园——处处新鲜

刘姥姥进大观园——给啥拿啥

刘姥姥进大观园——看花了眼

刘姥姥进大观园——看得出神

刘姥姥进大观园——少见多怪

多引一注式是对不同事物或现象作出同一注释的。如：

瓷公鸡,玻璃猫——一毛不拔

铁仙鹤——一毛不拔

瓷公鸡,铁仙鹤,琉璃猫——一毛不拔

冷水烫鸡——一毛不拔

铁公鸡——一毛不拔

铁公鸡请客——一毛不拔

铁公鸡上筵席——一毛不拔

铁毛老公鸡——一毛不拔

此外,歇后语还可以根据语义特点及其构成方式,先分为"直陈型"和"双关型"两大类。双关型又可分为:"转义双关"型(即利用后一个语节里某个词语的多义性产生转义而形成双关),"谐音双关"型(即利用同音异形字或近音异形字形成双关),"假借双关"型(即利用同音同形异义字形成双关),"组合双关"型(即利用词与词的组合形成双关),"借喻双关"型(即采用借喻手法形成双关)。(详见第八章第三节"歇后语的语义")

综上所述,在语的整个分类系统中,处于核心地位的是第一层次,即谚语、惯用语、成语和歇后语。谚语、惯用语、成语和歇后语的再分类,是语的整个系统的组成部分。汉语语汇的庞大系统正是由它们有机地组合而成的。

第三节 语的雅俗色彩分类和感情色彩分类

语还可以从雅俗色彩和感情色彩两个侧面进行分类,分述如下。

1. 语的雅俗色彩分类

根据语的雅俗色彩,可把语分为雅语和俗语。

(1) 俗语的性质和范围

如同词有雅(文言词)俗(口语词,或称"俗语词")之分一样,语也有雅俗之分。然而,如何区分雅俗却是个不大好解决的问题。词是这样,语也是这样。

应当承认,语有雅俗之分,是汉语里客观存在的一个事实。从文献记载来看,先秦时代的"语",大都是指俗语。不过当时还没有出现"俗语"这个名称。俗语,作为语言单位的名称,始于汉代:

《汉书·路温舒传》:"狱吏专为深刻,残贼而亡(wú)极,媮(tōu)为一切,不顾国患,此世之大贼也。故俗语云:'画地为狱,议不入;刻木为吏,期不对。'此皆疾吏之风,悲痛之辞也。"

相传上古时,人若犯罪,就命令他站在所画的圈子里,以示惩罚。"画地为狱,议不入;刻木为吏,期不对",意思是:即使在地上画个圈儿作为牢狱,也誓死不愿走进去;即使是用木头刻成的狱吏,也决不愿与他对簿公堂。表示对刑官狱吏的深恶痛绝。

这个俗语,早见于司马迁《报任少卿(安)书》,作"画地为牢,势不入;削木为吏,议不对"。汉·刘向《说苑·贵德》引作"画地作狱,议不可入;刻木为吏,期不可对",也称为"俗语"。

此后,"俗语"作为语汇单位的名称,以较强的生命力流传至今,其他同义名称,如"鄙语"、"俗谚"、"里语"、"俗话"、"常言"等,有的已经消失,有的使用频率不高。

从历来公认为俗语的语言事实中,可以看出"俗语"除了具有语的共性(由词和词组合而成,结构相对固定,具有多种功能,属于叙述性语言单位等)外,还具有以下两个特点。

一是为人民群众所创造,具有群众性。俗语绝大多数是人民群众创造的,有许多历代相传,广为流行,成为民族共同语的组成部分;也有的俗语,具有地域性,流行的地区不很广,但为当地群众所喜闻乐见,仍然具有群众性。

二是流传在群众的口头上,具有鲜明的口语性和通俗性,总离不开一个"俗"字。不过,对于语体风格,要有历史观点。像《史记·李将军列传赞》所引的"桃李不言,下自成蹊"、《汉书·王嘉传》所引的"千人所指,无病而死"(受到上千人的指责,即使无病也会死掉,指众怒不可触犯)和今天的口语已有一定距离。还有像

《左传·僖公七年》所引的"心则不竞,何惮(dàn,怕)于病"(心里如果不坚强,为什么又怕屈辱),今天看来更为古奥,但它们都是来自当时的口语,它们之所以显得不"俗",是汉语的历史演变所形成的。

基于上述认识,我们可以把俗语定义为:汉语语汇里为群众所创造,并在群众口语中流传,具有口语性和通俗性的语言单位。

按照这种定义,俗语首先应包括谚语。吕叔湘先生在为《中国俗语大词典》(上海辞书出版社,1989)撰写的序言里说,谚语是"典型的俗语"。这种看法符合我们民族的传统观念,也符合古今汉语的实际。

除了谚语之外,俗语还应该包括歇后语和惯用语。因为歇后语和惯用语也具有俗语的性质。

(2) 雅语的名称和特点

和俗语相对的,根据逻辑推理,应当是"雅言"或"雅语"。相比之下,"雅语"更合适。

"雅言"的原意并不是和俗语相对的。《论语·述而》:"子所雅言,《诗》、《书》、执礼,皆雅言也。"杨伯峻注:"雅言,当时中国所通行的语言。"刘师培《文章源始》:"言之文者,纯乎雅言者也。"自注:"仪征阮氏曰:'雅言者,犹今官话也。"雅"与"夏"通,"夏"为中国人之称,故"雅言"即中国人之言。'"这都说明,雅言指的是通语,同方言相对。

再看"雅语"。清·陈田《明诗纪事丁签·何景明》:"东川取境甚狭,仲默广矣,雅语亦胜之。"《汉语大词典》"雅语"条注:指文学语言,与"俗语"相对。由此,我们感到用"雅语"与俗语相对,比用"雅言"更为贴切,可避免产生歧义。

在语汇系统中,称得上雅语的是成语中的"雅成语"。它的特点是：

第一，也是最主要的，来源于书面系统。多数来自古代的经典性著作，如"暴虎冯河"来自《诗经·小雅·小旻》，"背城一战"来自《左传·哀公十一年》，"呆若木鸡"来自《庄子·达生》等。除此之外，有来自古代神话传说的，如"夸父逐日"、"补天浴日"、"黄粱美梦"等；有来自古代寓言故事的，如"愚公移山"、"自相矛盾"、"叶公好龙"等；有来自古代历史事件的，如："退避三舍"、"草木皆兵"、"风声鹤唳"等；有来自古代诗文名句的，如"水木清华"、"水落石出"、"鞠躬尽瘁"等。

第二，多文言成分，包括文言实词和文言虚词，如"管窥蠡测"、"文恬武嬉"、"一丘之貉"、"不胫而走"等。

第三，通行范围上，多为知识分子所使用。

成语里除了雅成语外，还有俗成语。俗成语来源于口语系统，有的来自古代口语系统，有的来自近代或现代口语系统；在构成成分上多白话成分（如"三长两短"、"一穷二白"、"千秋万代"等）；多通行在群众的口语里。俗成语属于俗语。

(3) 雅、俗的可分性

根据上述雅语和俗语的不同特点，大致上可以把它们分开。试比较下面三组例子：

A组：

① 虽然你心圣明，若不是云台上英雄并力，你独自个孤掌难鸣(雅成语)。（元·官大用《严子陵垂钓七里滩》三折）

② 我来谷城，不是来求你帮助，只是要跟你商议商议咱们今后应该如何干。一个巴掌拍不响(谚语)，两个巴掌就拍得响。（姚雪垠《李自成》一卷一八章）

B组：

① 然今日之一丘一壑，一饭一衣，饮水思源(雅成语)，皆夫子之所赐也。(清·袁枚《小仓山房尺牍》)

② 凡烟草爱好者莫忘了最初的引进者。所谓"喝水不忘掘井人(谚语)"。(徐迟《生命之树常绿》)

C组：

① 彼卑官小卒，以衙门为活计，惟知嗜利，鲜有良心……甚至张冠李戴(雅成语)，增少为多。(清·孙承泽《天府广记·锦衣卫》)

② 谚云："张公帽掇在李公头上(惯用语)。"(明·田艺蘅《留青日扎·张公帽赋》)

③ 唐武后时，有"张公吃酒李公醉"之谣……又有"张公帽儿李公戴(惯用语)"，至今相传。(宋·钱希言《戏瑕》卷三)

分别比较一下A组里的"孤掌难鸣"和"一个巴掌拍不响"，B组里的"饮水思源"和"喝水不忘掘井人"，以及C组里的"张冠李戴"和"张公帽掇在李公头上"、"张公帽儿李公戴"，就会发现它们语言风格上确有雅俗之分。

综上所述，语的雅俗之分，可以图示如下：

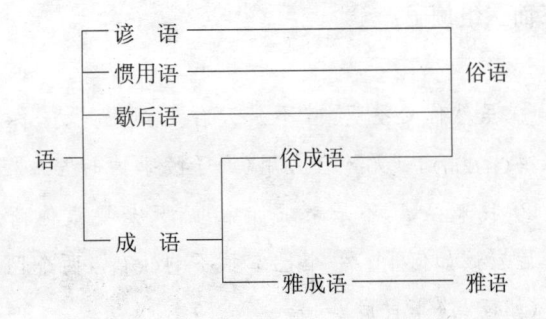

```
        ┌─ 谚语       ─┐
        ├─ 惯用语     ─┤── 俗语
        ├─ 歇后语     ─┤
语 ─────┤              │
        │      ┌─ 俗成语 ─┘
        └─ 成语┤
               └─ 雅成语 ──── 雅语
```

(4) 雅俗之分的模糊性和相对性

如上所述,从总体上看,语是可以分雅俗的,但在具体操作中,雅俗的界限往往很难划分。像"不置可否、才疏学浅、畅所欲言、沉默寡言、高风亮节、因噎废食、吹毛求疵、味同嚼蜡"等究竟是雅成语还是俗成语,都难断定。特别是一些由俗语转化来的成语,如"众心成城、众口铄金、亡羊补牢、吉人天相、穷家富路"等,更是雅俗难辨。有些被认为是俗成语的,如"劳而无功"、"劳苦功高"、"劳民伤财"等,实际上早见于古代的书面语:"劳而无功",见《庄子·天运》:"是犹推舟于陆也,劳而无功。""劳苦功高",见《史记·项羽本纪》:"劳苦而功高如此,未有封侯之赏。""劳民伤财",原作"伤财害民",见后汉·张纮《瑰材枕赋》:"伤财害民,有损于德。"因此,是俗是雅,很难判断。

再从结构上看,俗成语同雅成语一样,也是采用"二二相承"的格式。因此,语的雅俗之分,存在着模糊性。

还应当指出,语的雅俗之分是相对而言的。许多俗语,特别是其中的精华部分,往往是俗中有雅。如:

① "行百里者半九十",此言末路之难。(《战国策·秦策五》)

② 语曰"行百里者半于九十",故夫古之智者,尝尽心于垂成之际也。(宋·陈亮《酌古论二·邓禹》)

③ 古语曰:"行百里者半九十。"言末路之难也。(宋·陆九渊《与章茂献》)

④ 俗语说,"行百里,半九十",我们绝不要因前一阶段进行得很顺利,现在就可以匆忙了。(程树榛《钢铁巨人》一七章)

上面四例中的"行百里(者)半(于)九十",是谚语,属于俗语。但它哲理性很强,富有生命力,千百年来引用不衰,同雅语一样,具有"经典性"。再如:

① 太史公曰:"鄙语云:'尺有所短,寸有所长。'白起料敌合变,出奇无穷,声震天下,然不能救患于应侯。王翦为秦将,夷六国,当是时,翦为宿将,始皇师之,然不能辅秦建德,固其根本……彼各有所短也。"(《史记·白起王翦列传论》)

② 鄙谚曰:"不习为吏,视已成事。"又曰:"前车覆,后车诫。"夫三代之所以长久者,其已事可知也。然而不能从者,是不法圣智也。秦世之所以亟绝者,其辙迹可见也;然而不避,是后车又将覆也。(《汉书·贾谊传》)

上面两例中的"尺有所短,寸有所长"(指由于所应用的场合不同,一尺也有显出短的时候,一寸也有显出长的时候。比喻人或物各有其长处,也有其短处)、"不习为吏,视已成事"(不熟悉如何当官,就去看看以前的事例)、"前车覆,后车诫"(比喻前人失败了,后人要从中吸取教训),这些为史书所引用的俗语,之所以被称为"鄙语"或"鄙谚",只是表明它们来源于民间,就其内容而言,也同雅语一样,具有"经典性"。

这种具有"经典性"的俗语毕竟不多,多数俗语还是离不开一个"俗"字,但俗不伤雅。如:

① 看那娘娘一片云情雨意,哄得那妖王骨软筋麻,只是没福,不得沾身。可怜!真是"猫咬尿泡空喜欢(歇后语)"!(《西游记》七一回)

② 你原来没眼色,认不得人。俗语云:"尿泡虽大无斤两,秤砣虽小压千斤(谚语)。"他们相貌空大无用……咱老孙小

自小,筋节。(《西游记》三一回)

③ 你这夯货,只知要吃……正是那"槽里吃食,胃里擦痒(惯用语)"的畜生!(《西游记》九六回)

上面《西游记》中所引用的这几个俗语,从取材上看,确实有些"俗",但由于用得恰当,仍然能做到雅俗共赏。可见,语的"雅"和"俗"不是完全对立的,应当用辩证的眼光去看待。

2. 语的感情色彩分类

感情,也叫情感,是人们从对客观事物所持的态度中产生的主观体验。对客观事物持肯定态度时,就会感到愉快、满意等;持否定态度时,会感到憎恨、恐惧、愤怒或悲哀等。因此,感情可分为两大类型,肯定的和否定的。它们又因程度不同而具有不同的色彩。这种感情色彩,在词里表现得很明显。有些词表明人对事物持赞许、褒扬的态度,被称为"褒义词",如"英雄、烈士、忠诚、贡献、雄伟、公正"等;有些词表明人对事物厌恶、贬斥的感情,被称为"贬义词",如"叛徒、走狗、虚伪、凶残、丑陋、懒惰"等。大部分词不带固定的感情色彩,是中性词。

语也是这样,可按表情色彩分为褒义语、贬义语和中性语三类。褒义语含有赞许、褒扬等语义色彩,贬义语含有厌恶、贬斥等语义色彩,中性语则介于二者之间,没有明显的感情色彩。

成语、谚语、惯用语、歇后语中都有褒义语和贬义语。

褒义成语:光明磊落　表里如一　爱憎分明　事半功倍
　　　　　兴高采烈　妙趣横生　妙手回春　从善如流
　　　　　严于律己　坚贞不渝
贬义成语:阳奉阴违　外强中干　颠倒黑白　狐假虎威

　　　　　　狗仗人势　　纸醉金迷　　陈规陋习　　好高骛远
　　　　　　忘恩负义　　助纣为虐
褒义谚语：人多智谋高　　众人拾柴火焰高　　初生牛犊不怕虎
　　　　　身正不怕影子斜　　三个臭皮匠，顶个诸葛亮
　　　　　三人一条心，黄土变成金
贬义谚语：染坊里不出白布　　头忙脚忙，一忙百忙
　　　　　狗急跳墙，人急悬梁　　狐狸发了言，公鸡打算盘
褒义惯用语：烧高香　　饱眼福　　显神通　　钉是钉，铆是铆
　　　　　不招花，不惹柳　　只栽花，不栽刺
　　　　　吃苦在前，享受在后　　天生一对，地设一双
贬义惯用语：踢皮球　　耍花招　　挖墙脚　　磨洋工　　背黑锅
　　　　　唱对台戏　　皮笑肉不笑　　占着茅坑不拉屎
　　　　　好了伤疤忘了疼　　打落牙齿肚里咽
　　　　　叫天天不应，叫地地不灵　　平时不烧香，临时抱佛脚
褒义歇后语：芝麻开花——节节高　　扶着栏杆上楼梯——稳
　　　　　步上升　　中秋节的月亮——正大光明　　包老爷
　　　　　审堂——是非分明　　糖罐里的苹果——又甜又
　　　　　圆　　八仙桌打掌——四平八稳
贬义歇后语：飞蛾扑火——自取灭亡　　吹鼓手打大鼓——自
　　　　　吹自擂　　哈巴狗坐花轿——不识抬举　　拉完磨
　　　　　子杀驴——恩将仇报　　牛圈里的石头——又臭
　　　　　又硬　　望乡台上打莲花落——不知死的鬼

　　语的褒贬色彩和词的褒贬色彩一样，具有民族性。如"狗"的概念意义是：哺乳动物，种类很多，嗅觉和听觉都很灵敏，舌长而薄，可散热，毛有黄、白、黑等颜色。是人类最早驯化的家畜，有的

可以训练成警犬,有的用来帮助打猎、牧羊等。(《现代汉语词典》第5版"狗"条)汉民族对"狗"的传统认识,往往带有某种偏见,强调狗摇尾乞怜、愚忠于主人的性格特点,汉语中含有语素"狗"的语大多带有贬义色彩。如:

① 火点着了,狗咬狗(惯用语),让他们去咬吧!(冯志《敌后武工队》一七章)

② 尽管我糊涂,难道这一点也看不出来。老头子多少还顾点面子,那一个是什么东西,狗眼看人低(惯用语),难道我还不明白?(茅盾《霜叶红似二月花》五)

③ 那里的人事复杂,一群蝇营狗苟(成语)的势利之辈环拱着炙手可热的权贵人家。(梁实秋《槐园梦忆》五)

④ 那日他走出家门,沿街溜达到府上书店,看见买书的人排成一字长蛇阵。他兴之所至,排在了队尾,自嘲是狗尾续貂(成语)。(刘绍棠《村妇》卷二)

⑤ 狗改不了吃屎,狼改不掉吃人(谚语),迟龙章就是条疯狗,临死也要挣扎着咬人几口。(姜树茂《海岛怒潮》一一章)

⑥ 什么孙家刘家,这是我们自己的事,你们少在这里狗拿耗子——多管闲事(歇后语)。(田汉《械斗》二幕)

⑦ 你们别狗掀门帘——光拿嘴对付(歇后语)。大家都捐点钱,不能让汉忠吃亏!(蒋子龙《燕赵悲歌》二章一○)

例①里的"狗咬狗"比喻坏人与坏人互相争斗。例②里的"狗眼看人低",斥责人势利,看不起人。例③里的"蝇营狗苟",指像苍蝇那样钻营,像狗那样苟且偷生,形容人不顾廉耻,为追求名利,到处钻营。例④里的"狗尾续貂",原指封官太滥,语本《晋书·赵王伦传》:"奴卒厮役亦加以爵位,每朝会,貂蝉盈坐,时人为之谚曰:'貂不足,狗尾续。'"古代君主的侍从官员用貂尾作帽子的装饰,由于封的官太多,以致貂尾不够用,只好用狗尾代替。后也比喻拿不好的补接到好的后面,显得前后好坏不相称。例⑤里的"狗改不了吃屎,狼改不掉吃人",比喻恶人不会改变作恶的本性。例⑥里的"狗拿耗子——多管闲事",责骂人管了自己不该管的事情。例⑦里的"狗掀门帘——光拿嘴对付",责骂人光耍嘴皮子,不见实际行动。这些以狗为取材对象的语,都含有比较明显的贬义。

同样是"狗",在英语谚语里却不都是带贬义的,如:

Love me, love my dog. 爱我,就要爱我的狗。(意近汉语成语"爱屋及乌"。)

Every dog has his day. 每只狗都有自己的得意日。(意近汉语谚语"人人皆有得意时"。)

Dog does not eat dog. 狗不吃狗。(意近汉语谚语"同类不相残"。)

If the old dog barks, he gives counsel. 老狗叫,是忠告。

A barking dog is better than a sleeping lion. 吠犬胜于睡狮。

Every dog is a lion at home. 狗在家门口就成了狮子。

汉民族崇尚的动物图腾是"龙",所以,包含"龙"的语多含褒义色彩。这在成语里表现得比较明显。如:

① 他手里没多少钱,只能买些便宜的熟食如酱猪舌之类下酒,哄钟书那是"龙肝凤髓",钟书觉得其味无穷。(杨绛《记钱钟书与〈围城〉》)

② 马上那人生得龙眉凤目,皓齿朱唇,三牙掩口髭须,三十四五年纪。(《水浒传》九回)

③ 万一北京不能固守,尚有南京龙盘虎踞。(姚雪垠《李

自成》三卷一三章)

④ 这字写得龙蛇飞舞,不是仙人也写不出来。(《野叟曝言》七一回)

⑤ 那时岛上住着一个连队,每日里热火朝天,龙腾虎跃。(刘玉民《骚动之秋》一五章)

例①里的"龙肝凤髓",用龙的肝和凤凰的骨髓,借代珍稀佳肴。例②里的"龙眉凤目",形容人相貌不凡,有贵人之相。例③里的"龙盘虎踞",指像龙盘着,像虎蹲着,形容地势雄伟、险要。例④里的"龙蛇飞舞",形容书法笔势舒展活泼,劲健有力。例⑤里的"龙腾虎跃",形容威武雄壮,场面热烈而有生气。都含有比较明显的褒义。

思 考 题

一、给语分类要坚持哪些原则?
二、举例说明表述语与描述语的区别。
三、引述语的特点是什么?
四、举例说明语和复合词的区别。

练 习 题

一、把下列语所属的语类(谚语、惯用语、成语或歇后语),填写在后面的括号里。

吃哑巴亏(　　)　　　　充耳不闻(　　)

孤树不成林,单丝不成线(　　)柳树上开花,没结果(　　)

树要直,人要实(　　)　　东一榔头,西一棒子(　　)

猴子的屁股,坐不住(　　)　抬轿子(　　)

斩草不除根,萌芽依旧发(　　)　　鸡也飞了,蛋也打了(　　)

良言一句三冬暖(　　)　　利令智昏(　　)

低头不见抬头见(　　)　　忍得一时气,免得百日忧(　　)

鸡肚哪知鸭肚事(　　)　　木匠斧子一面砍(　　)

二、按雅俗色彩给下列语进行分类,填写在后面的括号里(俗语或雅语)。

死灰复燃(　　)　　眉飞色舞(　　)

不耻下问(　　)　　摆迷魂阵(　　)

强宾不压主(　　)　　白驹过隙(　　)

打马虎眼(　　)　　当仁不让(　　)

鬼哭狼嚎(　　)　　坐山观虎斗(　　)

火烧芭蕉心不死(　　)　　坦腹东床(　　)

革故鼎新(　　)　　肉中刺,眼中钉(　　)

三、按感情色彩给下列语进行分类,填写在后面的括号里(褒义语、贬义语或中性语)。

打肿脸充胖子(　　)　　大刀阔斧(　　)

大吹法螺(　　)　　打官腔(　　)

穿鞋戴帽(　　)　　穿连裆裤(　　)

触景生情(　　)　　龟龄鹤寿(　　)

挨金似金,挨银似银(　　)　　苍蝇包网儿,好大面皮(　　)

无事不登三宝殿(　　)　　躲了雷公,遇上霹雳(　　)

碌碡砸石头,石(实)打石(实)(　　)

娃娃鱼上树,横看竖看都不是人(　　)

第三章　语的构成和结构

语是由词和词组合而成的。词和词组合成语,是有规律的。探讨语的构成规律,并进而分析语的结构,对于深入了解语的性质,提高语汇运用能力有重要的作用。

第一节　语的构成成分

1. 语素

(1) 什么是语素

语既然是由词和词组合而成的,词自然成为构成语的要素,简称"语素"。语素是语的构成成分中最小的能够独立运用的音义结合体。这个定义有四层含义:

第一,具有语音形式。语音是语言的物质外壳,词必须借助于语音形式才能形成和存在,因此语素都有自己的语音形式。如"守株待兔"四个语素的语音形式是:shǒu zhū dài tù;"百闻不如一见"六个语素的语音形式是:bǎi wén bù rú yī jiàn。

第二,具有跟语音形式相匹配的意义。语素都有意义,语素的意义称为"语素义"。有的语素既有词汇意义,又有语法意义,如成语"拨乱反正"里的"拨",本义指"手脚或棍棒等横着用力,使东西移动",引申指"治理";语法意义,动词,可作谓语。又如成语"赤子之心"里的"赤子",本义指"初生的婴儿",比喻纯洁;语法意义,名词,可作主语、宾语、定语。有的语素没有词汇意义,只有语法意义,如"赤子之心"里的"之",助词,用在定语和中心词之间,表示领属关系。

第三,可以独立运用。所谓"独立运用",并不是指可以单独成句,而是指可以跟别的词语自由组合。如"人",作为语素,可以构成成语"人尽其才"、"人声鼎沸"、"舍己为人",构成惯用语"拳头上立人,胳膊上跑马"、"人不像人,鬼不像鬼",构成谚语"人多出韩信"、"吃人的嘴软,拿人的手短"、"人怕出名猪怕壮"、"宁可人负我,不可我负人"等。正因为语素具有独立运用的功能,才可以用来组成多种多样的语。

第四,是语的构成成分中最小的单位。语素是最小的单位,是从语的构成成分的角度来看的。作为语的构成成分,语素是最小的不可分割的整体。如前面说到的"人"这个语素,只有一个音节,肯定是最小单位,不可再分割了,如果硬要分割,就只能分出声母 r 和韵母 en,或者分成音素 r、e、n,它们都不表示意义,都只是语音单位,而不是音义结合体了,所以,"人"是最小的能够独立运用的语音语义的结合体,是一个语素。有的语素不止一个音节,也能分割,但分割之后,意义发生了变化,这样的单位,也应属于最小的单位,如成语"赤子之心"中的"赤子",如分割成"赤"和"子",所表示的意义不再是"赤子"原来的意义,"赤子"作为语素应看成最小的单位。

(2) 语素的分类

语素可以从不同的角度进行分类。

按意义的实虚,语素可以分为"实语素"和"虚语素"。如成语

"不谋而合"里,"不、谋、合"是实语素,"而"是虚语素;惯用语"吃不了兜着走"里,"吃、不、兜、走"是实语素,"了、着"是虚语素;谚语"牛皮不是吹的,泰山不是垒的"里,"牛皮、不、是、吹、泰山、垒"是实语素,"的"是虚语素。

按音节的多少,语素可以分为"单音节语素"和"多音节语素(包括双音节语素)"。如成语"忐忑不安"里,"不、安"是单音节语素,"忐忑"是多音节语素;惯用语"急惊风撞着慢郎中"里,"撞、着、慢"是单音节语素,"急惊风、郎中"是多音节语素;歇后语"吃柳条,拉筐子,肚子里编"里,"吃、拉、里、编"是单音节语素,"柳条、筐子、肚子"是多音节语素。

组合成语的词都是语素,但语素不都是词。这是因为语里保留着古代汉语里的一些单音节词,有的在现代汉语里不能独立运用,不再是词。如成语"走马观花"、"习非成是"里的"观、习"是语素,但在现代汉语里不是词,而是词素。同样,谚语"民以食为天"、"民非水火不能生活"里的"民",也是语素而不是词。据此,语素又可分为"成词语素"和"不成词语素"。

2. 语步

(1) 什么是语步

"语步"是由语素和语素组成的"音步"单位,是根据语的语音节奏划分出来的。音步,原指表现诗歌节奏的音组,即一句诗用停顿分成的几个音段,也称"顿"。四言诗的诗句,一般采用"二二"式,即可分为两个长拍。如《诗经·周南·关雎》:

关关雎鸠 —— ——

在河之洲 —— ——

窈窕淑女 —— ——

君子好逑 —— ——

"在河之洲",从语法结构上看,是"四个一"结构,应读作"一一一一",但习惯上也读成"二二"节拍。

五言诗,每句念起来,一般是三个音步,前两个是双音步,后一个是单音步。如唐·孟浩然《春晓》:

春眠不觉晓 —— —— —

处处闻啼鸟 —— —— —

夜来风雨声 —— —— —

花落知多少 —— —— —

后两个音步连得比较紧,因此也可以看成"二三"节拍。

七言诗一般是每个诗句三个节拍,即"二二三"的形式。如唐·李白《早发白帝城》:

朝辞白帝彩云间 —— —— ——

千里江陵一日还 —— —— ——

两岸猿声啼不住 —— —— ——

轻舟已过万重山 —— —— ——

汉语语汇讲究韵律性,富有节奏感。我们可以运用诗歌中这种划分音步的做法,来分析语的语音结构,把语内部的自然语音停顿所形成的音节组合叫做"语步"。

语步有以下三个特点:

(一) 结构上的多样性。

语步的构成是多种多样的,可以由一个语素构成,如"泰山压顶不弯腰"里的"泰山";也可以由两个或两个以上的语素合成,如"远水救不得近火"里的"远水"、"近火"分别由两个语素合成,"救

"不得"由三个语素合成。可以由实语素和实语素合成,也可以由实语素和虚语素合成,如"狗改不了吃屎"里,"吃屎"由实语素"吃"和"屎"合成,"改不了"由"改"、"不"两个实语素和虚语素"了"合成。

(二)语步与语步之间有短暂的语音停顿。

(三)由两个或两个以上的语素合成一个语步,形成一定的语法关系。如"远水"、"近火"是偏正关系,"救不得"是述补关系,"吃屎"是述宾关系,等等。但也有的比较特殊,无法从语法关系上分析,如"赤子之心"里的"之心"。

(2)语步的组合方式

语的音节组合,比起诗歌来要复杂一些,但也存在一定的规律性。语步的组合方式,一般以语素义的组合为基础,同时也要遵循人们的习惯读音。下面以二字语至七字语为例,说明语步的组合方式。

二字语　都采用"一一"式。如:吃醋、拍马、吹牛。(都是惯用语)

三字语　分为两种类型:

(一)"一二"式。如:矮三分、爱面子、搬舌头、碰钉子、背黑锅、炒冷饭、泼冷水、抱金砖、唱高调、挖墙脚、拉后腿、穿小鞋。(都是惯用语)

(二)"二一"式。如:靠边站、随风倒、一边倒。(都是惯用语)

四字语　主要有两种类型:

(一)"一三"式。四字惯用语一般采用这种方式,如:喝西北风、钻牛角尖、吹枕头风、唱对台戏、斗嘴皮子。(都是惯用语)

(二)"二二"式。成语都采用这种方式。大部分成语可以按语素义组合关系进行划分,如"好高骛远"可以分为"好高"和"骛远"

两个语步。少数成语,从语素义组合关系来看,不属于"二二"式,如"哀而不伤"属于"一一二"式,"赤子之心"属于"二一一"式,"曾几何时"属于"一二一"式,"爱莫能助"属于"一三"式,但习惯上还是读成"二二"式,分为两个语步。

五字语　主要有三种类型:

(一)"一四"式。如:打如意算盘、卖狗皮膏药、碰一鼻子灰(以上惯用语)。

(二)"二三"式。如:脚踩两只船、见风就是雨、一推六二五、九曲十八弯(以上惯用语),天高皇帝远、贵人多忘事、名师出高徒、同行是冤家(以上谚语)。

(三)"三二"式。如:借房子躲雨、两条腿走路、照葫芦画瓢、三下五除二(以上惯用语)。

六字语　多采用"二二二"式。如:牛头不对马嘴、摸着石头过河、拉着懒驴上磨(以上惯用语),远亲不如近邻、脚正不怕鞋歪、好人自有好报(以上谚语)。

其他方式有:

"三三"式。如:经风雨见世面、哭不得笑不得、拉大旗作虎皮、吃香的喝辣的(以上惯用语),好朋友勤算账、单面锣打不响、鹁鸪子旺边飞(以上谚语)。

"四二"式。如:老虎嘴里拔牙、赶着鸭子上架(以上惯用语)。

"二四"式。如:揪住狐狸尾巴、死无葬身之地(以上惯用语),吉人自有福相、急火熬不成粥、天无绝人之路(以上谚语)。

七字语　多采用"二二三"式。如:此地无银三百两、鲜花插在牛粪上、新账老账一齐算、吃了五谷想六谷(以上惯用语),天下乌鸦一般黑、清官难断家务事、情人眼里出西施、卖饭不怕大肚汉(以上谚语)。

其他方式有:

"二三二"式。如:烧香走错了庙门、瞌睡给了个枕头、眼里放不下沙子(以上惯用语),远水救不得近火、山高高不过太阳(以上谚语)。

"三二二"式。如:三句话不离本行、卖瓜的不说瓜苦(以上谚语)。

"三四"式。如:顾了吃顾不了穿、打核桃捎带了枣(以上惯用语)。

"四三"式。如:一把鼻涕一把泪、一个阴来一个阳、一根肠子不拐弯、嘴巴歪了怪镜子、横挑鼻子竖挑眼(以上惯用语),一年之计在于春、爬得高来跌得重(以上谚语)。

"二五"式。如:马屁拍在马腿上(惯用语),没有不透风的墙(谚语)。

3. 语节

(1) 什么是语节

语节是构成语的具有相对独立性的"部件"。

前面说过,语步和语步可以采用一定的方式组合成"语",但也有的语步和语步先组合成语节,再由语节和语节组合成"语"。如惯用语"公说公有理,婆说婆有理",先由"公说"和"公有理"、"婆说"和"婆有理"两个语步分别组成两个语节,再由这两个语节合成。谚语"种瓜得瓜,种豆得豆"也是这样,先由"种瓜"和"得瓜"、"种豆"和"得豆"两个语步分别组成两个语节,再由这两个语节合成。

成语采用"二二相承"式,都只有一个语节;歇后语相反,基本上(不是全部)由两个语节组成。惯用语和谚语介于二者之间。惯用语,既有由一个语节构成的,如"走后门"、"吃定心丸"、"蚂蚁啃骨头"等,也有由两个语节构成的,如"拆东墙,补西墙"、"前不着村,后不着店"、"平时不烧香,急来抱佛脚"等。谚语则除了由一个或两个语节构成的外,还有由三个或四个语节构成的。如:

一个和尚挑水吃,两个和尚抬水吃,三个和尚没水吃。(由三个语节构成)

人多乱,龙多旱,母鸡多了不下蛋,媳妇多了婆婆做饭。(由四个语节构成)

语节有以下几个特点:

(一) 结构上一般大于语步。

语节一般是由语步和语步组合成的,只有少数歇后语例外,如"韭菜,割了一茬又一茬"的前一个语节,"打鸭子上架,难(啊)"的后一个语节,分别由一个语步构成。

(二) 语节与语节之间,在语音上有较长的停顿,一般用逗号","隔开;多数歇后语的前后两个语节之间,停顿较长,有的用逗号","隔开,有的用破折号"——"隔开。

(三) 构成惯用语、谚语的语节,相互之间在语言形式上往往具有对偶性或排比性。

(2) 语节的结构类型

语节在结构上有三种类型:

(一) 独词型。如上面所举的歇后语"韭菜,割了一茬又一茬"、"打鸭子上架,难(啊)"里的"韭菜"和"难"。这种类型比较少见。

(二) 词组型。前后两个语节都采用词组形式。如:

不显山,不显水

　　　　拿得起，放得下
　　　　拣了芝麻，丢了西瓜
　　　　　　　　　　　　　　　　（以上惯用语）
　　　　月亮上的肉，吃不上
　　　　茅房里的石头，又臭又硬
　　　　电风扇的脑袋，专吹凉风
　　　　　　　　　　　　　　　　（以上歇后语）
（三）句子型。前后两个语节都采用句子形式。如：
　　　　牙对牙，眼对眼
　　　　泥和水，水和泥
　　　　家无隔宿之粮，灶无半星之火
　　　　　　　　　　　　　　　　（以上惯用语）
　　　　人活脸，树活皮
　　　　单丝不成线，独木不成林
　　　　猎人寻猎物，牧人寻草场
　　　　　　　　　　　　　　　　（以上谚语）
　　　　姜太公钓鱼，愿者上钩
　　　　蜻蜓吃尾巴，自吃自
　　　　孙猴子封了弼马温，自个儿不知道是多大的一个官
　　　　　　　　　　　　　　　　（以上歇后语）

第二节　构语法和语的结构类型

1. 构语法

（1）什么是构语法

构语法是指组词成语的方法,它研究如何运用语素、语步、语节等构语成分进行构语的规律。语和词一样都是语言的"建筑材料",但语属于叙述性语言单位,具有单词所不具有的表情达意的功能。

所谓表情达意,主要包括两个方面:一个方面是表达某种思想认识,主要是谚语和表述性成语;另一个方面是描述人的情貌、动作行为或事物的性质状态等,主要是惯用语、歇后语和描述性成语。

构语法的基本原则,是根据本民族的语言习惯,运用最简练的构语材料,构造出结构相对固定的语,形成语汇,以适应表情达意的需要。

语言是随着社会的产生而产生,随着社会的发展而发展的。社会的不断发展,新事物的不断涌现,语言也必然随之发展变化,要求语言用新的语、新的词来不断充实它、丰富它。语的产生和语汇的丰富,要靠运用构语法不断创造新语来实现,就像词的产生和词汇的丰富,要靠运用构词法不断创造新词来实现一样。因此,研究构语法,有助于认识语言的语汇系统形成及其发展演变的规律。

通过构语法,还可以了解语的构成成分之间的结构关系,有助于理解和掌握语义,更加深刻地认识语的性质和特点。

(2)构语法的分类系统

汉语的构语法,表现形式多种多样,主要可以归纳为以下几种:

(一)组合法

把构语成分按照语法规则组合在一起。这种方法构造出来的语,语义由构语成分的意义和成分之间的组合关系意义构成。如成语"大功告成",指巨大的工程或重要的任务宣告圆满完成;惯用语"聪明一世,糊涂一时",指一辈子聪明,一时间糊涂;谚语"大难不死,必有后福",指人遭遇大难还能活下来,日后必有大福降临。这些语都是采用组合法构成的,字面意义就是实际意义。

组合法是最基本的构语方法。从句法形式来看,可分为词组式和句子式。

a. 词组式。用这种方式构造出来的语,在句法形式上和一般词组相似,只是结构相对固定。如"忍辱负重"和"聪明能干",用的都是组合法,前者之所以是语(成语),后者之所以是自由词组,就因为前者具有相对固定的结构。又如"担风险"和"承担可能的风险",都用组合法,意思差不多,前者结构相对固定,是语(惯用语),后者是自由词组。

b. 句子式。用这种方式构造出来的语,在句法形式上和句子相似,只是结构相对固定,没有一定的句调。如"百闻不如一见"和"即使听过百遍,也不如见上一次真实可靠",用的都是组合法,意思差不多,前者具有相对固定的结构,是语(谚语),后者是一般句子。

从音节结构来看,表述语和描述语可分为"二二相承"式和非"二二相承"式。前者形成成语,后者形成谚语、惯用语。

(二) 意合法

造语时,只出现一些标识性的成分,而且不按一般的语法规则进行组合。因此,不大好用现代汉语或古代汉语的语法规则进行常规分析。在语义上不能按语素义进行分析,只能根据约定俗成的整体意义去理解。

意合的造语方式,有摘取式、紧缩式和概括式。

a. 摘取式。摘取几个关键性的成分作为标识。如:

① 老人家真住院了,才七八天不见面,怎么就会病得住院了呢？真是"老健春寒秋后热(谚语)",都是靠不住的短期景象啊！(李国文《缘分》)

　　② 常言说："三年桃,四年杏(谚语)。"去年三月,杏树上第一次开出了粉红色的花朵。(李满天《水向东流》二)

　　③ 我们阅读了很多优秀的新闻作品,管窥蠡测(成语)中对新闻有了初步的认识。(刘颖《学写新闻,学做记者》)

例①里的"老健春寒秋后热",意思是老年人的健康,就像春寒、秋后热一样短暂。例②里的"三年桃,四年杏",意思是从栽培到结出果实,桃树需要三年,杏树需要四年。例③里的"管窥蠡测",出自《汉书·东方朔传》："以管窥天,以蠡测海。"意思是,从竹管孔中观天,用瓢去测量海水,后用来形容观察片面,认识肤浅。都是摘取某些带标识性的成分用意合法构成。

　b. 紧缩式。省略了某些成分,压缩而成。如：

　　① 那天夜里你在我家喝酒,也看见我那扁脸婆娘了,我倒是不嫌她丑,俗话说"丑妻家中宝(谚语)"么！(从维熙《鹿回头·阴阳界》九)

　　② 事情总会解决的,决不会叫你一辈子这样下去的,常言说："东方不亮西方亮(谚语)。"(白危《沙河坝风情》一四)

　　③ 好容易熬了一天,这会子瞧见你们……真真古人说"一日三秋",这话再不错的。(《红楼梦》八二回)

例①里的"丑妻家中宝",是"丑妻是家中宝"的紧缩,指丑媳妇多能安分、勤劳过日子,是家中一宝,省略了"是"。例②里的"东方不亮西方亮",是"即使东方不亮,西方也会亮"的紧缩,指遇事要善于应变,一处不利,尚有他处,省略了关联词语"即使……也"。例③里的"一日三秋",语出《诗经·王风·采葛》:"一日不见,如三秋兮。"指一天不见,就像离别了三年,形容思念人的心情非常迫切。

c.概括式。运用构语成分,把古代寓言、神话、传说、故事或历史事件等概括成语。语义与语源相关,不能单纯从字面去理解。如:

① 他有一只有力的手——通英文的搭档,更为关键的是他力能扛鼎运斤成风(成语)的古文修养。(伍立杨《译文的尴尬》)

② 赵兴亚并不是真的当了汉奸,实际情况是"身在曹营心在汉(惯用语)"。(柳杞《长城风烟》二章)

③ 城门失火,殃及池鱼(歇后语),倒尿扔掉了花瓷盆儿,许百媚这个市井女子,给丈夫黄坎肩儿陪绑。(刘绍棠《村妇》卷二)

例①里的"运斤成风",出自《庄子·徐无鬼》:"郢人垩(è)漫其鼻端,若蝇翼,使匠石斫之。匠石运斤成风,听而斫之,尽垩而鼻不伤,郢人立不失容。"意思是,战国时,楚国郢都有一个人用白垩涂饰他的鼻尖,像苍蝇翅膀那样薄。他找到一个叫石的匠人,要他砍去鼻尖上的白垩。匠人抡起斧子,呼呼带风,一下子把鼻尖上的白垩全部砍去,却一点也没有伤着鼻子。后来把这个寓言故事概括成"运斤成风",形容技术熟练或能力高超。例②里的"身在曹营心在汉",出自《三国演义》第二十五回:关羽被曹兵围困,经曹将张辽劝降,羁留曹营,"(曹)操待之甚厚:小宴三日,大宴五日;又送美女十人,使侍关公",但关羽不为所动,仍一心思念刘备。后用"身在曹营"和"心在汉"两个语步,概括这件事,产生"身在曹营心在汉"这个惯用语。例③里的"城门失火,殃及池鱼",出自汉·应劭《风俗通义·佚文·辨惑》:"宋城门失火,人汲取池中水,以沃灌之,池中空竭,鱼悉露死。"意思是,宋国城门着了火,人们用护城河的水救火,水用尽了,鱼也都干死了。后用"城门失火,殃及池鱼"这个歇后语来概括,比喻无故受牵连而遭受灾祸。

(三)"引注"法

采用前引、后注的办法,使前后两个部分形成具有"引子"和"注释"关系。这是汉语语汇独特的构语方法,用来创制歇后语。

"引子"和"注释"的组合,有多种方式。试看以下几例:

① 上级表扬,群众赞扬,是鼓励咱进一步把工作做好,离"到家"还舌头舔鼻头——差一大截呢。(姜树茂《渔港之春》二四章四)

② 我这几个爬爬字,是老母猪过河,又不顺眼,还又慢。(刘江《太行风云》五九)

③ 咱们是黄鼠狼不走大门口,专钻水沟眼儿,各有各的路:他们抓穷鬼,咱们抓富户。(浩然《艳阳天》二卷六八章)

例①里的"舌头舔鼻头——差一大截",指距离相差还很远,属于单引、单注式。例②里的"老母猪过河,又不顺眼,还又慢",指形象不美观,动作又慢,属于单引复注式。例③里的"黄鼠狼不走大门口,专钻水沟眼儿,各有各的路",指各人有各人的办法或门路,属于复引单注式。

从歇后语的总体来看,第一种组合最为常见;第二种组合不多;第三种组合较少。这个问题,第八章"歇后语"里还要详细叙述,这里从略。

(四)转化法

通过意义虚化,把特指具体、个别事物的意义,抽象为虚指或泛指的意义,从而使自由词组或行业用语转化为语。

根据转化的方式可以分为虚指式和泛指式。

a. 虚指式。把特指具体事物的意义,转化为虚指,使非语转化为语。试比较以下几例:

① 听人说宋家大院鸡发了瘟,灌米汤可以不发瘟。(叔文《费家的二小》)

② 李三姑奶又进一步给葫芦灌米汤说:"以后要跟你岳叔学,刚才要不是你岳叔,身家性命可难保。"(李晓明等《破晓记》一八回)

③ 胡国光闭目一笑,张铁嘴灌他米汤时的面容,又活现在眼前了。(茅盾《蚀·动摇》一)

④ 几句米汤,灌得符癞子舒服透了,觉得秋丝瓜实在是一个数一数二的好人。(周立波《山乡巨变》上七)

例①里的"灌米汤",指给喝米煮的汤水,属于述宾结构的自由词组。例②~④里的"灌米汤",意义虚化为:用好听的话劝导人,或用甜言蜜语奉承迷惑人,都把自由词组转化为惯用语。

b. 泛指式。把特指个别事物的意义,转化为泛指,使非语转化为语。试比较以下几例:

① 先是小试其技:送画片继而打折扣,自九折以至对折……(鲁迅《书籍和财色》)

② 在阶级社会里所流传下来的书史之类,可靠性是要打折扣的。(郭沫若《武则天生在广元的根据》)

③ 车夫阿二也自觉诧异:怎么他的力气也打了折扣?(茅盾《拟〈浪花〉》)

④ 范登高说:"正因为他们家里有落后的,才要让进步的在里边做些工作。"范登高这话要打点折扣。(赵树理《三里湾》一八)

例①里的"打折扣",是指按成降低商品的原定价格,属于自由词组。例②~④里的"打折扣",泛指减少或者降低事物的质量、数量,不完全按规定的、已承认的或已答应的来做。意义转化之后,都成了惯用语。

(五) 双关法

双关是构语的一个重要方法。形成双关的手段很多,较多的是运用谐音。双关多用于创制歇后语,少数惯用语和个别成语也有运用双关的。如:

① 办组的时候叫俺加入,俺就入了,如今生产了,不带俺了,这不是欺负俺老实头吗?俺不吃馒头蒸(争)口气(惯用语),非入这个组不行!(陈登科《风雷》一部四五章)

② 伤心呵,钟如冰的儿子去做这种下贱事?跟这些人同流合污?"争了锅里的气,跑了甑里的气(惯用语)",儿子不听话呵!(胡辛《这里有泉水》一一)

③ 何满子见闯下大祸,急忙逃之夭夭(成语)。(刘绍棠《蒲柳人家》一〇)

④ 半年多以前,"常胜连"炊事班早就是窗户孔里吹喇叭——鸣(名)声在外(歇后语)。(落久香《李科长三难炊事班》)

例①里的"不吃馒头蒸口气",也作"不蒸包子蒸口气","蒸"谐"争",指不甘示弱,要争气。例②里的"争了锅里的气,跑了甑里的气","争"是"蒸"的谐音,比喻在这方面得到了,却在另一方面失去。例③里的"逃之夭夭",出自《诗经·周南·桃夭》:"桃之夭夭,灼灼其华。"原来是形容桃花茂盛鲜艳,后因"桃"与"逃"的谐音关系,说成"逃之夭夭",作为逃跑的诙谐说法。例④里的"窗户孔里吹喇叭——鸣(名)声在外",指人或团体名声远扬,广为人知。都是运用谐音形成双关。

最常运用双关构语法的是歇后语,将在第八章"歇后语"里作详细叙述,这里从略。

(六) 想象法

这是构语的一种特殊方法。可分为夸张式和虚构式。

a.夸张式。运用修辞学上的夸张手法来造语。如:

① 一寸光阴一寸金(谚语),耽误我的光阴,你们赔得起吗?(老舍《老张的哲学》四)

② 李德才上吊不成,也被乡亲们笑掉了大牙(惯用语)。(梁斌《播火记》九)

③ 任凭他千呼万唤(成语),沉寂的瓜棚里再也没有回音。(刘绍棠《瓜棚柳巷》七)

④ 曾旅长,你怎么三年不漱口——还是一张臭嘴(歇后语)!(张行《武陵山下》一三章七六)

例①里的"一寸光阴一寸金",极言时间的宝贵。例②里的"笑掉了大牙",极言可笑的程度。例③里的"千呼万唤",出自唐·白居易《琵琶行》诗:"移船相近邀相见,添酒回灯重开宴;千呼万唤始出来,犹抱琵琶半遮面。"极言呼唤次数之多。例④里的"三年不漱口——一张臭嘴",极言不漱口时间之长。都是采用夸张手法。

b.虚构式。如:

① "只要功夫深,铁杵磨成针"(谚语)。你是个能下功夫的人,又肯动脑筋,自然都能干出眉目来。(程树榛《大学时代》二五章)

② 从巡逻装甲汽车上蹦下一个身瘦体高的家伙,鸡蛋里挑骨头(惯用语)地说道:"裹着脚啦,怎么走得那么慢?"(冯志

《敌后武工队》二六章六)

③ 这正是千钧一发(成语)的时候,偏偏老姚还不来!(高云览《小城春秋》二八章)

④ 眼下你进城搭班,只配唱个丫头宫女,桌子底下放风筝,出手就不高(歇后语)。(刘绍棠《豆棚瓜架雨如丝》二一)

例①"只要功夫深,铁杵磨成针"来自传说。宋·祝穆《方舆胜览·眉州·磨针溪》载:相传唐代诗人李白读书未成时,曾想弃学,后见一个老年妇女在溪边磨一根铁杵,说要把它磨成针,李白深受教育,从此发愤读书。又清·俞樾《茶香室丛钞》卷一〇:"宋郑思肖有百二十图诗,有一题云:骊山老母磨铁杵欲作绣针图。今俗语云:'只要功夫深,铁杵磨成针。'亦有所本。"这说明,"只要功夫深,铁杵磨成针"这个谚语,是根据传说虚构出来的。例②"鸡蛋里挑骨头",比喻故意挑剔毛病,也是虚构出来的。例③"千钧一发",出自《汉书·枚乘传》:"夫以一缕之任系千钧之重,上悬无极之高,下垂不测之渊,虽甚愚之人犹知哀其将绝也。"钧,古代重量单位,三十斤为一钧。千钧重量的东西系在一根头发丝上,也是现实中不可能的。例④"桌子底下放风筝",同样是虚构出来的。

上面谈的六种构语法中,前三种构语法,即组合法、意合法、"引注"法,属于构语成分的结构层面;第四、五种构语法,即转化法、双关法,属于意义、修辞层面;第六种构语法,即想象法,则属于思维层面。

2. 语的结构类型

语的结构类型,是指语的整体结构类型及其内部结构类型。

从语的整体结构来说,可分为三种类型:词组型、句子型和"引注"结构型。每种类型又可以根据内部结构关系,分为若干不同的结构类型。

(1) 词组型

在结构上相当于词组,成语和惯用语大部分属于这种类型。根据内部组成成分的组合方式及其形成的语法关系,又可分为以下几种类型。

(一) 并列型。如:

东奔西走　欢天喜地　风起云涌　捕风捉影　阳奉阴违
筋疲力尽　嘲风咏月　万紫千红　七嘴八舌　惊涛骇浪
　　　　　　　　　　　　　　　(以上成语)

吹胡子瞪眼　缺胳膊少腿　吹阴风点鬼火　横挑鼻子竖挑眼　兵对兵,将对将　刀子嘴,豆腐心　陈谷子,烂芝麻
　　　　　　　　　　　　　　　(以上惯用语)

(二) 述宾型。如:

横生枝节　震撼人心　痛改前非　泄漏天机　重蹈覆辙
大发雷霆　沁人心脾　横扫千军　顿开茅塞　蛊惑人心
　　　　　　　　　　　　　　　(以上成语)

踢皮球　开绿灯　泼冷水　吃大锅饭　吹枕头风　捅马蜂窝　耍嘴皮子　唱空城计　摸老虎屁股　开空头支票　卖狗皮膏药
　　　　　　　　　　　　　　　(以上惯用语)

(三) 述补型。如:

高不可攀　乐不可支　迫在眉睫　重于泰山　略胜一筹
逍遥法外　一败涂地　暴露无遗　反复无常　危在旦夕
　　　　　　　　　　　　　　　(以上成语)

吃不开　凉了半截　蒙在鼓里　丢在脑后　坐在井里
乱成一锅粥　摆到桌面上　助一臂之力

　　　　　　　　　　　　　　　　（以上惯用语）

(四) 偏正型。如：

近水楼台　世外桃源　不毛之地　后起之秀　峥嵘岁月
参差不齐　怡然自得　背道而驰　形影不离　严阵以待

　　　　　　　　　　　　　　　　（以上成语）

没头的苍蝇　热锅上的蚂蚁　干瞪眼　往脸上贴金
从牙缝抠钱　矬子里选将军　圣人面前念《孝经》

　　　　　　　　　　　　　　　　（以上惯用语）

(五) 兼语型。如：

令人神往　请君入瓮　引狼入室　调虎离山　有口难开
喧宾夺主　风吹草动　削足适履　利令智昏　化险为夷

　　　　　　　　　　　　　　　　（以上成语）

赶鸭子上架　恨铁不成钢　化干戈为玉帛　有眼不识泰山

　　　　　　　　　　　　　　　　（以上惯用语）

(六) 连谓型。如：

浅尝辄止　画蛇添足　守株待兔　开门见山　兴风作浪
见风使舵　袖手旁观　罚一劝百　犯上作乱　负荆请罪

　　　　　　　　　　　　　　　　（以上成语）

依样画葫芦　摸着石头过河　打肿脸充胖子　拿鸡毛当
令箭　吃不了兜着走　打一巴掌揉一揉　好了疮疤忘了痛

　　　　　　　　　　　　　　　　（以上惯用语）

(2) 句子型

谚语和部分惯用语，以及少数成语，采用句子形式，属于句子型。

这里所说的"句子"与语法学上所说的"句子"有区别。语法学上所说的句子,是指有一定的语调,能够表达一个相对完整意思的语言单位。句子型的语,作为语汇形式存在的时候,没有一定的语调,只是在表示相对完整的意义上相当于句子。只有进入一定的交际场合,赋予一定的语气语调,才有可能成为句子。

句子型的语,在形式上类似句子,因此可以仿照语法上分析句型的方法进行分析。语的句型可以分为两个层次。

第一个层次,分为单句型和复句型两大类。

第二个层次,单句型再分为主谓句型和非主谓句型两类;复句型再分为并列、连贯、选择、转折、条件、因果、假设等七种基本复句型。图示如下:

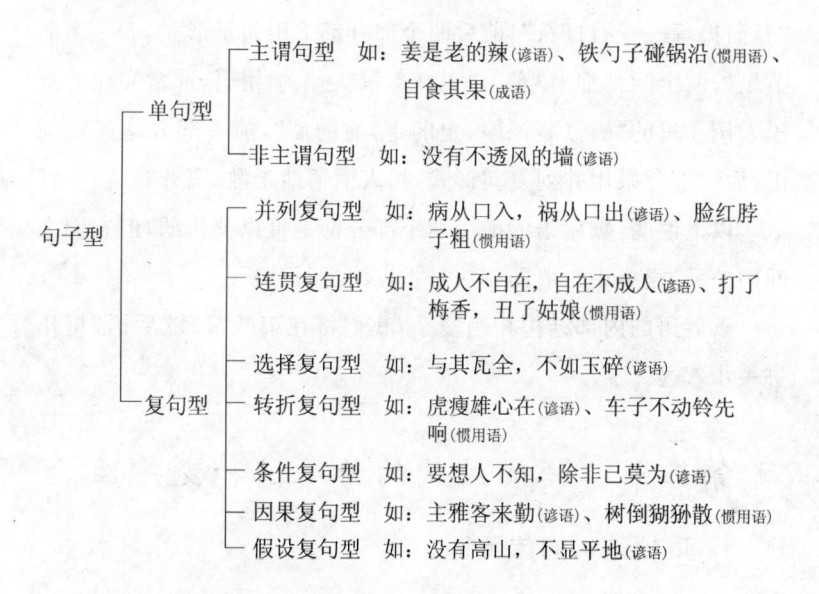

```
         ┌ 主谓句型    如:姜是老的辣(谚语)、铁勺子碰锅沿(惯用语)、
         │             自食其果(成语)
    单句型┤
         │
         └ 非主谓句型  如:没有不透风的墙(谚语)
句子型┤
         ┌ 并列复句型  如:病从口入,祸从口出(谚语)、脸红脖
         │             子粗(惯用语)
         │ 连贯复句型  如:成人不自在,自在不成人(谚语)、打了
         │             梅香,丑了姑娘(惯用语)
         │ 选择复句型  如:与其瓦全,不如玉碎(谚语)
    复句型┤ 转折复句型  如:虎瘦雄心在(谚语)、车子不动铃先
         │             响(惯用语)
         │ 条件复句型  如:要想人不知,除非己莫为(谚语)
         │ 因果复句型  如:主雅客来勤(谚语)、树倒猢狲散(惯用语)
         └ 假设复句型  如:没有高山,不显平地(谚语)
```

(3)"引注"结构型

前面说过,"引注"是一种构语方法,用来创制歇后语。因歇后

语前后两个部分之间是"引子"和"注释"的关系,故称之为"引注"结构型。如:

① 窑洞外,早已响起杨爷爷的声音:"司令员也在这里呵,那就菩萨背后一个窟窿,庙透了。"(张恩忠《龙岗战火》一一章)

② 不管进攻星潭也罢,不管受挫后撤也罢,全都是石臼捣蒜——石打石。(黎汝清《皖南事变》二〇章一)

③ 这倒好,合了南方人说的话,破篮装泥鳅,走的走,溜的溜。(张恨水《金粉世家》八七回)

例①里的"菩萨背后一个窟窿,庙透了",前一部分是偏正词组,后一部分是主谓词组,"庙"谐"妙","妙透了"是述补词组。例②里的"石臼捣蒜——石打石",前后两个部分都采用句子形式,后一个语节里的两个"石"都谐"实","实打实"是一个惯用语,非常实在的意思。例③里的"破篮装泥鳅,走的走,溜的溜",前一部分是述宾词组,后一部分采用并列复句形式,指人悄悄地走散、离开。

以上说明,歇后语的前后两个部分都是可以分析的,但它们之间的关系,很难用一般的句法分析方法进行分析。

歇后语的内部结构相当复杂,我们将在第八章"歇后语"里作进一步叙述。

第三节 语的结构的传承性和变异性

1. 语的结构的传承性

我们在第一章讨论语的性质时,曾经指出语在结构上是相对固定的,其中固定的一面是主要的。

语的结构的固定性,表现在两个方面:一是构成语的语素、语步或语节是固定的;二是构成语的语素、语步或语节之间的结构关系是固定的。

语的结构的固定性,来源于语的结构的历史传承性。

语的结构之所以具有历史传承性,离不开以下三个方面的因素。

(1) 习用性

语作为语言的"建筑材料",和词一样,是约定俗成的。你也说,他也说,传来传去;这一代说,下一代也说,代代相传,从而形成相对固定的结构。如成语"高山流水",出自《吕氏春秋·本味》:"凡贤人之德,有以知之也。(俞)伯牙鼓琴,钟子期听之。方鼓琴而志在太山。钟子期曰:'善哉乎鼓琴,巍巍乎若太山!'少选之间,而志在流水,钟子期又曰:'善哉乎鼓琴,汤汤(shāngshāng,水流动的样子)乎若流水!'钟子期死,伯牙破琴绝弦,终身不复鼓琴,以为世无足复为鼓琴者。"后来用"高山流水"比喻知音难遇或乐曲高妙。《列子·汤问》、汉代韩婴《韩诗外传》、刘向《说苑·尊贤》、应劭《风俗通义·琴》都有类似的记载。这个故事流传很广,成为这条成语的语源和形成基础。大约到唐宋时,出现这一成语的定型形式,且在诗词中广泛使用。如:

① 高山流水琴三弄,明月清风酒一樽。(唐·牟融《写意》)

② 我是先生门下士,相逢有酒且教斟,高山流水遇知音。(宋·张孝祥《浣溪沙》)

宋代以后,"高山流水"作为成语继承下来。如:

① 对青松,弹得高山流水,积雪堆峰。(金·董解元《西

厢记诸宫调》卷四)

②叹良金美玉何人晓,恨高山流水知音少。(元·金仁杰《追韩信》第一折)

③一曲瑶琴试探心,莺莺小姐是知音,高山流水千年调,管取文君侧耳听。(明·崔时佩、李景云《西厢记·北堂负约》)

④孔圣人尚学琴于师襄,一操便知其为文王。高山流水,得遇知音。(《红楼梦》八六回)

⑤玉燕,我怎么就遇上了你,真所谓高山流水,相见恨晚啊!(凌力《星星草》五章)

又如惯用语"树倒猢狲散",出自宋·厉德斯的《树倒猢狲散赋》。宋·庞元英《谈薮·曹咏妻》记载:曹咏依附秦桧,官至户部侍郎,显赫一时。当时很多人都趋炎附势,独厉德斯不肯卑躬屈节,尽管其内弟曹咏百般威胁利诱,终不屈服。等到秦桧死了,德斯即遣人致书于曹咏,打开一看,是一篇《树倒猢狲散赋》。"树倒猢狲散"便流传下来,用来比喻为首的人一倒,随从的人也就随之而离散。如:

①郡人王梅谷戏作下火文云:……阿刺一声绝无闻,哀哉树倒猢狲散。(明·陶宗仪《南村辍耕录·嘲回回》)

②何况一朝身死,树倒猢狲散,残花嫩蕊,尽多零落于他人之手。(《二刻拍案惊奇》卷三四)

③父母死后,更是树倒猢狲散,偌大一份家产,也被他送进了烟枪里。(鄂国培《潋流》六章)

习用之后,构语成分及结构关系便固定下来,不能自由替换,如"猢狲"不能说成"猴子"。这种情况,相当普遍。如成语"半斤八两",来源于旧制一斤十六两,后虽改制为一斤十两,但语素"八"依然保留,不说成"五"。"守株待兔"、"破釜沉舟"、"惊弓之鸟"也不能说成"守株待羊"、"砸锅沉船"、"惊枪之鸟"等等。惯用语"不管三七二十一",也是一种习惯说法,"三七二十一"不能说成"三八二十四"或者其他。

(2) 理据性

有的语的语素之所以不能随便替换,还跟造语的理据性有关。如过日子穷得没有什么东西可吃,叫"喝西北风(惯用语)"。请看下面例子:

① 你就没想想,你就是不吃不喝,孩子还要吃呢!你让他跟着你喝西北风么?(魏巍《东方》中三部一章)

② 等揭不开锅,大人孩子喝西北风去!(刘绍棠《蒲柳人家》)

③ 她摆着手,生气地说:"不行不行,你们走吧。都借给你们,俺一家喝西北风呀!"(袁静《淮上人家》四章一六)

"喝西北风"为什么不说"喝东南风"或"喝西南风"? 一个简单道理,是因为饥、寒相关,冬天多刮西北风。

又如形容人刻板不灵活,说"版版六十四(惯用语)"。请看下面例子:

① 这个人版版六十四,不通人情。(王安忆《绕公社一周》)

② 当家人叫虞祥林,曾经做过典当朝奉,酱园管账,是一个版版六十四的人。(朱新楣《无风浪》)

"版版六十四"为什么不说"版版六十五"或"版版六十六"呢?这是因为宋代铸钱的模子,每版定数六十四文。(见宋·周遵道

《豹隐纪谈》)清·俞樾《茶香室续钞》卷二二:"宋时铸钱每版六十四文,故俗有'版版六十四'之语。"清·范寅《越谚·数目之谚》:"版版六十四,铸钱定例也,喻不活。"

语的理据性还表现在构语成分的搭配上。如歇后语:

黄鼠狼给鸡拜年,不安好心

猫哭老鼠,假慈悲

狗咬刺猬,没处下嘴

鸡抱鸭子,枉操心

"黄鼠狼"和"鸡"相配,才能引出"不安好心"。同样,"猫"和"老鼠"相配,才能引出"假慈悲";"狗"和"刺猬"相配,才能引出"没处下嘴";"鸡"和"鸭子"相配,才能引出"枉操心"。相互之间,不能掉换。

理据性最高的当是谚语。不论社会谚还是自然谚,大多是以一定的理据或经验为依据形成的,即使带有想象性的谚语也具有某种合理性。如谚语"宰相肚里能行船",虚构性很强,但它强调的是大人物具有宽阔的胸怀,合乎人们的理念。

语的理据性和习用性是互补的。像成语"乱七八糟"和"七嘴八舌"用"七、八","不三不四"和"推三阻四"用"三、四",只能用习用性去解释。

(3) 凝练性

结构紧凑、凝练,是语的一个重要特点。寥寥几个字,往往具有丰富的内涵。试以成语"亡羊补牢"为例:

① 惩羹吹齑岂其非,亡羊补牢理所宜。(宋·陆游《秋兴》)

② 我已吩咐他,趁此中止,则亡羊补牢,犹未为晚耳。

《野叟曝言》九回)

③ 他心境不好,准责备儿子从前不用功,急时抱佛脚,也许还有一堆"亡羊补牢,教学相长"的教训。(钱钟书《围城》六)

④ 当少年人……胆量也渐渐变大,开始公然对着大人们"撒野"时,老师和家长才慌了神儿,可是到那时候再来扭转,分明已属"亡羊补牢"。(刘心武《钟鼓楼》五章)

"亡羊补牢",出自《战国策·楚策四》:"(庄辛对楚襄王)臣闻鄙语曰:'见兔而顾犬,未为晚也;亡羊而补牢,未为迟也。'""鄙语"二字,表明原来是俗语,后来凝缩为"亡羊补牢",成为成语,结构固定下来,用来比喻出了问题以后及时补救,以免继续受损失(如例①②③);也比喻出了问题才想法补救,已经太晚了(如例④)。

结构紧凑,文字凝练,是语的共同特点,这是语结构相对固定的一个因素。

2. 语的结构的变异性

固定性是语在结构上的基本特点,但这种固定性是相对的。语在结构上还有变异性一面。

语的结构的变异性,来源于语的口语性。语固然有相当一部分是靠书面语传播开来,流传下来的,但大量的语是通过口耳相传才得以流行的。口耳相传,不能不受时间、空间以及个人语言习惯等多方面的影响,产生这样或那样的变异。主要表现在以下四个方面。

(1) 同义、近义、类义变异

(一) 同义变异。如:

① 这以后我们或者在一个城市里,或者隔了千山万水(成语),从来没有中断联系。(巴金《随想录》三〇)

② 你的《铁流》也越过了万水千山(成语),冲过了千关万卡,流到了中国读者面前了。(曹靖华《到赤松林去——访〈铁流〉作者》)

"千山万水",也可说成"万水千山"。以此类推,"千奇百怪"、"千方百计"、"千变万化"、"千军万马"、"千村万落"、"千刀万剐"等,有时也可分别说成"百怪千奇"、"百计千方"、"万化千变"、"万马千军"、"万落千村"、"万剐千刀"等。这是由于并列关系的成语,前后两个语步互换位置,一般不影响意义。惯用语、谚语也常有这种情况。如:

① 狗官来了有啥怕的?刀对刀,枪对枪(惯用语),你怕他,他不怕你,你豁得出命来,他就怕你!(冯骥才等《义和拳》一章二)

② 谁敢来折我们一根肋条,我们要打断他的脊椎骨……枪对枪,刀对刀(惯用语),半点不客气!(李英儒《女游击队长》二三)

③ 俗话说:"背人没好事,好事不背人"(谚语)。倒白粉儿的、卖摇头丸的都是偷偷地进行活动,还从没见过谁买了感冒冲剂后塞入内衣口袋怕被人见到的。(阎书永《葫芦里装的什么药》)

④ 好事不背人,背人没好事(谚语)。推行厂务公开的根本目的,就是发动群众和组织职工参与企业的民主决策、民主管理和民主监督。(南电力《厂务公开打开春天的窗口》)

例①②里的"刀对刀,枪对枪"和"枪对枪,刀对刀",都是形容争斗双方针锋相对,死命拼杀。例③④里的"背人没好事,好事不背人"和"好事不背人,背人没好事",都是指背着人干的肯定不是什么好事,要是好事就用不着背着人干。

同义变异,也表现在同义语素的替换上。如:

①落井下石,看风使舵(成语),以别人的痛苦为笑乐,——是他们这班人的全部主义。(茅盾《腐蚀·十月一日》)

②日本人以外,最着忙的是汉奸。他们最会见风使舵(成语)。(老舍《四世同堂》九六)

③有道是:千夫所指,无疾而死(谚语),武大郎就死在这个"千夫"的"指"里。(聂绀弩《论武大郎》)

④别看小百姓都不敢吭声,都只会叹气、流眼泪,古人说过:"千人所指,无疾而亡。"(谚语)(李準《黄河东流去》下五〇)

例①里的"看风使舵"和例②里的"见风使舵",都是比喻根据形势的变化而改变方向或态度,含贬义,"看"和"见"同义。例③里的"千夫所指,无疾而死"和例④里的"千人所指,无疾而亡",都是指受到众人的指责,即使没有病也会死亡,"夫"和"人"、"死"和"亡",分别是同义语素。

(二) 近义变异。如:

① 三个臭皮匠,抵个诸葛亮(谚语)。我说我这主意不错不是?(张恨水《金粉世家》五五回)

② 有道是:三个臭皮匠,凑个诸葛亮(谚语)嘛,我们六个人,够两个诸葛亮了。(武剑青《云飞嶂》一五章三)

③三个臭皮匠,赛过诸葛亮(谚语)。可笑你们连臭皮匠都学不来。(刊)

例①里的"抵个"、例②里的"凑个"和例③里的"赛过",在这里意义相近,整个谚语都是说明人多智慧高。

(三) 类义变异

表示同类概念的词,可以相互替换。如:

① 这么上下一翻腾,反倒使他起了疑心。他想:"人常说,画龙画虎难画骨,知人知面不知心。"(谚语)(刘江《太行风云》二四)

② 你太单纯了。我们汉族有句俗语,说"画猫画虎难画骨,知人知面不知心"(谚语)啊!(冯育楠《我们为无名人立碑》八)

例①里的"龙"和例②里的"猫"都是动物,属于类义词,掉换以后,不影响语义,都是指人心难测。

(2)古今变异

从发展的眼光来看,语言是不断变化着的,语汇也不例外。比较明显的表现,就是变换语素。如成语"揠苗助长"变为"拔苗助长"。"揠苗助长"出自《孟子·公孙丑上》:"宋人有闵其苗之不长而揠之者,芒芒然归,谓其人曰:'今日病矣!予助苗长矣!'其子趋而往视之,苗则槁矣!"后用来比喻违反事物的发展规律,急于求成,不但无益,反而有害。如宋·吕本中《紫微杂说》:"学问工夫,全在浃洽涵养蕴蓄之久,左右采择,一旦冰释理顺,自然逢源矣;非如世人强袭取之,揠苗助长,苦心极力,卒无所得也。"

今"揠苗助长"常与"拔苗助长"并用。如:

① 把大学的课程向中学生硬灌,把中学的课程向小学生硬灌,以便提高教学质量,这是"揠苗助长",秋苗会吃不消。(廖沫沙《还是小学生练字》)

② 命令主义就合乎中国古代的一个寓言,叫做"拔苗助

长",结果被拔起的苗不仅不能成长,反而枯槁了。(郭沫若《关于发展学术与文艺的问题》)

商务印书馆辞书研究中心编的《新华成语词典》(2002),收了"拔苗助长"而未收"揠苗助长",表明"拔苗助长"已经得到社会认可,逐步取代了"揠苗助长"。

再如歇后语"打破沙锅,璺到底",璺,指陶瓷等器皿上的裂纹,谐"问"。请看下面例子:

①〔东坡云:〕佛印从来快开劈,苏轼特来闲料嘴。〔正末云:〕葛藤接断老婆禅,打破沙锅璺到底。(元·吴昌龄《东坡梦》四折)

②〔倘秀才〕撅折的匙呵如呆似痴,摔碎碗长吁叹息。〔吕蒙正云:〕端的是谁打了来?〔正旦唱:〕打破沙锅——璺到底。(元·王实甫《破窑记》二折)

后来"打破沙锅,璺到底"和"打破沙锅,问到底"并用。如:

① 就让姐姐装糊涂不言语,我可也是"打破沙锅璺到底",问明白了,我好去回我公婆的话。(《儿女英雄传》二六回)

② 你这个人真是打破沙锅问到底。(《冷眼观》一二回)

今多作"打破沙锅问到底"。如:

① 我们必须绞脑筋,打破沙锅问到底。(陶行知《普及现代生活教育之路》)

② 她为什么不回到文工团去?不过我也并非喜欢打破沙锅问到底的人。(巴金《团圆》)

③ 问的人打破沙锅问到底,被问的一点也不嫌烦。(冯伊湄《未完成的画》四三)

(3) 地域变异

语的地域变异,是指由于方言的影响而产生的变异现象。如许多官话方言里,老鼠叫"耗子",饺子叫"扁食",由它们作语素构成的语便出现了变体。如:

① "那个……妖婆子,你这个……混小子,勾心斗角,把我夹在当中……"谷樾剧烈地咳嗽不止,"老鼠钻风箱,我两头受气。"(刘绍棠《十步香草》四五)

② 当鲍超一弄明白了这两个互相矛盾的急件的内容后……一串串骂人的四川的土话,从他嘴里滚出来:"……这些鬼孙子!这才是耗子钻风箱,两头受气(歇后语)!"(凌力《星星草》一五章三)

③ 是我瞎猜疑,还是有人装神弄鬼、摇阴阳扇子,咱们是哑巴吃饺子,心里有数(歇后语)。(张凤雏《铺满苔藓的路》二六)

④ 正当这工夫,一个车夫又指着他的脸说:"祥子,我说你呢,你才真是'哑巴吃扁食,心里有数(歇后语)'呢。"(老舍《骆驼祥子》一四)

(4) 语境变异

语的语境变异,是指语进入句子以后,在一定的上下文中出现的变异想象。我们在第一章第一节讨论语不是词的等价物时,曾举例说明语有时可以被拆开使用,分别充当句子里的不同成分,就是属于这种情况。这种情况,形式上有点像"离合词",但有所不同。"离合词"结合在一起时是词,插入别的成分后转化为词组。如:

站岗→站了一班岗(述宾词组式)

看见→看得／不见(述补词组式)

但语拆开使用后,性质不变。如:

① 听过士兵的流畅报告,田光像吃了副定心丸(惯用语),立刻把心放了下来。(冯志《敌后武工队》二六章)

② 你是什么人?敢来砸我的摊子?七斤半的苦瓜,我还没见过这号种(歇后语)!(丁令武《风扫残云》一一章三)

例①"吃定心丸"中间插入"了副",仍然属于述宾型的惯用语,比喻得到某种许诺或宽慰,思想情绪安定下来。例②"七斤半的苦瓜,没见过这号种",中间插入"我还"后,还是属于歇后语,指没有见过这么坏的人。

语的语境变异,和语的同义近义类义变异、古今变异、地域变异等有所不同。它是语在使用过程中出现的变异,具有临时性;而语的同义近义类义变异、古今变异和地域变异,则是语的语汇形式的变异。

语的变异具有局部性和临时性,不能由此否定语在总体结构上的固定性。

思 考 题

一、研究语的构成规律有什么意义?谈谈你的看法。

二、什么是语素?可以从哪几个角度对语素进行分类?举例说明。

三、为什么说组合成语的词都是语素,但语素不都是词,试用具体例子说明。

四、汉语的构语法主要有哪些?请举例说明。

练　习　题

一、下列都是词组型的语，请指出它们内部的结构类型：

才疏学浅：_____　　谦谦君子：_____

安然无恙：_____　　解甲归田：_____

颠倒黑白：_____　　千军万马：_____

炒鱿鱼：_____　　翻江倒海：_____

吃大锅饭：_____　　陈猫古老鼠：_____

蒙在鼓里：_____　　碰一鼻子灰：_____

一把鼻涕一把泪：_____

二、下列都是句子型的语，请指出它们所属的类型：

寡不敌众：_____　　红颜薄命：_____

各打各的算盘：_____　　多虚不如少实：_____

远来和尚好念经：_____　　各人做事各人当：_____

江山易改,本性难移：_____

不经一事,不长一智：_____

宁走十步远,不走一步险：_____

三、比较下列各组的语，说明它们的区别：

① 孤掌难鸣；一个巴掌拍不响

② 见异思迁；这山望着那山高

③ 饮水思源；喝水不忘挖井人

④ 口蜜腹剑；口里蜜蜜甜,心里一把剑

⑤ 一暴(pù)十寒；三天打鱼,两天晒网

⑥ 吹毛求疵；鸡蛋里面挑骨头

⑦ 以蠡测海；海水不可斗量

⑧ 相形见绌；不怕不识货,就怕货比货

第四章 语义

第一节 语义的特点

任何事物都有形式和内容两个方面。语的形式就是由若干个音节组成的一段语音流,语的内容就是这段语音流所表达的意义,即语义。

语义有以下三个特点。

1. 叙述性

语是叙述性的语言单位。叙述性是语义最重要的特点。如惯用语"挨板子",指被人用板子责打,比喻受到严厉的批评或处罚;成语"见微知著",指见到一点儿苗头,就能看出事物的实质或发展趋势;谚语"上梁不正下梁歪",比喻居上位的人行为不正,下面的人也就会跟着学坏;歇后语"电线杆做火柴,大材小用",指大的材料被用在小的地方,比喻有才能的人没有被用在重要岗位上,或大人物被用来做小事情,都具有叙述性。

根据所叙述的内容是否完整,有无明确的叙述主体,语义可分为完整义和不完整义。结构上属于句子型的语,表示的都是完整义。如:

① 我们说不到一块,只好各行其是(成语)。(杨沫《青春

之歌》一部一〇章)

② 你怎能把我结婚的问题扯到炼钢上去哩,那不是牛头不对马嘴么?(惯用语)。(孙犁《女人们》)

③ 我们有一句俗话:时间就是金子(谚语)。站着做买卖比坐着要快得多。(艾明之《火种》一部四章四)

④ 他现在不给你处分,说不定老鼠拉木锨——大头在后边(歇后语),有一天算总账,可能更利害。(周原《覆灭》一六)

例①里的"各行其是",指各人按照自己认为正确的去做。例②里的"牛头不对马嘴",比喻二者毫无关系。例③里的"时间就是金子",指时间像黄金一样宝贵。结构上都属于句子型,表达的是完整义。例④里的"老鼠拉木锨——大头在后边",本指老鼠拉木锨(扬场用的木制农具,形似铁锨,长柄大头)时,大的一头在后面,转指更严重的事情还在后面。两个语节都是句子型,表示的也是完整义。

结构上属于短语型的语,表示的都是不完整义。如:

① 现在如果有机会来尽一份的力,便是赴汤蹈火(成语),也极愿意。(茅盾《蚀·动摇》六)

② 为了搞通一个问题,他爱一个人呆在房里,把门反锁得紧紧的,谁要是在这个时候去找他,准得非吃闭门羹(惯用语)不可。(程树臻《钢铁巨人》一九章)

③ 看来人家那些高人,心路都差不多……不像咱们这号的,那点见识,算是"碟子里洗澡——浅得很"(歇后语)。(鲍昌《庚子风云》二部一三章)

例①里的"赴汤蹈火",形容不避艰难险阻,勇往直前,属于并列词组型。例②里的"吃闭门羹",比喻被人拒之门外,属于述宾词组型。例③里的"碟子里洗澡——浅得很",指学识浅薄或见识肤浅,前一个语节属于偏正词组型,后一个语节属于述补词组型。它们表达的都是不完整义。

表示完整义的语,有的具有知识性,属于谚语或表述性成语;有的不具有知识性,属于惯用语、描述性成语或歇后语。如:

① 你可不能那么说,皇上家银子还碰上绿林英雄呢!强中更有强中手(谚语),谁要是不认这个头,他就要栽大斤斗。(梁斌《播火记》一〇)

② 狗腿子到了知道众怒难犯(表述性成语)的时候,就是再怎么胆大也变成胆小了。(高云览《小城春秋》七章)

③ 婆媳两个针尖对麦芒(惯用语),吵闹不休。(周立波《暴风骤雨》二部一七)

④ 每当省、市搞美展,他将精心创作的画幅送上,总是名落孙山(描述性成语)。(李存葆《伏虎草堂主人》)

⑤ 这时,厂里出现了一些闲言碎语:"刘克礼是小鸡刨黄连——自讨苦吃(歇后语)!"(百荣等《河东"狂人"》)

例①里的"强中更有强中手",指强手中还有更强的人;例②里的"众怒难犯",指众人的愤怒不可触犯。二者都表示完整义,都具有知识性。例③里的"针尖对麦芒",形容针锋相对,互不相让;例④里的"名落孙山",指未被选中或考试不中(宋·范公偁《过庭录》记载:有个叫孙山的人考了末一名回家,有人向他打听自己的儿子考中了没有,孙山回答说:"榜上最后一名是孙山,你的儿子还在孙山后面。");例⑤里的"小鸡刨黄连——自讨苦吃",指自己找苦头吃或找罪受。三者虽都表示完整义,但都不具有知识性。

表示不完整义的语,都不具有知识性。如:

① 万一被人识破,这状纸是出在俺的手里,偷鸡不成反

而蚀把米(惯用语)。(陈登科《风雷》一部五八章)

② 她娘家是鲍山那边十里铺的人家,做姑娘时如花似玉(成语)。(王安忆《小鲍庄》六).

③ 他曾连着两次又去找过王罗锅,无奈王罗锅还是和他反贴门神不对脸(歇后语)。(崔巍等《爱与恨》二六章)

2. 民族性

语义的民族性是指语的表达方式和内容具有民族心理、文化的特点。汉民族思维方式的一个重要特点就是形象思维发达。汉语语义的民族性,首先表现在表达方式的形象性方面。如:

① 四个人在炕几两边坐着,面面相觑(成语),一筹莫展。(欧阳山《三家巷》一九一)

② 第三发炮弹又没打出来,何石头这下子可有点扎手了。他瞅瞅王大葫芦,王大葫芦瞅瞅他,大眼瞪小眼(惯用语)了。(张国庆《亲仇》一九)

③ 众人一看,这才愣了神。你瞅瞅我,我瞧瞧你,都说不出半句话来。一个个张飞穿针,大眼瞪小眼(歇后语)。(张浚彪《山鬼》六)

"面面相觑"、"大眼瞪小眼"、"张飞穿针,大眼瞪小眼",都是形容在场人对着看时的惊恐、惶惑、无奈的神情,都采用具体描绘的手法,使语义的表达具有可视性和可感性。三者相比,形象化的程度越来越高。特别是例③里,在"大眼瞪小眼"之前,又加上"张飞穿针",在形象描绘的基础上,增加了奇特的想象。这种别具一格的语义表达方式,是汉民族长于形象思维的典型表现。

语义的民族性还表现在语义有鲜明的民族文化特色上。如:

① 小军阀拼命挣扎,走投无路,真可谓黔驴技穷(成语)。(魏巍《地球的红飘带》三二)

② 她一时想不出什么方法来,因为她明知道空山是不好惹的。假若,她想,方法想的不好,而自己"赔了夫人又折兵"(惯用语)那才丢透了脸!(老舍《四世同堂》四三)

③ 我们的古人也懂得"前事不忘,后事之师"(谚语)……为什么不吸取过去的教训?难道我们还没吃够"健忘"的亏?(巴金《重来马赛》)

④ 你这个兔子!狗咬吕洞宾,不识好歹人(歇后语)!我们给你解决困难来了!(孙犁《村歌》下六)

例①里的"黔驴技穷",语本唐·柳宗元《三戒·黔之驴》:"黔无驴,有好事者船载以入,至则无可用,放之山下。虎见之,庞然大物也,以为神,蔽林间窥之。……他日,驴一鸣,虎大骇远遁,以为且噬己也,甚恐。然往来视之,觉无异能者。……稍近益狎,荡倚冲冒。驴不胜怒,蹄之。虎因喜,计之曰:'技止此耳!'因跳踉(tiàoliáng,跳跃)大㘎(hǎn,虎叫),断其喉,尽其肉,乃去。"后比喻虚有其表,实际上没有什么本领;也比喻仅有的一点本领已经用完。例②里的"赔了夫人又折兵",比喻不但没有占到便宜,反而遭受双重损失。故事见于元曲《隔江斗智》和《三国演义》第五十四、五十五回:吴主孙权听从都督周瑜的计策,谎称把妹妹许配刘备,将刘备骗到东吴做人质,以便向蜀汉讨回荆州。刘备按诸葛亮的计谋,成婚后带着夫人逃出东吴。周瑜率兵追赶,被诸葛亮设下的伏兵杀得大败。例③里的"前事不忘,后事之师",指历史上发生的事情,可作为今后行事的借鉴。《战国策·赵策一》记载:战国时赵国大臣张孟谈,帮助赵国君主赵襄子打败了知伯,安定了赵国宗室,扩大了赵国领地,感到自己声名显赫,地位崇高,会对君主的权力构成威胁,主动提出放弃功名权势隐退。赵襄子不同意他隐退。张孟谈答辩说:"臣主之权均之能美,未之有也!前事之不忘,后事之师。"意思是,观察古代的史实,臣下和君主的权力均等,而能达到美好,这样的事情是没有的!历史上发生过的事情不要忘记,可指导今后行事。《史记·秦始皇本纪》引用时,称它为"野谚":"野谚曰:'前事之不忘,后事之师也。'是以君子为国,观之上古,验之当世,参以人事,察盛衰之理,审权势之宜,去就有序,变化有时,故旷日长久而社稷安矣。"例④里的"狗咬吕洞宾,不识好歹人",来自道教传说。据山西芮城永乐宫壁画描绘,从前安徽桐庐有个姓马的孝子,母亲得了搭背疮,多方医治无效。一天夜里,来了一个老道,说是能治他母亲的病。马家养了一条狗,名叫赛虎,见那道人衣衫褴褛,猛扑上去就咬。后来马孝子知道来人是八仙之一的吕洞宾,即指着"赛虎"骂道:"你咬了吕祖吕洞宾,真是不识好歹人。"

这些语,或来自古代的文学作品,或来自历史事件,或来自宗教传说,无不显示着浓郁的汉民族文化特色。

3. 整体性

前面说过,语在结构上是相对固定的。语义是语素义在特定的组合关系中形成的整体意义,在语言中被整体地理解和运用,因此,语义具有整体性的特点。根据语素义之间组合关系的紧密程度,可以将语义分为组合性和融合性两类。

(1) 组合性

语义的组合性,指构成语义的各义素之间的意义是组合关系,它的整体意义可以从语素义的组合中解读出来。如:

① 你们县长人好,能任劳任怨(成语)。(沈从文《长河·秋》)

② 到现在,高家林才感觉到自己像一个一无所有的叫花子一般,他感觉到自己孤零零的,前不着村,后不着店(惯用语)。(路遥《人生》)

③ 不管怎么说,礼多人不怪(谚语),多作两个揖算得什么!(祝兴义《儿子长大以后》七)

④ 团结,团结,不能剃头挑子一头热(歇后语),我白某向来不受这个气!(国强《英雄马本斋》一五回)

例①里的"任劳任怨"(任:承受,担当),指做事不辞辛劳,不怕别人埋怨。例②里的"前不着村,后不着店"(着:挨着),指行路人走到荒郊野外,前面不靠近村庄,后面不挨着旅店,无处食宿。例③里的"礼多人不怪",指多讲礼节,别人不会责怪。这类语,根据语素义的组合关系就能了解语义。例④里的"剃头挑子一头热",指当事双方,一方热情,一方冷淡。只要了解旧时流动谋生的剃头匠,担子一头是理发用具,一头是烧热水的火炉,也就能理解它的意义。

(2) 融合性

语义的融合性,是指构成语义的义素融为一体,不大好根据语素义进行分析,往往需要从语产生的历史文化背景去解读。如:

① 这种四面楚歌(成语)的境地,他想来当真没有多大把握能够冲得出去。(茅盾《子夜》一二)

② 他和瑞丰原来差不多,他看不起瑞丰也不过是五十步笑一百步(惯用语)罢了。(老舍《四世同堂》三八)

③ 三十年河东,三十年河西(谚语),咱走着瞧,瞧着走。

我不信这世道潮流永不变。(刘江《太行风云》一九)

④ 我都把咱们的地址告诉了她了,姜太公钓鱼,愿者上钩(歇后语),她不来就算了。(草明《乘风破浪》一章)

例①里的"四面楚歌"指四面受敌,孤立无援。出自《史记·项羽本纪》:"项王军壁垓下,兵少食尽,汉军及诸侯兵围之数重。夜闻汉军四面皆楚歌,项王乃大惊曰:'汉皆已得楚乎?是何楚人之多也!'"(意思是:项羽的兵马驻扎在垓下,兵丁已经很少,粮食也吃完了,刘邦和各路诸侯的兵马把他重重包围。半夜里听到刘邦军营里到处有楚国人的歌声,项羽大吃一惊,说:"刘邦已经全部占领楚国了吗?要不为什么楚国人这么多呢!")例②里的"五十步笑一百步",原意指逃跑五十步的士兵笑话逃跑一百步的。出自《孟子·梁惠王上》:"孟子对曰:'王好战,请以战喻。填然鼓之,兵刃既接,弃甲曳兵而走。或百步而后止,或五十步而后止。以五十步笑百步,则何如?'曰:'不可。直不百步耳,是亦走也。'"(意思是:孟子回答说:"大王喜好研究战术,那就请允许我用打仗来比喻。咚咚咚地擂起战鼓,双方的武器已厮杀在一起,一些人抛弃盔甲拖着兵器而逃跑。有的逃跑了一百步后停止了,有的逃跑了五十步后停止了。凭着自己逃跑了五十步而笑话逃跑了一百步的,那怎么样?"大王回答说:"当然不可以。只是没到一百步,但那也是逃跑。")后用来比喻某人跟别人存在同一性质的问题,却以为自己情节较轻而嘲笑别人。例③里的"三十年河东,三十年河西",指历史上黄河多次改道,某一地方原在河东,若干年后却在河西。今多用来比喻世事兴衰,变化无常。例④里的"姜太公钓鱼,愿者上钩",见于《武王伐纣平话》卷中。传说姜太公80岁遇周文王之前,曾在渭水边用无饵的直钩,在离水面三尺的空中钓鱼,说:"负命者上钓来!"今多指心甘情愿上当受骗。

这些语在长时期的反复使用中,人们都大体知道它们的历史文化背景,理解它们的真实意义,因而达成一种交际的默契。

第二节 语义的分析

对语的意义进行分析,可以了解各义素之间的关系、义素和整体意义的关系,使我们更好地理解语义。语义分析的方法主要有语素分析法、层次分析法和语源分析法。

1. 语素分析法

语义的最基本的构成要素是语素,了解语素义是了解语的整体意义的前提,如成语"噤若寒蝉",由"噤、若、寒蝉"三个语素按"主一谓一宾"的结构组成。噤,闭口不做声;若,好像;寒蝉,天冷时不再叫或叫声低微的蝉。把这几个语素义结合起来,就可以得出这个成语的初始意义:闭口不做声,像寒蝉不再鸣叫。这样就能比较透彻了解它的语义:形容人不说话或不敢说话。

如果对语素义缺乏准确把握,容易导致对语义的误解。试以谚语"两姑之间难为妇"和"成人不自在,自在不成人"为例:

① 我这是两姑之间难为妇(谚语)了。痛痛快快帮嫂子的忙吧,又得罪了大哥。不管这些闲事吧,又得罪了大嫂。(张恨水《金粉世家》三九回)

② 以后我要出题目叫你作文章了。如若懈怠,我是断乎不依的。自古道:"成人不自在,自在不成人。"(谚语)你好生记着我的话。(《红楼梦》八二回)

例①里的"两姑之间难为妇",对语素"姑"的理解很关键。如果解释为"处在两个小姑之间的媳妇不好当"或"两个小姑都不好得罪,所以媳妇难当",都不妥。古汉语中,"姑"既指丈夫的妹妹即小姑,也指丈夫的母亲。在我国传统的家庭生活中,媳妇和婆婆、小姑之间容易产生矛盾,"姑"在这里既指婆婆又指小姑。这个谚语应当解释为:夹在婆婆和小姑之间的媳妇不好当。例②里的"成人不自在,自在不成人",如果解释为"要想成全别人就不能不受约束,不受约束就不能成全别人",也是不妥的。"成人"不是"成全""别人",而是"成为""人才"。这个语应当解释为:要想成为有作为的人,就不能自由自在,不受约束;要想自由自在,不受约束,就不可能成为有作为的人。

语的语素义分析,不能离开语境,如:"早烧不出门,晚烧晒死人"是流行于山西南部的一条气象谚。当地人把早晨、黄昏天上的火烧云叫早烧、晚烧,"烧"的语素义是火烧云(名词),而不是燃烧(动词)。"舍不得孩子打不着狼"中的"孩子",当是"鞋子"的谐音。我国北方有些地区,"鞋"与"孩"同音。人在紧急中,弯腰脱鞋,掷鞋以自卫,是一个习惯性的动作。而用孩子去打狼,就匪夷所思了。

2. 层次分析法

语义可以从两个不同层面进行分析。一个层面,是把语义分为基本义和色彩义。另一个层面是把语义分为本义、引申义和比喻义。

(1) 基本义和色彩义

基本义也叫理性义,是语最主要的起核心作用的意义。色彩义也叫附加义,它附着在基本义之上表达人的特定感受或语境赋予的特定意义。

语都有基本义。如:

① 我们只打算慢慢地来,从无到有,从小到大,量力而行(成语),逐步发展。(巴金《随想录》九二)

② 一开头,他对这里的症结摸不透,于是就"各打五十大板"(惯用语),但问题一点也没解决。(程树榛《钢铁巨人》一〇章)

③ 路遥知马力,日久识人心(谚语)嘛,你们总会知道我这个人的。(蒋和森《风萧萧》二一)

④ 你们樊家楼家大业大,高山打鼓,鸣(名)声在外(歇后语),岂有不遭人眼红之理?(陈金顺《樊楼追珠》三)

例①里的"量力而行",基本意义是指根据自己的能力或情况而行事。例②里的"各打五十大板",基本意义是指不分是非曲折,同样惩罚。例③里的"路遥知马力,日久识人心",基本意义是指路途遥远方能检验出马力的强弱,时间长久了自能认清人心的善恶。例④里的"高山打鼓,鸣(名)声在外",基本意义是指名声远扬,广为人知。

有些语,除了基本义之外,还附加色彩义,主要是雅俗色彩义和感情色彩义,此外,还有形象色彩义。

雅俗色彩义,也叫语体色彩义,体现的是语言的风格特点;感情色彩义,也叫褒贬色彩义,体现的是爱憎好恶的褒贬情感,一般都附加在理性义上。这在第二章第三节"语的雅俗色彩分类和感情色彩分类"里已经讲过。这里着重说明,许多语的雅俗色彩义、感情色彩义和形象色彩义往往是交织在一起的。如:

① 若是人家真派了汽车来接,那倒是不去不成。要不,人家真说咱们不识抬举(成语)。(张恨水《啼笑因缘》一〇回)

② 给你点面子,你就封了王了!不识抬举(成语)、忘恩负义的王八蛋!(钱钟书《围城》五)

③ 你这个人,狗坐轿子,不识抬举(歇后语)。不拆了你的架子,你是不服输的。(马识途《清江壮歌》五三)

④ 安老师,您这是赏我的饭,我怎么能坐轿子嚎丧,不识抬举(歇后语)?(刘绍棠《豆棚瓜架雨如丝》二五)

例①里的"不识抬举",指不接受或不珍惜别人的好意,带有明显的贬义色彩。例②的"不识抬举",处在责骂的语境中,贬义色彩更加突出。例③④里的"不识抬举"前面分别加上"狗坐轿子"、"坐轿子嚎丧"成为歇后语之后,不仅加重了贬义的感情色彩,还增加了鲜明的形象色彩,在语体上,更显示出口语色彩。

(2) 本义、引申义和比喻义

本义即"字面意义",是由语素义直接组合而成的意义。如:

① 莎士比亚说:"书籍是全世界的营养品。"对我这个如饥似渴地阅读的少年,它的功用更是不言而喻(成语)的。(叶文玲《我的"长生果"》)

② 真是来得早不如来得巧(谚语),快坐下听听洪主任的宏伟计划!(姜树茂《渔港之春》三章)

③ 三个弟媳妇,她就没有一个满意的。尤其是头两房,大家都是面和心不和(惯用语)。(丁玲《母亲》一)

④ 你心下一定在想,我这是黄鼠狼给鸡拜年,不安好心(歇后语),是不是?(冯德英《山菊花》下五章)

例①里的"不言而喻",指不用说什么就明白。例②里的"来得早不如来得巧",指来得凑巧比来得早还好。例③里的"面和心不和",指表面上和和气气,内心却互有意见。例④里的"黄鼠狼给鸡拜年,不安好心",指假装善意,却暗藏祸心。这几例都是用的字面意义。

引申义是从本义派生出来的,是本义的延伸。试比较下面两例:

① 那女孩子年纪虽小,打扮得脸上颜色赛过雨后彩虹、三棱镜下日光或者姹紫嫣红(成语)开遍的花园。(钱钟书《围城》五)

② 我们这支队伍历经了风风雨雨,在全国成千上万的作家们的共同努力下,一个姹紫嫣红(成语)的繁荣局面开始出现在大家的面前。(巴金《我们的文学应该站在世界的前列》)

例①里的"姹紫嫣红",指各种颜色鲜艳的花朵,用的是本义。例②把它移用来形容繁荣的文学创作局面,延伸、拓展了使用范围,用的是引申义。

引申义往往替代本义而成为常用义。如:

① 他就是这样风里来雨里去(惯用语),成年累月(成语)地在咱们农民中工作着。(杨沫《青春之歌》二部六章)

② "什么是苦呢?院里设备不全,药品不全,巧妇难为无米之炊(谚语),这便是苦。"(茅盾《锻炼》二三)

③ 你没看赵镢头领的这一群人,拿的那家伙,好比"关公卖秤砣——人硬货也硬"(歇后语)!(张一弓《赵镢头的遗嘱》八)

例①里的"风里来雨里去",形容奔走辛劳;"成年累月",形容时间很长。例②里的"巧妇难为无米之炊",指再能干的人,没有必要条件,也做不成事。例③里的"关公卖秤砣——人硬货也硬",指人态度强硬或性格刚强,本领也过硬。用的都是取代了本义的引申义。

比喻义是语的比喻用法逐渐固定下来的意义。如:

① 虽然有檀越布施,但是杯水车薪(成语),总不能将损坏的佛像都修补起来。(姚雪垠《李自成》二卷五二章)

② 问题很复杂,别把复杂的问题看得太简单了,摸到韭菜就当葱(惯用语)。(周而复《上海的早晨》一部五一)

③ 舞台再小,他要自己当主角……"宁当鸡头,不当凤尾"(谚语),再小是个王!(王兆军《盲流世家》三八)

④ 放心吧,走点路那是张飞吃豆芽——一盘小菜(歇后语)。侦察兵的腿就是走路的嘛。(李荣德《大雁山》一章二)

例①里的"杯水车薪",意思是用一杯水去救着了火的一车柴草,指东西太少或力量太小,无济于事。例②里"摸到韭菜就当葱",指对事物不仔细辨认,就草率地做出判断。例③"宁当鸡头,不当凤尾",指宁可在小团体里当个小头目,当家做主,也不去当大团体的属员,听从别人指挥。例④里的"张飞吃豆芽——一盘小菜",指轻而易举的事情。都用的是比喻义。

要避免把引申义和比喻义混淆在一起。一般说来,引申义是本义的延伸,是使用范围的扩大,引申义和本义之间有一种逻辑推理联系,而比喻义是本义的转移,比喻义和本义之间只是由想象建立起来的联系。如"种瓜得瓜,种豆得豆",本义是种下瓜收获瓜,种下豆收获豆;引申义是种下什么收获什么;比喻义则转指人事,比喻恶有恶报,善有善报。

多用引申义和比喻义是汉语语义的重要特点。有许多语,本义不起作用,引申义或比喻义才是实际意义。

3. 语源分析法

语大多都有一个发生、发展、演变的过程。语源分析法就是从意义的角度穷源溯流,历史地考察语义的产生和变化轨迹的一种方法。

成语多来自古文献,最适宜使用语源分析法。如:

① 他很聪明,鹏程万里。(杨沫《青春之歌》一部二二章)

② 不适当地夸大敌情,弄得草木皆兵,疑神疑鬼,也坏了不少事。(李国文《冬天里的春天》四章)

③ 往后端木家人遇我门徒,只须通报一声,自该退避三舍。(二月河《雍正皇帝》下二回)

例①里的"鹏程万里",形容前途远大,出自《庄子·逍遥游》:"鹏之徙于南冥也,水击三千里,抟(tuán,盘旋)扶摇而上者九万里。"(意思是:大鹏往南海迁徙时,激起的水柱高达三千里,它用翅膀拍击旋风而直上九万里的高空。)例②里的"草木皆兵",形容人极度惊恐,疑神疑鬼,出自《晋书·苻坚载记下》:"坚与苻融登城而望王师,见部阵齐整,将士精锐;又北望八公山上草木皆类人形,顾谓融曰:'此亦勍(qíng,强)敌也,何谓少乎?'怃然有惧色。"说的是公元383年,前秦王苻坚率领近百万大军攻打东晋的事。东晋派谢玄、谢石带领八万人马进行抵抗。苻坚先是轻敌,接着听说先锋部队被打败,急忙登上寿阳(今安徽省寿县)城,见晋军士气高昂,杀气腾腾。又往寿阳城北的八公山上眺望,把山上的草木都当成是晋军。回头对他的弟弟苻融说:"晋军漫山遍野,怎能说是很少呢?"例③里的"退避三舍",指主动退让,避免发生争端。《左传·僖公二十三年》记载:春秋时,晋国公子重耳逃亡到楚国,楚成王设宴接待,出于感激之情,重耳许诺:如果能回到晋国为君,万一晋、楚交战,将主动退避三舍(古代行军以三十里为一舍)。后来,重耳回到晋国当了国君,他信守诺言,在晋、楚城濮(在今山东省鄄城西南)之战中,晋军果"退三舍以辟(避)之"。

在汉语的语汇中,不仅书面语色彩浓厚的成语可以用语源分析法分析语义,有些惯用语、谚语、歇后语也有源流可寻。举例来说:

① 接着起来的现代派,愈演愈怪,一蟹不如一蟹(惯用语),把诗坛闹得天昏地暗。(汪静之《诗的风》)

② 古人说,百金买房,千金买邻(谚语)。足见择邻睦邻的重要性。(孙犁《悼画家马达》)

③ 经过一番思考,一番分析,一番消化,才逐渐加深了理解。我们一听就懂,而且是百分之百。我看这是猪八戒吃人参果,不知其味(歇后语)吧?(孟千等《决战》二)

例①里的"一蟹不如一蟹"原指一个比一个小。清·翟灏《通俗编·禽鱼》引《圣宋掇遗》:"陶穀奉使吴越,忠懿王宴之,以其嗜蟹,自蝤蛑至蟛蚏,凡罗列十余种。穀曰:'真所谓一蟹不如一蟹也。'"(意思是:陶穀被派遣出使吴越,忠懿王设宴款待他。因为他喜欢吃螃蟹,所以从蝤蛑到蟛蚏,共罗列了十多种,陶穀看着说:"正如俗话所说的那样,'一蟹不如一蟹呀。'")"蝤蛑"似蟹而大,"蟛蚏"似蟹而小。"蝤蛑"、"蟹"、"蟛蚏"三者放在一起,一个比一个小,故有"一蟹不如一蟹"之说。后比喻一个比一个差。金·王若虚《文辨·二》:"晏殊以为柳(宗元)胜韩(愈),李淑又谓刘(禹锡)胜柳(宗元),所谓一蟹不如一蟹。"(意思是:晏殊认为柳宗元比韩愈强,李淑认为刘禹锡比柳宗元强。正如俗话所说的那样:"一蟹不如一蟹。")例②里的"百金买房,千金买邻",指选择好的邻居比购置好的住房更重要。语出《南史·吕僧珍传》:"初,宋季雅罢南康郡,市宅居僧珍宅侧。僧珍问宅价,曰:'一千一百万。'怪其贵,季雅曰:'一百万买宅,千万买邻。'"说的是:南朝时梁武帝很欣赏吕僧珍的才干,任命他为南兖州刺史。吕僧珍廉洁奉公,不徇私情,受到人们称颂。有位名叫宋季雅的官员告老还乡后,特地把吕僧珍私宅邻家的一幢房屋买下来居住。一天,吕僧珍问他买这幢房子花了多少钱,宋季雅回答说:"共花了一千一百万。"吕僧珍大吃一惊,反问道:"怎么会这么贵?"宋季雅笑着回答说:"其中一百万是买房屋,一千万是买邻居。"例③里的"猪八戒吃人参果,不知其味",原指品尝不出滋味。这个歇后语源于《西游记》,该书第二十四回描写:猪八戒在万寿山五庄观偷吃人参果,他嘴馋性急,囫囵吞下,不知是什么滋味。引申指不知所吃东西的价值。《儒林外史》六回:"我因素日有个晕病,费了几百两银子合了这一料药,是省里张老爷在上党做官带了来的人参,周老爷在四川做官带了来的黄连。你这奴才!猪八戒吃人参果,全不知滋味!说的好容易!是云片糕?"今多比喻不懂得事情的奥妙所在。

　　语源分析有助于对语的准确理解和使用。如成语"川流不息",有人往往错写成"穿流不息",这与不了解这个成语的来源有关。"川",指河流,"川流不息",指河水一直流着,不停止。常用来比喻事物连续不断,永不停止。从语源上看,当出自《论语·子罕》:"子在川上曰:'逝者如斯夫!不舍昼夜。'"(意思是:孔子站在河边感叹说:"时光的消失就如同这河水的流失一样啊!昼夜都不停歇。")文中"逝"就是"流","不舍"就是"不停息"。南朝梁·周兴嗣《千字文》:"川流不息,渊澄取映。"(意思是:河水流动而不止,渊水清澈而照人。)说明最迟在南朝时,"川流不息"这个成语的形式已经固定。

语源分析还有助于同义语的辨析。如:

① 有般名利之徒,为人天师,悬羊头卖狗肉,坏后进初机,灭先圣洪范。(《五灯会元》卷一六)

(意思是:有一伙追名逐利的人,号称是天师,却挂着羊头卖狗肉,浸蚀了后学者的学习的动机,毁掉了先圣所树立的规矩。)

② 晏子见,公问曰:"寡人使吏禁女子而男饰,裂断其衣带,相望而不止者,何也?"晏子对曰:"君使服之于内,而禁之于外,犹悬牛首于门,而卖马肉于内也。公何以不使内勿服,则外莫敢为也。"(《晏子春秋·内篇杂下》)

(意思是:晏子来拜见,国君问他说:"我让臣吏们禁止女子穿男子的服饰,即使是把人们的衣服撕乱、带子折断,但大家互相观望就是不听从,这是怎么回事?"晏子回答说:"您让一些女子在宫中穿男装,而不许宫外的这样做,就像是外边挂着牛头,而里边卖马肉一样。您为什么不命令宫中的女子不得穿男装呢,这样,外面的女子就没有谁敢穿男装了。")

例①里的"悬羊头卖狗肉"和例②里的"悬牛首于门,卖马肉于内"(后世多作"悬牛头,卖马脯")都是惯用语,意思都是用好货做幌子,实际兜售劣等货色。然而它们的语源不同,语义也有差异:"悬羊头卖狗肉"多比喻假借好的名义,实际做坏事;而"悬牛首,卖马脯"多用来比喻当面一套,背后一套,表里不一,名实不相符。

综上所述,通过语源分析,不仅有助于加深对语义的深刻理解,而且能从中丰富我们的历史文化知识。

第三节 语义的描写

语义的描写就是用叙述性的语言对语进行释义。要做到正确释义,必须了解语义描写的要求、语义描写的原则,掌握语义描写的一般方法。

1. 语义描写的要求

语义描写的要求主要是准确、简明、透彻。

准确是语义描写的基本要求。由于语义具有整体性的特点,许多语不仅要描写字面所显示的本义,还要描写引申义、比喻义。为此,释义时要注意以下几点:

(1) 注意防止望文生义,随意解释

如成语"望洋兴叹",有人解释为"仰望着大海,发出了叹息",这显然是从字面上推测出来的结果。"望洋兴叹",原作"望洋向若而叹",语出《庄子·秋水》:"(河伯)顺流而东行,至于北海;东面而视,不见水端。于是焉河伯始旋其面目,望洋向若而叹曰:'野语有之曰,"闻道百,以为莫己若者",我之谓也。'"(意思是:河伯顺着黄河向东漂流,来到了北海。面向东一看,看不见水的边。于是他改变了原来的骄傲的神气,仰视着海神感叹说:"老百姓中有句俗话说:'听到了一些道理,就以为谁也不如自己了。'这说的就像是我呀。")"望洋"也作"望阳、望羊、望佯",是一个叠韵联绵词,形容仰视的样子。整个成语是指在伟大的事物面前感叹自己的渺小,后来多指做事因为力不胜任而感到无可奈何。从古到今都没有"仰望着大海,发出了叹息"的意思。

又如惯用语"摇头不算点头算",有人解释为"摇头表示不同意,点头表示同意",也犯了望文生义的错误。试看下面用例:

① 你看,姑娘一过门,吃的是珍馐美味,穿的是绫罗绸缎,这不是造化吗?怎样,摇头不算点头算,来个干脆的!(老舍《茶馆》一幕)

② 三哥,我回来了,求你点事,摇头不算,点头算,痛痛快快地!(老舍《神拳》二)

③ 老姑被扫了面子,又找一位同姓的老长辈出面,不许鸽婶儿这个后娘说话,摇头不算点头算,吓唬一线红。无依无靠的母女也就只得忍气吞声,摇头不算点头算了。(刘绍棠《京门脸子》二章三)

以上三个例子都说明,"摇头不算点头算"里边的两个"算"都是算数的意思,字面意义是:摇头(表示不同意)不算数,点头(表示同意)才算数;实际意义是:只能同意,不能不同意。

(2) 注意区别表述语和描述语

前面说过,谚语和部分成语属于表述语,具有知识性;惯用语和大部分成语属于描述语,不具有知识性。释义时,表述语的释文要有知识性,而描述语的释文则不应具有知识性。这是语的释义的一条基本规律,必须予以足够重视。如:

① 这大锅饭可是众口难调(成语)呢,就怕弄得大伙儿也有意见。(及容《饥饿荒原》一四)

② 好几年过去了,涪陵变化很大,"长江后浪推前浪,世上新人换旧人(谚语)",地方上又换了一批新人。(鄢国培《漩流》八)

③ 二爷,你不必太着急,常在河边站,哪里不湿鞋(谚语)。

闯荡江湖,总得冒点风险,免不了有个三长两短。(郭明伦、张重天《冀鲁春秋》一七)

例①里的"众口难调",字面意义是:吃饭的人多,很难适合每个人的口味;实际意义是指要做到所有的人都满意,很不容易。表明它属于表述语,具有知识性。有人把它解释为"形容人多口杂,难以使人都满意","形容"二字便抹杀了它的知识性,因而显得不准确。例②里的"长江后浪推前浪,世上新人换旧人",指历史在前进,一代必定胜过一代,也具有知识性。有人把它解释为"形容岁月流逝,代代相承,不断前进",也是抹杀了它的知识性。例③里的"常在河边站,哪里不湿鞋",指常干有风险的事,免不了要出问题;或常处在坏的环境里,难免沾染上坏习气,同样具有知识性。有人解释为"多指沾染上坏习气、坏作风",不仅抹杀了它的知识性,连基本意义也没有解释对。由此可见,区别表述语和描述语是正确释义的前提。

(3) 注意区分构语层面的比喻手法和语义层面的比喻义

构成语的语素之间或语节之间是比喻关系,属于构语层面的比喻手法。整个语的字面意义和实际意义之间是比喻关系,属于语义层面的比喻义。在语义描写时,注意不要把结构层面的比喻手法,当成语义层面的比喻义。试看以下几个例子:

① 农民企业家、改革家,大名鼎鼎,如雷贯耳(成语)啊。(刘玉民《骚动之秋》三章)

② 他用种种手段,如饥似渴(成语)地搜取敌占区的报纸。(魏巍《地球的红飘带》三四)

③ 要使自己不致陷入贪图享乐,挥霍无度,就该懂得不迈出最初一步的奢侈……也就是"从善如登,从恶如崩"(谚语)

的道理。(陈明韬《卧虎令传奇》)

④ 鼓不打不响，话不说不明(谚语)，你既是心里有他，为啥不和他直说。(陈登科《风雷》一部四八章)

例①里的"如雷贯耳"，用了比喻词"如"，字面意义是"像雷声冲进耳朵"，属于构语层面的比喻手法，但整体意义不是比喻义，应解释为"形容人名声很大"；有人解释为"比喻人名声很大"，欠妥。例②里的"如饥似渴"，用了比喻词"如"和"似"，字面意义是"像饿了想吃饭，渴了想喝水一样"，也属于结构层面的比喻手法，整体意义也不是比喻义，应解释为"形容要求或愿望非常强烈、迫切"；有人解释为"比喻要求或愿望非常强烈、迫切"，也欠妥。例③里的"从善如登，从恶如崩"，是个古谚，前后两个语节各用了比喻词"如"，也属于结构层面的比喻手法，字面意义是"依从善道像登山一样艰难，依从邪恶像山崩一样迅速"。整体意义也不是比喻义，应解释为"指学好难，学坏易"；有的人解释为"比喻学好难，学坏易"，同样欠妥。例④里的"鼓不打不响，话不说不明"，虽然没有用比喻词，但可以看出前一个语节是喻体，后一个语节是本体，也属于结构层面的比喻手法，整体意义可解释为"像鼓不敲就不会发出响声一样，有话不说人家就不会明白"。

(4) 注意辨别同义语

语义相同或相近的语，叫做同义语。在描写同义语时，应认真辨析，准确地指出它们的区别性特征。如谚语"远水解不了近渴"和"远水救不了近火"，有的词典都解释为"比喻缓慢的解决办法不能满足急迫的需要"，看成是等义语。但仔细推敲，还是有细微差别的："近渴"强调的是"急需"，而"近火"强调的是"危急"。试看下面的例子：

①"远水解不了近渴",谁知道他什么时候才走好运呢!(老舍《荷花配》一场)

② 远水不解近渴,就是有粮食,你能叫粮食长翅膀飞进来。(陈登科《淮河边上的儿女》)

③ 只是我的弟兄们都在江北,远水救不了近火。即使赶回来,北岸不是小弟的防地,将来也难分解。(欧阳山《红花冈畔》七)

④ 如像朱舜水、黄黎洲他们听说都跑到海外去求救兵去了。但那又何尝是办法呢?远水不及近火!(郭沫若《南冠草》)

例①、例②里的"远水解不了近渴"、"远水不解近渴",强调急需;例③、例④里的"远水救不了近火"、"远水不及近火",则强调危急。

语义描写除了要求准确性外,还力求做到简明性和透彻性。简明,指释义文字要简洁,内容要明晰。透彻,指释义要有深度,要揭示出深层意义。

简明和透彻都是相对而言的。不同性质、不同读者对象的辞书,释义上的详略深浅可以有很大的不同。试以成语"强词夺理"为例,比较《现代汉语词典》(中国社会科学院语言研究所词典编辑室编,商务印书馆)和《成语源流大词典》(刘洁修编著,江苏教育出版社,2003)的释文:

【强词夺理】qiǎng cí duó lǐ 本来没有理,硬说成有理。

——《现代汉语词典》(第5版)第1097页

【强词夺理】qiǎng cí duó lǐ 原作[强词昧理],竭力措辞辩解,硬是不顾道理。昧:冒;不顾。唐·神清《北山录·三合霸王》:(孙)晧大集公卿洎庶寮,征会以车马。既至,晧强词昧理,取会不及已;而会酬抗,尽典谟之体。

又作[强词夺正],正:理(正有"治"的意思,而治又有"理"的意思)。正也作"正理"。宋·正受《嘉泰普登录·一三·庆元府雪窦闻庵嗣宗禅师》:(僧)云:"如何是禅?"(师)曰:"强词夺正理。"|关汉卿《杜蕊娘智赏金线池》第三折(《元曲选》1261):闪的我孤孤另另,说的话涎涎邓邓,俺也曾轻轻唤着躬躬前来诺诺连声,但酒醒硬打挣,强词夺正。

后世多作[强词夺理],本来没有理,硬说成有理。《三国演义》四三 376:座上一人忽曰:"孔明所言,皆强词夺理,均非正论,不必再言。"|朱庭珍《筱园词话》二(《清诗话续编》2366):因其(指袁枚)诗不讲格律,不贵学问,空疏易于效颦。其诗话(指《随园诗话》)又强词夺理,小有语趣,无稽臆说,便于借口。

——《成语源流大词典》第811页

比较二者,可以看出,《现代汉语词典》只是把语义讲清楚就可以了,而《成语源流大词典》则侧重于考源,力求说清楚从形式到内容的流变。这是由不同辞书的性质和对象所决定的。《现代汉语词典》是供中等以上文化程度的读者使用的中型词典,而《成语源流大词典》则属于考释性的大型辞书,面向专业人员的。尽管不同类型辞书释文的详略有别,但在释义的准确性上,要求是一致的。

2. 语义描写的基本原则和一般做法

以语言事实为依据,客观地揭示其内涵和外延是语义描写的基本原则。在着手进行语义描写前,要尽可能充分地收集语料,特别是古今名家名作中相关的书证。所谓"巧妇难为无米之炊",手头没有足够的语言资料,语义描写往往难以下手,即使勉强落笔,难免会留下缺憾。如古代有个惯用语,叫做"一尺水,十丈波",有的辞书解释为"喻小事情引起大麻烦",然而只要看一看古代的用例,就会发现这样解释是欠妥的。请看下面的语料:

① 你将那半句搬做十分事,一尺水翻腾做百丈波,则你那口似悬河。(元·无名氏《桃花女》二折)

② 那妮子一尺水翻腾做一丈波,怎当他只留支刺信口开合。(元·无名氏《争报恩》三折)

③ 到底是媒人嘴,一尺水十丈波的。(《金瓶梅词话》八八回)

从这些用例里可以看出,"一尺水,十丈波"源于"一尺水翻腾做百(一)丈波"。从"口似悬河"、"信口开合"、"媒人嘴"等词语里可以看出是指随口乱说一气,夸大事实的意思。

从收集和分析语言事实入手,在正确理解语义的基础上进行描写,然后再用语言事实来验证,这是语义描写的基本做法。

语义描写的具体做法很多,无论采用哪种方法描写,都要注意处理好以下五种关系。

(1) 分注和通释

释文一般由分注和通释两部分组成。分注注释疑难的语素义。通释解释整个语义,或者从字面上串讲,或者直接说明意义,或者把二者结合起来。如:

【疏不间亲】(成语)疏:关系远。间(jiàn):参与。指关系不密切者不参与亲近者之间的事。

【吃一堑,长一智】(谚语)堑:壕沟,比喻挫折或失败。指受一次挫折,长一分见识。

【桃李满天下】(惯用语)桃李:比喻所教的学生。形容所教的学生极多,各地都有。

【羝羊触藩,进退两难】(歇后语)羝羊:公羊。藩:篱笆。指前进或后退都处于困难的境地。

如果语素义没有太难理解的,"分注"可以省略。如:

【高枕无忧】(成语)垫高枕头睡觉,无所忧虑。

【恩爱不过夫妻】(谚语)指夫妻之间感情最深。

【一步一个脚印】(惯用语)形容做事踏实可靠。

【赶鸭子上树,难上难】(歇后语)指事情很难办到。

(2) 单义和多义

语的整体意义以单义为多,多义的较少。描写多义语时,要归纳出它的不同义项。试看下面三例:

【一个巴掌拍不响】(谚语)①比喻一个人吵不成架,单方面的问题引不起矛盾或纠纷。《红楼梦》五八回:"袭人道:'一个巴掌拍不响,老的也太不公些,小的也太可恶些。'"老舍《红大院》二幕一场:"过去的事就甭提了,一个巴掌拍不响,我也有不好的地方。"②比喻一个人办不成大事。姚雪垠《李自成》一卷一八章:"我来谷城,不是来求你帮助,只是要跟你商议商议咱们今后应该如何干。一个巴掌拍不响,两个巴掌就拍得响。"

【三分像人,七分像鬼】(惯用语)①形容相貌丑陋不堪。《醒世恒言》卷九:"陈青邀入内书房中,多寿与大人相见,口中称谢不尽。朱世远见女婿三分象人,七分象鬼,好生不悦。"②形容被折磨得不像样子。《何典》三回:"活鬼自被土地捉去,下在暗地狱里……,已觉昏闷。再加一般牢头禁子,个个如狼似虎,把他摆布得三分象人七分象鬼,要死弗得活,真是度日如年。"

【马蹄刀瓢里切菜,滴水不漏】(歇后语)①形容人吝啬,一点钱也舍不得拿出来。《儒林外史》一四回:"同你共事,你是'马蹄刀瓢里切菜,滴水不漏',总不肯放钱出来。"②形容人思虑严密周到,毫无漏洞。马烽等《吕梁英雄传》五三回:"老武思谋得太周到了,真是马蹄刀瓢里切菜,滴水不漏呀!"

——摘自《中国俗语大辞典》(温端政主编,上海辞书出版社,1989)

(3) 古义和今义

历史上产生的语,其语义有一个产生、发展的过程,描写语义要注意时代性。

总的来说,语义的稳定性较强,古今语义变化不大。许多在先秦时期流行的语,语义至今都完整的传承下来。如"狼子野心",早见《左传·宣公四年》:"初,楚司马子良生子越椒。子文曰:'必杀之!是子也,熊虎之状而豺狼之声;弗杀,必灭若敖氏矣。谚曰:"狼子野心。"是乃狼也,其可畜乎?'"(意思是:起初,楚国的司马子良生了儿子越椒。子文说:"一定要杀了他!这个孩子,生就熊虎的形状、豺狼的声音,如果不杀,必定会有一天灭了若敖氏。俗话说:'狼子野心。'这孩子就是一条狼,难道能养着让他长大吗?")"狼子野心",指豺狼之子,其凶恶本性不可驯服。比喻凶暴的人,必然怀有狠毒的野心。现在属于成语,其语义,历时两千多年,依旧不变。

但也有一些语,古今义有所变化,描写时就要注意把古义与今义反映出来。如:

① 汪家来的帖子,她讳莫如深(成语)。(钱钟书《围城》七)

②我读得很快,囫囵吞枣,大有"好读书不求甚解(成语)"的味道。(叶文玲《我的"长生果"》)

③能够用嘴皮说得他"放下屠刀,立地成佛(谚语)",倒也不容易。(霍达《补天裂》)

例①里的"讳莫如深",出自《穀梁传·庄公三十二年》:"公子庆父如齐。此奔也,其曰'如',何也?讳莫如深。深则隐,苟有所见,莫如深也。"(如齐:往齐,到齐国去。深:事件严重。)(意思是:鲁公子庆父因谋杀太子般而逃奔到齐国。《春秋》不明白记载这件事,认为就是亲眼看见,也因为事情严重,怕伤臣子的心,所以予以隐讳。)原指事情重大,隐瞒不说;后用来指隐瞒得非常严密,惟恐暴露出来,让人知道。例②里的"不求甚解",出自晋·陶潜《五柳先生传》:"好读书,不求甚解,每有会意,便欣然忘食。"原指读书只领会要旨,不在字句上死抠;后用来指只求懂个大概,不求深入了解。例③里的"放下屠刀,立地成佛",原是佛家用语,出自宋·普济《五灯会元·东山觉禅师》:"广额正是个杀人不眨眼底汉,飏下屠刀,立地成佛。"(飏:扔掉,抛出)指停止一切杀戮,很快就能修成正果;后用来指只要停止作恶,决心悔改,就能马上变成好人。进行语义描写时,既要注意说明原意,也要注意说明演变后的今义。

(4) 表层义和深层义

表层义,是指语的字面意义,是构成语的各个语素直接组合而成的意义,也叫本义。有的语的本义就是它的实际意义。如"任重道远"(成语)、"面和心不和"(惯用语)、"世上无难事,只怕有心人"(谚语)、"泥菩萨过河,自身难保"(歇后语,表义重点在"自身难保")等。语的深层意义是在本义的基础上经引申、比喻而形成的意义。有的语本义不起作用,引申义、比喻义才是它的实际意义。因此,进行语

义描写时,不能停留在字面意义的串讲上,要通过字面意义即表层义,揭示实际意义即深层义。如:

① 曾国藩十分欣赏刘连捷这种<u>毛遂自荐</u>(成语)的勇气。(唐浩明《曾国藩》一部七章)

② 用"<u>螳螂捕蝉,黄雀在后</u>"(惯用语)……来比喻他们的关系,是再确切不过了。(黎汝清《叶秋红》一二)

③ 这都是汪太太生出来的事,<u>解铃还须系铃人</u>(谚语),我明天去找她。(钱钟书《围城》七)

④ <u>司马昭之心,路人皆知</u>(歇后语),我身为大帅军师,岂是糊涂之人。(姚雪垠《李自成》一卷一七章)

例①里的"毛遂自荐"的表层义(字面意义)是:毛遂自己推荐自己。毛遂是战国时代赵国平原君的门客,在平原君处于危急关头,急需有人帮助时,他向平原君推荐了自己。后用来泛指人自告奋勇推荐自己,这是它的引申义。例②里的"螳螂捕蝉,黄雀在后"的表层义是:螳螂在前面捕捉蝉,黄雀就在螳螂身后要吃它。故事见汉·韩婴《韩诗外传》卷一〇:楚庄王即将兴师伐晋,孙叔敖进谏说:"臣园中有榆,其上有蝉,蝉方奋翼悲鸣,欲饮清露,不知螳螂之在后,曲其颈,欲攫而食之也。螳螂方欲食蝉,而不知黄雀在后,举其颈,欲啄而食之也……此皆言前之利而不顾后害者也。"楚庄王听说后,立即罢兵。后用"螳螂捕蝉,黄雀在后"指人只图眼前利益,却不知祸害即将来临,用的是比喻义。例③里的"解铃还须系铃人"的表层义是:要解下挂在老虎脖子上的金铃,还得靠把金铃挂上去的人。宋·惠洪《林间集》卷下记载:法灯泰钦禅师,少年时就很聪明,别人看不出来,只有法眼禅师明白。有一天,法眼问大家:"虎项下金铃,何人解得?"没有人能对答出来。这时正好泰钦从外面回来。法眼用前语问他,泰钦说:"众人何不道:'系者解得。'"于是大家改变了对他的看法。后来用"解铃还须系铃人",指由谁引起的问题,还得由谁去解决,用的也是比喻义。例④里的"司马昭之心,路人所知"的表层义是:司马昭的心思,人人都知道。据晋·习凿齿《汉晋春秋》(《三国志·曹髦传》裴松之注)的有关记载:魏帝见威势和权力一天天消失,忍受不住心中的愤怒,于是召集侍中王沈、尚书王经、散骑常侍王业,对他们说:"司马昭之心,路人所知也。我不能坐在这里等他来废除。你们这些做臣子的,应该亲自站出来讨伐他。"后用"司马昭之心,路人皆知"指野心非常明显,为人们所共知,用的是引申义。这四例都属于深层义。

　　语的深层义,有的比较明显,有的具有一定的隐含性,必须认真发掘,才能准确描写。如谚语"十日滩头坐,一日行九滩",表层义不难理解:行船方向不对,船舶在码头一停就是十天;一旦风顺了,一天就行几天的路程。深层义是什么呢?有的辞书解释为"闲时闲得慌,忙时忙得慌,指忙闲不均";也有的辞书解释为"比喻有时紧赶,有时没事,指劳逸不均"。其实,这两种解释都欠妥。请看用例:

　　① 常言道:"十日滩头坐,一日行九滩。"如今炎天,虽没甚买卖,到交秋时,还做不了的生意哩。(《西游记》八四回)

　　② 你不晓得我们的行业,叫做十日滩头坐,一日过九滩。只要有了大大的主顾,便好吃上几个月了。(《瞎编奇闻》二回)

例①指时机不到买卖清淡,时机一到买卖就会兴旺起来;例②是指没有大的主顾赚不了钱,一旦碰上大的主顾便可赚个够。可见它的深层义隐含着强调时机的作用:时机不到,耐心地等待;时机一到就大显身手。

由此可见,揭示语的深层义,不仅是语义描写的重点所在,也是难点所在。

(5) 基本义和色彩义

前面在讲"层次分析法"时,曾经说过,语义可分为基本义和色彩义。因此,在对语进行描写时,既要解释好基本义,也要注意揭示色彩义,使语义描写更加充分、透彻。对语的色彩义的描写,可在释文后作补充说明,也可融于释文之中。如:

【鬼哭狼嚎】(成语)形容大声哭叫,声音凄厉(含贬义)。

【功败垂成】(成语)快要成功的时候遭到失败(含惋惜义)。

【拣了芝麻,丢了西瓜】(惯用语)比喻抓住次要的,却丢了主要的。

【知错改错不算错】(谚语)知道自己错了就改正,就不能再算错。指有错改了就好。

汉语的语汇里,色彩义最浓厚的是歇后语。歇后语语义结构的主要特点是,后一部分表示基本义,前一部分表示色彩义。其中最突出的是形象色彩和感情色彩。描写时,要把前后两个部分结合起来。如:

① 盘龙山上有了梯田,打出了水,又炼出了化肥,这可是芝麻开花节节高呀!(杨大群《山燕》一八)

② 真没见过我们这位江姑老爷,屎坑的石头,又臭又硬!(曹禺《北京人》一幕)

例①里的"芝麻开花节节高",后一部分"节节高",已经含有褒义,加上前一部分"芝麻开花",更增加了褒义色彩。语义可以描写为：境况不断改善,越来越好。例②里的"屎坑的石头,又臭又硬",后一部分"又臭又硬",已有明显的贬义,加上前一部分"屎坑的石头",更增加了贬义色彩。语义可以描写为：形容人品差,态度又固执强硬,含讥讽或责骂意。

思 考 题

一、为什么说叙述性是语义最重要的特点？

二、试举例说明语义民族性的具体表现。

三、试举例说明语义整体性的具体表现。

四、在描写语的整体意义时,什么情况下用"指……",什么情况下用"形容……",什么情况下用"比喻……",试举例说明。

练 习 题

一、试描写下面各个语的语义。

【日月如梭】_____

【日新月异】_____

【羊群里跑出骆驼来】_____

【前怕狼,后怕虎】_____

【上气不接下气】_____

【半天里抹糨子,糊(胡)云】_____

二、试根据下面的语料,对谚语"表壮不如里壮"进行描写：

① 卿道是糟糠妻不下堂,朕须想贫贱交不可忘,常言道："表壮不如里壮。"妻若贤夫免灾殃。(元·罗贯中《风云会》三折)

② 我哥哥为人质朴,全靠嫂嫂做主看觑他。常言道:"表壮不如里壮。"嫂嫂把得家定,我哥哥烦恼做什么?(《水浒全传》二四回)

③ 常言道:表壮不如里壮。须知里壮才堪羡,怕什么男儿家柔软。(明·沈璟《义侠记》一〇出)

④ 自古说:"妻贤夫祸少,表壮不如里壮。"你但凡是个好的,他们怎得闹出这些事来!(《红楼梦》六八回)

三、不同的辞书对同一个语的语义做了不同的描写,试加评论。

【如坐针毡】

① 就像坐在有针的毡子上。比喻心神不宁,坐卧不安。

② 像坐在插着针的毡上一样。形容焦急恐慌得坐不住,片刻难安。

③ 形容心神不宁。

【灭顶之灾】

① 指致命的灾祸。

② 指被水淹死的灾难。比喻致命的灾难。

③ 大水淹没头顶的灾祸。比喻毁灭性的灾难。

【拜师如投胎】

① 指师傅如再生父母。

② 比喻拜师学艺事关重大,要慎重选择。

③ 形容认师傅是决定一生前途的大事。

第五章 谚语

第一节 谚语的性质和范围

1. 谚语的性质

在第二章讲"语的分类"时,我们曾经指出,谚语属于表述语,它的特点是具有知识性,既有对客观事物的认识,也有在社会实践中积累起来的经验。我们又指出,结构上以"二二相承"为特征的成语,有一部分也属于表述语。由此,把谚语定义为"非二二相承的表述语"。这个定义有以下三层含义:

第一,明确谚语属于"语"的范畴,这样就可以把它与非语单位区别开来;

第二,明确谚语属于表述语,这样就使谚语不仅与歇后语(引述语)区别开来,而且与惯用语(非"二二相承"的描述语)区别开来;

第三,明确谚语属于非"二二相承"的表述性,这样就使谚语与表述性成语("二二相承"的表述语)区别开来。

谚语是汉语里历史悠久、运用广泛、使用频率很高的一种语汇。先秦典籍中,就引用了不少谚语,其中引用最多的是《春秋左传》。如:

谚曰:"非宅是卜,唯邻是卜。"二三子先卜邻矣。(《昭公

三年》)

　　意思是:俗语说:"不是住宅需要占卜,唯有邻居需要占卜。"这几位已经先占卜邻居了。

　　孔叔言于郑伯曰:"谚有之曰:'心则不竞,何惮于病?'既不能强,又不能弱,所以毙也。"(《僖公七年》)

　　意思是:孔叔对郑伯说:"俗语有这样的话:'心里如果不坚强,为什么又怕屈辱?'既然不能坚强,又不能软弱,因此可能导致灭亡。"

　　(赵孟)对曰:"老夫罪戾是惧。焉能恤远? 吾侪偷食,朝不谋夕,何其长也?"刘子归,以语王曰:"谚所谓'老将知而耄及之'者,其赵孟之谓乎!"(《昭公元年》)

　　意思是:(赵孟)回答说:"我老头子惟恐犯下罪过错误,哪里能考虑到长远的事情?我们这些人吃饭混日子,早晨不想到晚上,哪里能作长远考虑呢?"刘子回去,把情况告诉周天子,说:"俗话所说'老了会聪明些,可是糊涂却来到了',这说的就是赵孟吧!"

　　"谚"这个名称在先秦时代已通行。但古人所说的"谚",大致相当于"俗语",比谚语的范围要宽一些。

　　大家知道,原始人类在共同的劳动中,为了协调行动,需要彼此交换对事物的看法、对劳动的建议,从而产生了交流思想的工具——语言。人们为了谋求更好地生存,谋求社会的发展,有必要把自己在生产劳动过程中获得的知识,传播给社会,留传给后代,在没有文字的条件下,只好采用口耳相传的办法。谚语作为一种简练的语言形式,就是适应这种需要而产生的。所以,早在文字产生之前,就有了谚语,正如清代学者杜文澜所说的:"谣谚之兴,其始止发乎语言,未著于文字。"(见《古谣谚》,中华书局1958年版,第6页)后来有了文字,劳动人民由于处于被压迫的地位,被剥夺了掌握文字的权利,仍然习惯于用谚语来传授知识。

最初的谚语,主要是传授生产劳动知识以及与生产劳动有关的天象气候变化和草木鸟兽等自然界的知识。我国第一部诗歌总集《诗经》中有些诗句就带有一定的谚语性质。如:

朝隮于西,崇朝其雨。(《鄘风·定之方中》)

意思是:早上西方出现虹,很快就会有雨。

我国很早就进入农业社会,因此关于农业生产的谚语特别发达。如:

齐人有言曰:"虽有智慧,不如乘势;虽有镃基,不如待时。"(《孟子·公孙丑上》)

意思是:齐国有句俗话:"即使智慧谋略高超,也不如趁有利形势;即使农具再好,也不如等待适宜的农时。"

西汉氾胜之的《氾胜之书》和北魏贾思勰的《齐民要术》等专讲农业生产的古籍,更是记录了大量的关于农业生产的谚语。如:

麦生黄色,伤于太稠。稠者锄而稀之。秋锄以棘柴楼之,以壅麦根。故谚曰:"子欲富,黄金覆。"谓秋锄麦曳柴壅麦根也。(《氾胜之书》)

意思是:麦子在生长期出现枯黄色,是因为太稠的缘故。稠了就锄稀它。秋天锄麦时要用棘柴培植住麦根。所以俗语说:"您想富,就用柴禾覆盖麦苗。"这说的是秋天锄麦时用柴禾培在麦根上。

樊重欲作器物,先种梓漆,时人嗤之。然积以岁月,皆得其用。向之笑者,咸求假焉。此种殖之不可已也。谚曰:"一年之计莫如种谷,十年之计莫如树木。"此之谓也。(《齐民要术·自序》)

意思是:樊重打算编制工具,就先种植梓漆树,当时有人嘲笑他。然而几年过去了,梓漆树发挥了作用。当初嘲笑他的人,都来向他借工具。这说明种植是不能停止的啊。俗语说:"作一年的打算最好种谷,作十年的打算最好种树。"这句话说的就是这件事吧。

随着工业、商业的发展,出现了有关工商业的谚语。《史记·货殖列传》和《汉书·货殖传》都引用了谚语"用(以)贫求富,农不如工,工不如商"(意思是:穷人要想富,男人从事农业不如从事工业,从事工业不如从事商业),说明从事工商业,特别是商业,已成为当时的致富之路。

随着生产力的发展、生产关系的改变,社会生活逐渐复杂化,产生了阶级和阶级斗争。于是,传授反映阶级斗争知识的谚语也就逐渐产生和丰富起来,并常为人们所引用。古代史书中有许多这方面的记载。如:

虞叔(虞公的弟弟)有玉,虞公求旃("之焉"的合音)。弗献。既而悔之,曰:"周谚有之:'匹夫无罪,怀璧其罪。'吾焉用此,其以贾害也?"(《左传·桓公十年》)

意思是:虞公的弟弟虞叔藏有美玉,虞公向他索取,他没有进献。不久后悔说:"周代有这样的俗语:'老百姓本来没有罪,怀藏着璧玉就成了罪。'我哪里用得着美玉,难道要用它去买来祸患?"

这表明早在周王朝统治时期,汉语里就有传授阶级斗争知识的谚语。秦王朝统一中国建立了中央集权国家后,出现了像"忠臣不事二君"、"君叫臣死,不敢不死"、"学成文武艺,货与帝王家"等宣扬效忠封建帝王的谚语。

谚语产生之后,便传闻于世,表现力强的往往世代相传,特别是那些被吸收到书面语言里来的,生命力更强。谚语"宁为鸡口,

无为牛后",早在战国时期就已流行,后世沿用不绝。如:

① (苏秦)说韩王曰:"……臣闻鄙语曰:'宁为鸡口,无为牛后。'今大王西面交臂而臣事秦,何以异于牛后乎?"(《战国策·韩策一》)

意思是:苏秦游说韩王说:"……我知道俗话说:'宁肯当鸡嘴,也不做牛腚。'现在大王竟然拱手西去臣事秦国,这和做牛腚有什么不同?"

② 鄙谚曰:"宁为鸡口,勿为牛后。"夫以大王之贤,挟强韩之兵,而有"牛后"之名,臣窃为大王羞之!(《资治通鉴·周显王三十六年》)

意思是:俗话说:"宁肯当鸡嘴,也不做牛腚。"凭大王的贤能,又拥有强大的韩国精兵,却蒙上了"牛腚"的丑名,我真为大王感到羞愧!

③ 大丈夫宁为鸡口,毋为牛后。(明·张风翼《红拂记·俊杰知时》)

④ 又道是:"宁为鸡口,无为牛后。"你道归朝有路,叹失水蛟龙谁护?(清·孔尚任、顾彩《小忽雷传奇·误投淮帐》)

⑤ 宁为鸡口,毋为牛后,公等死利之心,纵难澌灭,稍安毋躁,以待汉族光复之后。(黄侃《论立宪党人与中国道德前途之关系》)

"宁为鸡口,无(毋)为牛后"这个谚语之所以长期为人们所引用,是和它所传授的知识具有生命力分不开的。

可见知识性是谚语的生命所在。据此,我们可以把谚语看成是以传授知识为目的的语汇单位。

2. 谚语的范围

明确了谚语的性质,了解了谚语的定义,便可以大致确定谚语的内涵和外延。为了进一步明确谚语的范围,我们还需要把谚语放到汉语语汇的整体中去考察,划清谚语与惯用语、成语、歇后语的界限;还要把谚语放到相关的语言现象中去考察,划清谚语与歌谣、格言的界限。

(1) 谚语与惯用语、成语、歇后语的区别

(一) 谚语与惯用语的区别

我们强调了谚语的知识性,就为谚语与惯用语的划界提供了依据:惯用语属于描述性的语汇单位,不具有知识性,而谚语则相反。试比较:

① 巧妇难为无米之炊,没有生活基础,对于写东西的人是一个致命伤。(梁斌《笔耕余录·生活写作语言》)

② 生米煮成熟饭,他还能怎么样?(张恨水《京尘幻影录》一八回)

③ 杀鸡焉用宰牛刀,有事弟子服其劳!(刘绍棠《水边人的哀乐故事》二七)

④ 公安局限令拆除……推倒几家,杀鸡给猴看。(刘绍棠《京门脸子》六章七)

例①里的"巧妇难为无米之炊",比喻缺乏必要的条件,再能干的人也办不成事,具有明显的知识性,属于谚语;例②里的"生米煮成熟饭",比喻事情已成定局,属于描述性,是惯用语;例③里的"杀鸡焉用宰牛刀",比喻做小事情用不着大人物出面,具有明显的知识性,属于谚语;例④里的"杀鸡给猴看",比喻用惩罚某人来警戒他人,属于描述性,是惯用语。

(二) 谚语与成语的区别

我们把谚语定义为"非'二二相承'的表述语",为谚语与成语

的划界提供了一个区别性特征。试比较：

①"家贫不算贫,路贫贫死人",这话一点也不错。(马忆湘《朝阳花》一一章二)

②穷家富路,万一路上碰见搜查,使点钱也好过关呀。(高云览《小城春秋》四四章)

③我如果是你,我就登报跟他离婚,横竖泼出去的水是收不回的。(巴金《寒夜》六)

④老丈人宣称嫁出去的女儿是泼出去的水,覆水难收,概不负责。(刘绍棠《古朴得生锈的故事》)

例①里的"家贫不算贫,路贫贫死人"和例②里的"穷家富路",都指在家时手头拮据一些无妨,出门时要多带路费,以应不时之需。前者采用非"二二相承"结构,是谚语;后者采用"二二相承"结构,是成语。例③里的"泼出去的水收不回"和例④里的"覆水难收",都是比喻已成事实,难以挽回。前者采用非"二二相承"结构,是谚语;后者采用"二二相承"结构,是成语。

(三) 谚语与歇后语的区别

歇后语属于引述语,由具有"引注"关系的两个部分组成,中间一般有语音停顿,在书面上多用破折号"——"或逗号",",隔开,因此,在形式上具有比较明显的特征,容易与其他语类区别开来。但有的歇后语前后两个部分合起来,似乎也表示某种知识,特别是有些中间可以不加停顿符号的歇后语,往往容易与谚语相混。如：

①别看这些畜类耀武扬威,兔子尾巴,长不了!(杨沫《东方欲晓》一卷一五)

②他说命太苦,头一回说亲说了个你,闹了一回子,谁知道柳树上开花,没结果。(孔厥等《新儿女英雄传》六回二)

③ 你是怎样估计呢？我刚来,真是丈二和尚摸不着头脑!(吴强《红日》三章一三)

④ 他本是一个性急、粗心的人,"猴子屁股坐不住"。(叶永烈《秘密纵队》一章一)

例①里的"兔子尾巴,长不了",例②里的"柳树上开花,没结果",例③里的"丈二和尚摸不着头脑",例④里的"猴子屁股坐不住",看起来像有知识性,但它们和谚语不同:不是以传授知识为目的的,而是为了描绘某种状态。"兔子尾巴,长不了",目的并不是要告诉人"兔子尾巴很短",而是描述某种现象存在的时间"长不了"。前一部分"兔子尾巴"即使不出现,说成"别看这些畜类耀武扬威,长不了",也并不影响基本意义的表达。其他几例也一样。因此,只要用是否以传授知识为目的来衡量,就能划清它们之间的界限。

(2) 谚语与歌谣、格言的区别

我们说谚语是以传授知识为目的的,这是以谚语是语言单位为前提的。因此,非语言单位,即使也是以传授知识为目的,也不属于谚语。这里主要涉及歌谣和格言。下面分别说明。

(一) 谚语和歌谣的区别

谚语和歌谣都来自群众的口语,在口耳相传的过程中,经过群众的不断加工,字句精练,节奏明快,为群众所喜闻乐见。但是,谚语与歌谣具有本质性区别:谚语是语言单位,是语言的"建筑材料",而歌谣是一种文学作品,同民歌、儿歌一类,属于民间文学。在内容上,谚语具有泛指性,而歌谣具有具指性。

长篇历史小说《李自成》里有这样一段描写:

我到了洛阳附近,看见这洛阳一带的穷苦百姓,盼望义师,十分殷切。有人说,闯王一来就不再纳粮了,穷人就有救了。有人说,咱穷人怕啥,咱打开城门迎接闯王,还怕他来的慢哩。还有人编为歌谣,说道是"吃他娘,穿他娘,赶快开门迎闯王。闯王来啦不纳粮。"看,这几句民谣就唱出了河洛民心。(姚雪垠《李自成》二卷四六章)

"吃他娘,穿他娘,赶快开门迎闯王。闯王来啦不纳粮",从内容上看,抒发了群众热烈欢迎李自成农民起义军的心情,从形式上看,是一篇独立的文学作品。歌谣是文学的研究对象,而谚语则是语言学的研究对象。只要划清语言学和文学这两个不同范畴,谚语与歌谣的区别问题就能迎刃而解。

(二) 谚语与格言的区别

谚语和格言的区别是一个老问题。我们在第一章讲语汇的范围时已经指出格言属于个人的言语作品,不属于语汇范畴;而谚语是语言单位,是语汇成员。这是谚语和格言的根本区别。但由于格言和谚语一样以传授知识为目的,确实存在容易相混的一面,有必要进一步划清它们的界限。

第一,格言基本形态是"话",是作为句子存在的,有完整的意思,有独立的句调。如:

① 子曰:"三人行,必有我师焉。择其善者而从之,其不善者而改之。"(《论语·述而》)

意思是:孔子说:"如果三个人走在一起,其中必定有可以作为我老师的人。选择他的优点长处好好学习;看到有什么不好的地方,就反省自己,加以改正。"

② 孟子曰:"天时不如地利,地利不如人和。"(《孟子·公孙丑下》)

意思是:孟子说:"良好的天气时令,不如良好的地理形势有利;良好的地理形势,又不如深得人心,和谐相处。"

③ 天将降大任于是人也,必先苦其心志,劳其筋骨,饿其体肤,空乏其身,行拂乱其所为。(《孟子·告子下》)

意思是:上天将要把重大的使命交给一个人的时候,一定先会使他的心志受苦,使他的身体受劳累,忍饥挨饿,肌肤消瘦,做事情总是不如意。

"三人行,必有我师焉"、"天时不如地利,地利不如人和"、"天将降大任于是人也,必先苦其心志,劳其筋骨,饿其体肤,空乏其身,行拂乱其所为"这些格言,都是相对独立的句子。而谚语作为语汇形式存在的时候,没有一定的句调,不是完整意义上的句子。

第二,格言和谚语的来源不同。格言来自名家名篇,有出处,而且可以说出作者;而谚语则是产生和流行在群众之中,说不出作者。有些谚语被作家吸收到作品中来,常冠以"谚曰"、"语曰"、"常言道"、"俗话说"等,表明不是作家自己的语言。而引用格言,则多标明作者作品名称,有的虽未标明,也能考证出来。

当然,实际情况是复杂的,有时很难一刀切。有的格言,经过长期反复运用,融入群众语言之中,变成了谚语。如"千里之行,始于足下",出自《老子》第六十四章:"合抱之树,生于毫末;九层之台,起于累土;千里之行,始于足下。"原是一个格言,现在则成为常言俗语,有时保留原来的语言形式,有时变得更加口语化。如:

① 人常说:"千里之行,始于足下。"走一步才能说一步,一口总吃不成一个胖子吧。(聂海《靠山堡》一五)

② 千里之行,起自脚下。……我就要在这里作起,把自己的青春,自己的一切,慷慷慨慨地贡献出来。(李英儒《上一代人》三)

③ 千里之途,始于足下。我们必须一步一步地走下去。

(浩然《金光大道》三章)

像这种谚语化的格言,既可以看成是格言,也可以看成是谚语。特别是已经口语化了的变体,更可以看成是谚语。

第二节 谚语的结构

1. 谚语结构的基本类型

从结构类型上看,谚语可分为单句型、复句型和紧缩型三种。

(1) 单句型谚语

有的是非主谓句型,有的是主谓句型。

由非主谓句型构成的谚语。如:

① 没有不透风的墙。他们之间的秘密,终于被人识破了。(谭谈《美仙弯》二章六)

② 常言说:"没有过不去的火焰山。"只要咱群策群力,定能大获全胜。(单田芳《大明英烈传》七一回)

③ 趁热好打铁,把剩下的这些岗楼都……一扫光吧!(孔厥等《新儿女英雄传》一四回)

例①里的"没有不透风的墙",比喻机密总会泄露出去。例②里的"没有过不去的火焰山",比喻没有克服不了的困难。例③里的"趁热好打铁",比喻抓住有利时机容易办成事情。

由主谓句型构成的谚语。如:

① 老话,千钱难买一个愿,有了姑娘一个愿字,你就什么都不要怕。(胡考《上海滩》二八)

② 感谢诸位对潘某的拥戴,不过,也不必勉强。俗话说,"强扭的瓜不甜。"(王厚选《古城青史》一六回)

③ 您讲的我全知道,这叫做一分价钱一分货。(夏衍《啼笑之间》)

④ "好合不如好散"哩!明天请登高叔和咱舅舅给咱当公证人,和和气气商量着分开。(赵树理《三里湾》二一)

例①里的"千钱难买一个愿",指让一个人心甘情愿做一件事情并不是很容易的。例②里的"强扭的瓜不甜",比喻强迫的事情其结果不好。例③里的"一分价钱一分货",指不同的价格对应不同质量的商品。例④里的"好合不如好散",指人与人之间如果不能和睦相处,也要和和气气地分手。

(2) 复句型谚语

根据组合情况可以分为两类,一类是两个或两个以上语节依靠语序直接组合成的,另一类是借助关联词语组合成的。

(一) 依靠语序直接组合成的复句型谚语

多数由两个语节组合而成,少数也有由三个或四个语节组合成的。语节与语节之间有如复句中分句与分句之间的关系。有的属于并列关系复句型,有的属于非并列关系复句型。

属于并列关系复句型的。如:

① 庄稼人都是务实的人嘛,不保险可不干。嘿!耳听为虚,眼见为实——这是庄稼人的口头话。(柳青《创业史》一六章)

② 二位请消消气,有理慢慢地讲。俗话说的好,有理走遍天下,没理寸步难行。(宋之的《微尘》)

③ "官向官,民向民,和尚向的是出家人。"自己吃了苦,受了委屈,总要到大妈家里去诉诉。(袁静《淮上人家》一章)

④ 常言道:"远亲不如近邻,近邻不如对门,对门不如父

母,父母还没有两口子亲。"(石印红《护国皇娘传》四一回)

例①里的"耳听为虚,眼见为实",指听到的不能信以为真,亲眼看到的才是真实的。例②里的"有理走遍天下,没理寸步难行",指有理的处处行得通,无理的会处处碰壁。例③里的"官向官,民向民,和尚向的是出家人",指人总是同情或袒护同类人。例④里的"远亲不如近邻,近邻不如对门,对门不如父母,父母还没有两口子亲",指在亲戚、邻里、父母、夫妻等关系中,夫妻的关系最为亲近。

属于非并列关系复句型的。如:

① "有好些人坐在这里好像是不预备走似的,我简直陪不过来。""那是因为'主贤客来勤'。"(丁玲《一九三九年春上海》五)

② 肚里没冷病,不怕吃西瓜。就算我这话是骂人的,为啥你康地保听了就不好受?(刘波泳《秦川儿女》三章)

③ 咱们只要保住这地方,留得青山在,不怕没柴烧,往后不是要啥有啥!(马烽等《吕梁英雄传》二〇回)

例①里的"主贤客来勤",可以补上关联词语"因为……所以……",指因为主人贤能,所以客人就来得多,前后是因果关系。例②里的"肚里没冷病,不怕吃西瓜",可以补上关联词语"假如……就……",比喻假如不做亏心事,就不怕别人的闲言碎语,前后是假设关系。例③里的"留得青山在,不怕没柴烧",可以补上"只要……就……",比喻只要把实力保存下来,就会有办法,前后是条件关系。

(二)借助关联词语组合成的复句型谚语

这种类型的谚语,通过关联词语,便能显示出两个语节之间的关系。如:

①你们别看我们那个生产组小,"麻雀虽小,肝胆俱全。"(茹志鹃《如意》)

②大丈夫生而何欢,死而何惧?古语说得好:"宁为玉碎,不为瓦全!"(刘流《烈火金钢》二三回)

③常言道:"若要人不知,除非己莫为。"你做的事,人家总会知道。(刘操南等《武松演义》一五回)

④俗话说:"只要不开口,神仙难下手。"罗霞见他缄口无言,也没办法。(黄佩珠等《薛雷扫北》四九回)

例①里的"麻雀虽小,肝胆俱全",比喻事物虽小,但组成部分样样齐全,用"虽……"连接,表示转折关系。例②里的"宁为玉碎,不为瓦全",比喻宁可忠贞而死,决不苟且偷生,用"宁……不……"连接,表示选择关系。例③里的"若要人不知,除非己莫为",指人的所作所为是无法瞒过他人的,用"若要……除非"连接,表示假设关系。例④里的"只要不开口,神仙难下手",指审问或提问时,只要死不开口,对方便毫无办法,用"只要……"连接,表示条件关系。

复句型谚语,还可以是多重复句形式。如:

①你放心吧!兵来将挡,水来土掩……我们有的是办法。(李英儒《野火春风斗古城》二三章一)

②"当家方知柴米贵,出门才晓行路难。"我深深感到,当厂长,光长一颗装着生产技术的脑袋不行,还要一颗装着经济问题的脑袋。(刘彦林《春风得意》一七章)

③吃这一次亏,也好叫你知道"是非皆因多开口,烦恼只为强出头"这句俗话不俗。(吴越《括苍山恩仇记》三六回)

例①里的"兵来将挡,水来土掩",指不管对方采用什么手段,都能针锋相对,采取相应措施,并列中有假设。例②里的"当家方知柴米贵,出门方晓行路难",比喻通过实践才知道事情的难处,并列中有条件。例③里的"是非皆因多开口,烦恼只为强出头",指招来是非是因为多嘴多舌,惹下烦恼是因为爱出风头,并列中有因果。

复句型谚语,前后两个语节往往运用一定的修辞手法。常见的有:

(一) 对偶式。前后两部分不仅字数相等,而且词义、词性相对,有的甚至平仄也相对。如:

① 常言说得好,穷算命,富烧香。穷人越算越穷,富人越烧越富。(周而复《上海的早晨》三部三五)

② 真是"画虎画皮难画骨,知人知面不知心"哪!谁晓得平常那么好的先生,会是个汉奸!(冯德英《苦菜花》七章)

例①里的"穷算命,富烧香",指穷人爱算命,指望变富;富人爱烧香,指望神灵保佑,"穷"和"富"、"算命"和"烧香",词义和词性都分别相对,平仄上是"平仄仄"对"仄平平"。例②里的"画虎画皮难画骨,知人知面不知心",指人心难测,"画"和"知"、"虎"和"人"、"皮"和"面"、"难"和"不"、"骨"和"心",词义和词性也分别基本相对,平仄上是"仄仄仄平平仄仄",对"平平平仄仄平平",都对得非常工整。

(二) 排比式。前后两个部分结构关系相同,部分词语也相同。如:

① "十里不同风,百里不同天",别的地方,大的地方,就不一定是这样。(罗旋《南国烽烟》一部一〇)

② 笑脏笑拙不笑补,笑馋笑懒不笑苦。贫苦人要饭不见笑。(冯德英《山菊花》上一二章)

例①里的"十里不同风,百里不同天",指不同的地方有不同的情况。例②里的"笑脏笑拙不笑补,笑馋笑懒不笑苦",指可以讥笑脏的、笨的、馋的、懒的,但不可以讥笑衣服上有补丁的穷苦人。

(三)顶真式。用前一部分的末尾做后一部分的开头,递接而下。如:

① 常言道:"双拳难敌四手,四手还怕人多。"蔡乔、徐福仅只两人……如何战得过数百个劲敌?(胡山源等《南明演义》二九回)

② 常言说得好:"大鱼吃小鱼,小鱼吃虾米。"我要不吃你,怎能合天理!(老舍《荷珠配》四场)

例①里的"双拳难敌四手,四手还怕人多",指寡不敌众。例②里的"大鱼吃小鱼,小鱼吃虾米",比喻大的强的总是欺凌弱小的。

(四)回环式。采用回环方式变换词语次序。如:

① 要替爸爸报仇不要挂在口上,要存在你心里。"猛犬不吠,吠犬不猛",你知道吗?(郭沫若《高渐离》一幕)

② 节振国皱眉向前张望,发现南面有鬼子,东面也有,心里估计:来者不善,善者不来,是要打硬仗了!(王火《血染春秋》二〇章)

例①里的"猛犬不吠,吠犬不猛",比喻真正有心计的人,深藏不露。例②里的"来者不善,善者不来",指来人多不怀善意,要提高警惕。

(3)紧缩型谚语

谚语既然是传授知识的工具,自然要求尽可能地做到简洁凝练,以便于人们记忆。为此,在结构上往往采取紧缩的形式。紧缩的手法,常见的有以下几种:

(一)把两个部分压缩在一起,取消了中间的语音停顿。如:

① 我罗选青做事,向来是一人做事一人当,绝不连累别

人。(阳翰笙《草莽英雄》二幕)

②你们两家又是亲戚,不看僧面看佛面,能了就了。(沙汀《淘金记》一六)

例①里的"一人做事一人当",指自己做的事情,自己承担后果,是"一人做事,一人承当"的紧缩。例②里的"不看僧面看佛面",指处理事情要顾及到对方亲朋好友或有关人的面子,是"即使不看僧面,也要看佛面"的紧缩。

(二) 采用谚语惯用的"无……不……"、"无……一……"、"不……不……"等格式。如:

①他静下来一想,又觉得无风不起浪。(冯志《敌后武工队》二四章一)

②俗话说"无债一身轻",一点也不假。(马烽《刘胡兰传·新年新岁》)

③常言说得好,不打不成相识。吵过一场,彼此脾气摸熟了,更好交手。(周立波《山乡巨变》下六)

例①里的"无风不起浪",比喻事情的发生总是有原因的。例②里的"无债一身轻",指没有债务负担,就会感到一身轻松。例③里的"不打不成相识",指通过交手才能结为至交。

(三) 采取"意合"的办法。往往只出现与表义关系最密切的几个关键词语。如:

①学了学木匠,觉得手指头挺粗。学了学铁匠,还是不行。最后学到泥瓦匠,觉得挺对路。从此半工半农,"一艺顶三工",一家人才不吃糠咽菜了。(梁斌《红旗谱》四)

②常言说:"桃三杏四梨五年。"桃树既好看,果子也好吃。(黎邦农《包公的传说故事》)

例①里的"一艺顶三工",指一个会手艺的匠人,他的收入相当于三个干粗活的工人的收入。例②里的"桃三杏四梨五年",指桃、杏、梨下种后,开花结果的时间分别为三年、四年、五年。

这样高度紧缩的谚语,在农谚、气象谚里很常见,如"水九旱三春"指从冬至算起九九八十一天里,如果雨水偏多,那么后三春(春分、清明、谷雨)的雨水将偏少,会出现旱情。紧缩的程度这样高,如果不加解释,便不好理解。

2. 谚语结构的相对固定性

谚语结构的相对固定性,是指谚语在结构上既有固定的一面,又有灵活的一面。

一般地说,被吸收到经典性著作里的谚语,结构比较固定,像屈原《楚辞·卜居》所引用的"尺有所短,寸有所长",《史记·李将军列传》所引用的"桃李不言,下自成蹊(xī,小路)",《汉书·贾谊传》所引用的"前车覆,后车诫"等,流传千百年,在沿用过程中,结构都没有发生大的变化。许多广为流传的谚语,结构也比较固定,像"一把钥匙开一把锁"、"一年树木,十年树人"、"清官难断家务事"、"宰相肚里能撑船"等。

但谚语毕竟广泛地流传在口语中,不可避免地带有一定的灵活性,主要表现在以下三个方面:

(一) 有的谚语的语素可以变换。如:

① 心急吃不得热粥,不要着急。(李良杰等《较量》一二章)

② 心急吃不上热馒头。游泳可不是一朝一夕学得好的。(周洁夫《十月的阳光》九)

③ 不能心急,心急吃不了热豆腐。(刘波泳《秦川儿女》二一章)

"心急吃不得热粥"、"心急吃不上热馒头"、"心急吃不了热豆腐",都是讲心急了吃不成热的东西,不论用"热粥"、"热馒头"还是"热豆腐",都能表达出这个意思;"吃不得"、"吃不上"、"吃不了"意思也相近,所以也可以互换。

(二) 由两个并列语节组合成的复句型谚语,有的先后位置可以互换。如:

① 一方水土养一方人嘛,靠山吃山,靠水吃水。(梁斌《播火记》一卷一五)

② 没有办法,龙山柏打主意上山找点生计,"靠水吃水,靠山吃山"嘛!(罗旋《南国烽烟》一部序幕)

③ "娘要嫁人,天要下雨",怎的就怎的,别在乎他们。(李英儒《野火春风斗古城》八章三)

④ 天要下雨,娘要嫁人,谁有什么办法!(王岭群《南疆擒牒》一二)

例①②里的"靠山吃山,靠水吃水"、"靠水吃水,靠山吃山",指人的生活离不开当地的自然条件。例③④里的"娘要嫁人,天要下雨"、"天要下雨,娘要嫁人"(娘,指寡妇),泛指势在必行的事难以阻止。

(三) 由两个语节并列组合成的复句型谚语,在运用时可以根据需要只出现一个,省略另一个。如:

① "怕什么,让你暗中注意她,也不是让你和她胡搞",包凤阳又补充一句:"身正不怕影斜,脚正不怕鞋歪。"(王占坤《大漠恩仇》二一回)

② 身正不怕影斜,肚里没病不怕吃西瓜。(马烽《刘胡兰

传•奶奶的"女儿经"》)

③ 出来怎么样？我脚正不怕鞋歪，有什么怕的。(冯德英《山菊花》上八章)

"身正不怕影斜，脚正不怕鞋歪"，指只要自己行为正派，就不怕别人说三道四。前后两个语节采用排比式，省去一个也不影响语义表达。

第三节　谚语的语义

1. 谚语语义的特点

谚语的语义，具有知识性、行业性和人文性等特点，下面依次说明。

(1) 知识性

知识性是谚语语义的基本特点。知识包含认识和经验两个方面，认识也是以经验为基础的。因此，谚语语义的知识性，是和经验性密切相连的。这在农谚、气象谚和养生谚中表现得最为明显。

我国农业，在很大程度上受到天时和地理环境的影响，不同地区根据节气变化，不违农时地安排农事活动，是发展农业生产的一条重要规律。许多农谚反映了这条规律，体现了因地制宜的原则。如，山西省南接河南，北连内蒙，南北长约550公里，南北气候有很大的差别。关于瓜类和豆类的播种季节，晋南的谚语是"清明前后，点瓜种豆"，晋中的谚语是"谷雨前后，安瓜点豆"，晋北地区的大同一带是"小满前后，安瓜点豆"。

气象谚是群众长期观测气候天象变化的经验总结，其中多数经过反复验证，正确地反映了气象变化的规律。例如，以"霞"预测晴雨的谚语,我国各地相当普遍:江苏有"朝霞不出门,暮霞走千里";湖北有"早上放霞,等水烧茶;晚上放霞,干死青蛙";青海有"朝烧莫洗衣裙,晚烧明日天晴";河北有"红云日初生,劝君莫远行;红云日没时,清朗犹如水"。虽然说法不完全一样,中心意思都是说,早上出霞天要下雨,日落前后出霞天要晴朗。

养生谚也有许多被证明是符合科学的。如谚语"笑一笑,十年少",就蕴含着一定的科学原理。研究笑的先驱——美国斯坦福大学名誉教授威廉姆·弗赖伊指出,100次的捧腹大笑所吸收的氧气相当于做10分钟滑船器运动的吸氧量。他还指出,笑可以促进血液循环和肌肉收缩,是减轻紧张情绪的有效方法,也是治病的良方。

谚语里思想性最强的是社会谚。多数社会谚,来源于群众的实践,体现了朴素的辩证法,在不同程度上揭示了客观真理。谚语"不入虎穴,焉得虎子",讲的是有关狩猎的一个平常道理,它之所以能长期流传,就在于它体现了实践的观点。它对于人们的实践是真理,对于认识论也是真理。"失败"和"成功"、"堑"和"智"本来是对立的,谚语"失败者成功之母"、"吃一堑长一智",在实践的基础上把它们统一了起来。

当然,谚语并不都是精华。不少谚语,存在着这样或那样的局限性。概括起来,主要表现在两个方面。

一是时代的局限性。试看下面两例:

① 顺哥向丈夫说道:"妾闻'忠臣不事二君,烈女不更二夫'。妾被'贼'军所掠,自誓必死。蒙君救拔,遂为君家之妇,此身乃君之身矣。"(《警世通言》卷一二)

② 我们的关系却一直受到父母的反对。理由是,属相相

克。我属鸡,女朋友小我一岁,属狗。家乡有句俗谚:"自古白马怕青牛,虎兔相逢一代休;金鸡不与犬相见,猪与猿猴不到头。"(梅生《祝新婚快乐》)

例①里的"忠臣不事二君,烈女不更二夫"(出自《史记·田单列传》:"王蠋曰:'忠臣不事二君,贞女不更二夫。齐王不听吾谏,故退而耕于野。'"),宣扬了封建主义的"忠""烈"观。例②里的"自古白马怕青牛,虎兔相逢一代休;金鸡不与犬相见,猪与猿猴不到头"(迷信认为属马的与属牛的、属虎的与属兔的、属鸡的与属狗的、属猪的与属猴的,相冲相克,不宜结为夫妻),宣扬了封建迷信的婚姻观。这些谚语都明显地打上旧社会的烙印。

二是认识上的局限性。

有些谚语所传授的知识,停留在认识的感性阶段,知其然而不知其所以然,或者把局部的,甚至是个别的、偶然的现象当作必然的规律,从而产生了不同程度的片面性。如山西运城一带农村里,流行着这样一条谚语,叫做"种地没巧,人家怎种咱怎种"。这个谚语不能说它完全没有道理,但它忽视了农业生产因时、因地制宜的原则,更忽视了农业生产技术不断革新的要求。再如"种地没巧,深耕细刨"、"种地没巧,粪灌尿泡"、"种地不用问,精耕多上粪"、"庄稼不用问,水肥打头阵"等等,都是片面地强调了某一点,而忽视了农业生产中土、水、肥、种、管、保等各个环节有机联系的科学种田原理。

在社会谚语里,也存在认识片面性的问题。如"秀才不出门,全知天下事",意思是读书人书读得多,知识广博,无所不知。其实这是一种唯心论的认识论,否认了实践对认识的重要作用。又如"成则为王,败则为寇",单纯以成败论英雄,抹煞了客观的是非标准,违反了辩证唯物主义的历史观。

谚语和其他传统文化一样,精华与糟粕并存,对谚语也必须取其精华,弃其糟粕。

(2) 行业性

谚语所传授的知识包括自然知识、社会知识,以及概括和总结这两方面的哲学知识。

我国是农业大国,农谚数量多,历史也最悠久,内容很丰富,涉及农业生产的方方面面。

有讲农业生产重要性的,如:"农是百行本"、"万物土中生"、"七十二行,务农为强"、"耍龙耍虎,不如耍土"、"农夫不努力,饿死世间人"等。

有讲农民和土地关系的,如:"人勤地情深,黄土变成金"、"人勤地也勤,粮食堆满囤"、"人不亏地皮,地不亏肚皮"、"地里埋着宝,只要勤快就捡到"等。

有讲农事季节的,如:"节气不让人"、"种田无命,节气抓定"、"清明谷雨四月天,播种早秋莫迟延"(陕西)、"立夏小满正栽秧,秋后十天满沟黄"(四川)等。

有讲农业生产中"土"、"肥"、"水"、"种"、"植"、"管"、"保"、"收"等各个环节的知识的。讲水利建设重要性的,如:"种田种地,头一水利"、"水是庄稼命,惜水如惜金"、"一滴水,一滴油;一库水,一仓粮"、"近水,全收;远水,半收;无水,难收"等;讲抓水抗旱的,如:"有旱早抗,无旱早防"、"积谷防饥,积水防旱"、"蓄水如囤粮,水足粮满仓"、"冬季修水利,正是好时机"等;讲适时合理灌溉的,如:"水是庄稼的油,按时灌溉保丰收"、"冬水灌得好,强过上粪草"、"秋水老子冬水娘,浇好春水好打粮"、"轻浇勤浇,籽粒结饱"

等。

随着社会发展,分工越来越细,行业越来越多。三百六十行,行行都有谚语。从这个意义上,可以说谚语是民间的"百科全书"。

(3) 人文性

谚语说明事理,总结经验,是以本民族的各种文化现象为基点的。它依存于本民族的社会生活,与本民族特定的历史、传统思想和道德观念等密切相关,反映了民族的文化素质和心理状态等,因此谚语带有鲜明的人文性。如"二月二,龙抬头"、"不到春分地不开,不到秋分籽不来"、"立夏不下,田家莫耙"、"三九四九冻死狗"等,反映了汉民族用夏历记时记事的传统;"家和万事兴"、"和气不蚀本"、"得理让三分"、"得饶人时且饶人"、"买卖不成仁义在"、"良言美语三冬暖,恶语伤人六月寒"等,反映了中华民族以和为贵、追求和谐的美德。

谚语语义的人文性特点,表明谚语语义具有社会性,而不具有阶级性。有些古今引用不衰的谚语,还具有超时代性。如"流丸止于瓯臾,流言止于智者"(流丸滚到地势最低处便不再滚动,流言传到智者面前便停止传播。瓯、臾:古代陶器名,这里指像瓯臾一样坳坎的地形。出自《荀子·大略》)、"明镜所以照形,古事可以知今"(明镜可以用来照人形貌,往古之事可以用来认识现实。指做事要善于借鉴历史。出自汉·刘向《说苑·尊贤》)、"救寒莫如重裘,止谤莫如自修"(解救寒冷,最好是多穿皮衣;制止谣言诽谤,最好是加强自身的修养。出自汉·徐干《中论》卷上)、"水至清则无鱼,人至察则无徒"(水过于清澈养不住鱼,人过于明察就会失去众人。出自《汉书·东方朔传》)、"作舍道旁,三年不成"(在路旁建造房屋,过路的人意见各不相同,长时间建造不成。比喻人多口杂,办不成事。出自《后汉书·曹褒传》),等等。

当然,我们说谚语语义不具有阶级性,并不意味着它不受阶级的影响。有些社会谚,特别是其中内容消极的谚语,像"人不为己,天诛地灭"、"有钱能使鬼推磨"、"死生有命,富贵在天"等,确实反映了剥削阶级的腐朽思想。但是,即使像这类消极谚语,在以私有制为基础的旧社会里,仍然有它的社会性。随着时代的前进,它们所包含的消极思想被摒弃,但作为语言现象,却不会因此被"清除"。它们还不时出现在作家的作品里。试以"人不为己,天诛地灭"为例:

"人不为己,天诛地灭",我一个人也没法子叫那些穷佃户全闹起来……(杨沫《青春之歌》一部二八章)

(他)心想:"人不为己,天诛地灭",这么多人合在一块儿过日子,还不乱成一窝蜂?(秦兆阳《在田野上,前进!》三一章)

人不为己,天诛地灭。哪个商人不是将本求利呢?(周而复《上海的早晨》三部一九)

"人不为己,天诛地灭",反映了一种极端自私的人生观,它是私有制的产物,从某种意义上说,也是一种社会现象。谚语作为语言单位,是语言的"建筑材料",从整体上说,它是社会的、民族的。

2. 谚语语义的结构

谚语语义的结构,可从以下两个层面来观察。

(1) 字面意义和实际意义

谚语的字面意义,是指根据组成谚语的成分及其语法关系直接推断出来的意义;谚语的实际意义,是指谚语在实际运用中所表现出来的真正意义。有些谚语的字面意义就是它们的实际意义,如"名师出高徒"、"明人不做暗事"、"不怕一万,只怕万一"、"寸草不生,五谷丰登"等,字面意义和实际意义相一致。

有些谚语的字面意义和实际意义不一致。如:

① 说得好听!狗改不了吃屎!他能不捣乱?(黄日强《夺粮记》六回)

② 理她干吗呢,狗嘴里掉不出象牙来,满嘴喷屎。(孙犁《女人们》)

③ 于震海几个亡命徒,在昆仑山里滚石头,半年了,闹不了大乱子,"几条泥鳅,翻不起大浪。"(冯德英《山菊花》下一三章)

例①里的"狗改不了吃屎",比喻坏人的本性不会改变。例②里的"狗嘴里掉不出象牙来",比喻坏人嘴里说不出好话来。例③里的"几条泥鳅,翻不起大浪",比喻几个没能耐的人,成不了大气候。这些谚语的字面意义太平常,不起表义作用,上述比喻义成为它们的真正意义。

还有一些谚语,字面意义也有实际价值,是它们的本义,另外又派生出一个意义,这样就具有两个实际意义。如:

①"新官上任三把火。"一点也不假。我们李主任办事手续好严呀!(徐怀中《我们播种爱情》五章一)

② 新官上任三把火,大嫂第一顿饭就做的这么出色!(梁斌《翻身记事》三七)

③ 我知道:爱情不能勉强,捆绑不成夫妻。(罗石贤《荒凉河谷》一一章三二)

④ 殊不知"捆绑不成夫妻",通过行政手段而非市场力量组建的媒体巨人的种种弊端,往往很快就暴露无遗。(邵培仁等《论中国报业集团改革中的六大困境》)

"新官上任三把火",在例①里指新上任的官员总要办几件事情显示自己,这是它的本义;在例②里指一般人刚负责某项工作总要努力办好几件事,表现一下自己,这是它的派生义。"捆绑不成夫妻",在例③里指用强制手段(并不一定真的捆绑起来)不能结成夫妻;在例④里指用强制手段不能使对象结合在一起(不是真的夫妻关系),用的也是派生义。

由此看出:谚语语义的表达方式可分三种类型:

一是字面意义就是实际意义;

二是字面意义不起作用,派生义才是实际意义;

三是有两个实际意义,一个和字面意义一致,是本义,另一个是派生义。

第一种类型比较单纯。第二、三种类型,说明谚语的语义也具有"双层性":字面意义是浅层义,派生义是深层义。

那么,谚语的深层义(派生义)是怎样产生的呢?大致上有三个途径:

(一)联想。如:

① "纺织业得天独厚,怎么也有这些问题?"柳惠光困惑地问。"每家有一本难念的经。"徐义德不胜感慨地摇了摇头。(周而复《上海的早晨》三部四九)

② 门有缝,窗有耳,说话可得小心!(司马文森《风雨桐江》八章三)

例①里的"每家有一本难念的经",由"难念的经"联想到难办的事,指每户人家或每个人都有不好办的事情。例②里的"门有缝,窗有耳",由门窗并非密不透风,联想到说话易被人偷听,告诫人说机密话要小心。

(二) 抽象。如：

① 真是稀泥巴糊不上墙！年年吃救济粮，年年喊困难，怎么得了？(柯蓝《浏河十八湾》三章)

② 麻雀飞过也有影子，做了的事怎么瞒得住人呢？(罗旋《南国烽烟》一部一二)

例①里的"稀泥巴糊不上墙"，比喻没出息的人，扶持不起来。例②里的"麻雀飞过也有影子"，比喻不论做什么事情总会留下踪迹。二者都是把个别的、具体的抽象为带有普遍的、共同的属性。

(三) 概括。如：

① 狗熊嘴大啃地瓜，麻雀嘴小啄芝麻。别听哥哥的话，他总是说我年龄小。小怕什么？(李英儒《野火春风斗古城》三章)

② 嘿嘿，龙眼识珠，凤眼识宝，牛眼识青草。我金某人在这方圆几百里的地界看了十几年的风水，像这样好的山形地势见着的还不多。(奚青《朱蕾》三)

例①里的"狗熊嘴大啃地瓜，麻雀嘴小啄芝麻"和例②里的"龙眼识珠，凤眼识宝，牛眼识青草"，都是从两件或两件以上相互联系的事情概括出某种认识：前者所讲的两件事，意思虽然对立，但有一个相通之处，就是各凭各的有利条件办事；后者所讲的三件事情也有一个相通之处，就是不同的眼力有不同的认识水平，有眼力的识货，没眼力的不识货。

通过联想、抽象、概括等方式所产生的深层义，比起浅层义来，更加深刻，具有更加普遍的意义。一般说来，浅层义具有形象性，浅显易懂；深层义富有哲理性，耐人寻味。谚语之所以有感染力，就是善于把深刻的哲理寓于浅显的形象语言之中，把思想性和形象性统一起来。

(2) 衬托意义和中心意义

由两个语节构成的谚语,前后两个语节在表义上往往有主辅之分。如:

① 人无完人,金无足赤,对人何苦求全责备？（陆地《瀑布》二六章）

② 灯不拨不亮,理不辩不明。有意见可以摆出来。（罗旋《南国烽烟》一部二）

例①里的"人无完人,金无足赤"和例②里的"灯不拨不亮,理不辩不明",前后两个语节,虽然在结构上分别是并列的,但在表义上却有主辅之分:前者以"人无完人"为主,"金无足赤"为辅;后者以"理不辩不明"为主,"灯不拨不亮"为辅。为主的语节,表义上起主导作用,表示整个谚语的中心意义。为辅的语节表示的是衬托意义,有的起比兴作用,增加语义的形象色彩;有的起映衬作用,把中心意义衬托得更为突出、鲜明。

起比兴作用的。如:

① 俗话说:"人怕揭短,龙怕揭鳞。"你为何偏揭我开小差的事呢？（肖玉《紧锁关山》六章二七）

② 天上下雨地上滑,各自跌倒各自爬。要翻身得靠自己。（丁玲《太阳照在桑干河上》三四）

例①里"人怕揭短"表示中心意义,"龙怕揭鳞"起比喻作用。例②里"各自跌倒各自爬"表示中心意义,"天上下雨地上滑"比喻成分很少,带有诗歌里常见的"兴"的性质。

起映衬作用的。如:

① 坛口好封,人嘴难捂。我姓宋的不讲,纪家村还能没

人讲吗?(陈登科《赤龙与丹凤》一部二五)

②古人说:"花有重开日,人无再少年。"这少年时代真是黄金难买哪。(姜树茂《渔岛怒潮》一二章)

例①②里"人嘴难捂"、"人无再少年",分别表示中心意义;"坛口好封"、"花有重开日"分别起反衬作用,使中心意义在对比中显得更加突出、更加鲜明。

也有的由两个语节组成的谚语,表义上的主辅关系随不同语境而发生变化。如:

①冯梦兰赶快从他手上夺来树枝,三下两下,火又旺起来了。她轻声说:"人要实心,火要空心。"(谭元亨《带刺的白石榴子花》一卷八章)

②"火要空心,人要实心。"有实心就能办好事。(叶蔚林《马铃寨》)

③射人先射马,擒贼先擒王。知道不知道?记住!碰到骑马的敌人,就是先打马后打人。(吴强《红日》九章三七)

④"射人先射马,擒贼先擒王",这话到底不错。今天把这贼王擒住了,就没有丝儿风吹草动。(曾秀苍《太阳从东方升起》四章)

从语境上看,例①里的"人要实心,火要空心",中心意义是讲"火要空心","人要实心"起辅助作用。例②则倒过来。例③里的"射人先射马,擒贼先擒王",中心意义是讲"射人先射马","擒贼先擒王"起辅助作用。例④则倒过来。

3. 谚语语义的类聚

(1) 同义谚语

两个或两个以上语义相同或相近的谚语,叫同义谚语。构成同义谚语要同时具备两个条件:一是所传授的知识的内容基本相同,二是取材不同。如果取材基本相同,只是说法上略有不同,便不能看成同义谚语,如"巧妇难为无米之炊",又可说成"巧媳妇难做无米饭"、"巧媳妇难做无米粥"等,这是同一条谚语的不同变体,不宜看作同义谚语。

只有取材不同而语义相同或相近的谚语,才构成同义谚语。如:

① 一锹掘不出一口井来,功夫是天长日久练出来的,这是急不得的事。(张长弓《草原轻骑》——)

② 思想工作是一件细致的艰苦工作。"一把火煮不热一锅饭"啊!(王忠瑜等《惊雷》五章)

③ 你先别慌,也别急,一口吃不成个胖和尚。(程树臻《钢铁巨人》一六章)

例①里的"一锹掘不出一口井来"、例②里的"一把火煮不热一锅饭"和例③里的"一口吃不成个胖和尚",都说明做事要循序渐进,不能急于求成,但取材不同,构成一组同义谚语。

有些由两个语节构成的谚语,表示中心意义的语节相同,而表示辅助意义的语节取材不同,也可以看成是同义谚语。如:

① 鼓不打不响,话不说不明。你既是心里有了他,为啥不和他直说?(陈登科《风雷》一部四八章)

② 真是话不说不知,木不钻不透哇!王书记的一片话拨开了满天的云彩。(浩然《金光大道》一部六○)

③ 话不说不透,沙锅不打不漏。……可是怎么动员呢?(马烽《刘胡兰传·见义勇为》)

例①里的"鼓不打不响,话不说不明"、例②里的"话不说不知,木不钻不透"和例③里的"话不说不透,沙锅不打不漏",中心意义都是指不把话说明,对方就不会明白。表示辅助意义的语节分别是"鼓不打不响"、"木不钻不透"、"沙锅不打不漏",取材不同,也是一组同义谚语。

有些谚语表示的意义基本相同,但一个用概括性的语言,一个用形象性的语言,也应该看成是同义谚语。如:

① 她是料定了反正我们是拿不出房钱,"多得不如现得",赶快把我们赶出去租给别人呢。(田汉《梅雨》)

② 悟空道:"我老孙不去!不去!俗语谓'赊三不敌见二',只望你随高就低的送一副便了。"(《西游记》三回)

③ 常言道:靠山吃山,靠水吃水。做公的买卖,千钱赊不如八百现。(《醒世恒言》卷二〇)

例①里的"多得不如现得",指虚的再多也不如少能兑现。例②里的"赊三不敌见(xiàn,同"现")二"和例③里的"千钱赊不如八百现",说得更加具体、形象。三者也是一组同义谚语。

同义谚语多,是谚语语汇丰富的表现。适当地连用同义谚语,有助于提高语言的表现力。如:

① 你们说靠我领头儿,可是我也靠你们大家相助。俗话说:独木不成林,一个虼蚤顶不起卧单。(姚雪垠《李自成》二卷三章)

② 一娘生九种哩!十个指头不一般齐哩!一个地里长出来的粮食能粒粒都一样吗?(柳青《创业史》一部二五章)

③ 不是亲见,真不会相信哩。这真是强中还有强中手,天外有天,山外有山啊!(何琼崖《金陵风云录》五)

同义谚语连用,还是构成并列式复句型谚语的一个重要手段,像"千锤成利器,百炼变纯钢"、"风险里出英雄,海浪里见好汉"、"水是故乡甜,月是故乡明"、"什么云下什么雨,什么水生什么鱼"、"车到山前必有路,船到桥头自然直"等等,都是由两个同义谚语组合而成的。

(2) 反义谚语

语义相反的谚语,叫反义谚语。反义谚语的产生,往往是由于人们的社会实践不一样,或从不同的角度观察事物而产生不同的认识。如:

① "人无伤虎意,虎无杀人心。"宝翁不必为我多虑。(郭明伦等《冀鲁春秋》一章一)

② "人无伤虎意,虎有吃人心。"那虎上套是自作自受!(肖玉《战鼓催春》三章一二)

③ 俗话说:"万事开头难。"兵工厂才开张,生产工具七拼八凑,缺这少那,样样都须要张罗。(李荣德等《大雁山》九)

④ 常言道:"起头容易结梢难。"只等我做过了圆满,方敢送程。(《西游记》九六回)

例①里的"人无伤虎意,虎无杀人心"和例②里的"人无伤虎意,虎有吃人心",构成了反义谚语:虎主要捕食野猪、鹿、獐、羚羊等动物,有时也伤人;但当它不感到肚肌,人不去伤害它时,它也不主动伤害人。例③里的"万事开头难"和例④里的"起头容易结梢难",反映了事情的两个侧面:当事情处在开始阶段,不容易打开局面时,就会得出"万事开头难"的认识;当事情临近结束,要做到有始有终也不容易,于是又得出"起头容易结梢难"的认识。

反义谚语的产生,还跟人们对客观事物不同的看法有关。如

"英雄造时势"和"时势造英雄"、"将门出将,相门出相"和"将相本无种,男儿当自强"等,是社会群体观念差异的反映。

第四节 谚语的语法功能和修辞作用

1. 谚语的语法功能

谚语,在结构上,相当于句子。运用时可以单独成句,或充当复句里的分句,也可以作句子的成分。

(1) 单独成句

前面说过,谚语作为语汇形式存在时,没有一定的语调,不是完整意义上的句子;但在运用时,如果单独成句,就有了语调,是完整意义上的句子。如:

① 春雨贵如油。清明节后,正当下种的时候,落了场一犁深的雨。(冯德英《迎春花》上六章)

② 宁吃鲜桃一口,不吃烂桃一筐。你要肯卖,缉私小队副挥金如土,必定给个大价儿。(刘绍棠《花街》一〇)

③ 冤有头,债有主。砍树,要拣大的砍。他是洛阳一带顶大的乡宦,顶大的土豪劣绅,许多土豪劣绅的总靠山。不杀他,杀谁?(姚雪垠《李自成》二卷五二章)

④ 亲不亲,财帛分。先丑后不丑。(马辉义《婚嫁多苦涩》下一一)

例①里的"春雨贵如油",指北方干旱地区,春天播种季节,雨水十分难得。例②里的"宁吃鲜桃一口,不吃烂桃一筐",比喻宁可少而精,也不要多而滥。例③里的"冤有头,债有主",指清算仇债,自有当事人。例④里的"亲不亲,财帛分",指人不论亲疏,在钱财上都要分明;"先丑后不丑",指先把丑话说在前头,事后不致发生麻烦。

(2) 充当复句里的分句。如:

① 脚正不怕鞋歪,没有亏心事,不怕鬼叫门。(傅用霖《天鹅湖之恋》一五章一)

②"在家千日好,出外一时难",因此把交通事业办好,使出外的人不再望而生畏,实在是造福不浅。(老舍《在火车上》)

③ 我见是见的不少,可眼见千遍,不如手过一遍。(刘波泳《秦川儿女》一四章)

例①里的"脚正不怕鞋歪",比喻只要行得正,就不怕别人说三道四;"没有亏心事,不怕鬼叫门",指不做昧良心的事情,就用不着担惊受怕。二者都充当并列复句的分句。例②里的"在家千日好,出外一时难",指在家里日子好过,出门在外时时都有困难,充当因果复句里的偏句。例③里的"眼见千遍,不如手过一遍",指亲手实践所获得的知识,比光凭眼睛看要深刻得多,充当转折复句里的正句。

(3) 充当句子成分

谚语充当句子成分时,可以作主语、谓语、宾语和定语。分述如下:

(一) 作主语。如:

①"一个和尚挑水吃,两个和尚抬水吃,三个和尚没水吃",是中国人的老毛病。(鲁迅《书信集·致曹聚仁》)

②"瑞雪兆丰年"并不是一句迷信的俗语,而是一个有充分科学依据的论断。(峻青《瑞雪图》)

③"饮水要思源,为人难忘本","一日为师,终身是

父"……充分体现了我们国家固有的道德标准。(王西彦《春寒》)

例①里的"一个和尚挑水吃,两个和尚抬水吃,三个和尚没水吃",指人多了互相推诿最终办不成事情。例②里的"瑞雪兆丰年",指春节前后下一场大雪,预兆来年小麦丰收。例③里的"饮水要思源,为人难忘本",指做人不能忘本就像喝水时要想想水的来源一样;"一日为师,终身为父",指即使只教过自己一天的老师,也应当一辈子把他当作父亲一样。

(二) 作谓语。如:

① 我宁愿站着死,决不跪着生!(马识途《清江壮歌》七章)

② 长官!你宰相肚里能开船。(郭澄清《大刀记》三卷一三章)

③ 慈禧同光绪从戊戌政变以来,水火不相容。(李六如《六十年的变迁》四章)

例①里的"宁愿站着死,决不跪着生",指人在生死关头要保持气节。例②里的"宰相肚里能开船",指大人物总是胸怀宽阔,度量大。例③里的"水火不相容",比喻对立的双方不能互相妥协。

(三) 作宾语。如:

① 衙门,衙门,人都说十个衙门十个赃。(刘波泳《秦川儿女》一一章)

② 他认为"宁舍千金献真佛,不拔一毛插猪身"。(王东满《漳河春》三六)

③ 咱是棋不看三步不捏子儿。(王东满《漳河春》一)

④ 这叫猎人进山只见禽兽,药农进山只见药草。(黎汝

清《万山红遍》二四章)

例①里的"十个衙门十个赃",指旧时的官府都很腐败。例②里的"宁舍千金献真佛,不拔一毛插猪身",指该用的时候再多的钱也应舍得花,不该用的地方一丝一毫也不得耗费。例③里的"棋不看三步不捏子儿",比喻办事不先看准了不动手。例④里的"猎人进山只见禽兽,药农进山只见药草",比喻干哪一行的只注意与哪一行有关的事物。

(四) 作定语。

谚语作定语,一般要由结构助词"的"联结。如:

① 可见"三年清知府,十万雪花银"(谚语)的话,而今也不甚确了。(《儒林外史》八回)

② 如果说爸爸那种"棍棒底下出孝子"的严厉父爱不会使儿沦为纨袴子弟的话,那么,妈妈的拳拳慈母之情,则更使儿倍觉人间的温暖。(李存葆《高山下的花环》一三)

③ 尽管有"知错改错不算错"的好俗语可以供人们使用,人总是有羞耻心的。(柳青《狠透铁》一一)

例①里的"三年清知府,十万雪花银",指旧时无官不贪,即使当了三年"清廉"的知府,也能捞到十万两白银。例②里的"棍棒底下出孝子",指严格管教才能培养出孝顺的儿子。例③里的"知错改错不算错",指知道错了能及时改正,则所犯的错误就不算什么。

谚语除了作主语、谓语、宾语、定语外,还可以充当复指成分。如:

① 男大当婚,女大当嫁,这是古人伦大事。(姚雪垠《李自成》二卷四八章)

② 在人们忠厚善良的心胸中,慢慢地爬上了一个东西:

"劣汉争食,好汉争气"啊!这是争气的好汉子!(冯德英《苦菜花》楔子)

③ 老人们常常爱说"行行出状元,业业有高手"这句话,意思是勉励晚辈们要热爱本职工作。(沈清住《行行和业业》)例①里的"男大当婚,女大当嫁",指男女长大了,应当婚嫁成家。例②里的"劣汉争食,好汉争气",指品格低劣的人争的是食物,品格高尚的人争的是志气。例③里的"行行出状元,业业有高手",指各行各业都有出类拔萃的人才。

谚语可以作主语、谓语、宾语、定语以及复指成分,一般不作状语和补语,这与谚语的性质有关。谚语是具有知识性的表述语,缺乏描述性状情态的功能。

2. 谚语的修辞作用

谚语尽管有的存在消极成分,但积极成分占主导地位。从总体上看,谚语所传授的知识不仅有指导人们实践的作用,而且具有为群众所喜闻乐见的形象性和艺术性,常被誉为"语言中的花朵"。因此,许多作家在向群众学习语言时,特别注意把谚语吸收到自己的作品里来,充分发挥它们的修辞作用。

谚语在修辞上的作用是多方面的,主要有以下三点。

(1) 用于说理,提高语言的说服力

谚语源远流长,在人民群众中有很大的影响,许多谚语已经成为人们自觉地用来指导自己行动的共同信条。在说理时有针对性地引用谚语,可以使论据更加充足,使语言更富有说服力。

《后汉书·宋弘传》记载:"(光武)帝姊湖阳公主新寡,帝与共论朝臣,微观其意。主曰:'宋公威容德器,群臣莫及。'帝曰:'方且图之。'后弘被引见,帝令主坐屏风后,因谓弘曰:'谚言"贵易交,富易妻",人情乎!'弘曰:'臣闻"贫贱之交不可忘,糟糠之妻不下堂"。'帝顾谓主曰:'事不谐矣!'"

　　意思是:汉光武帝刘秀的姐姐湖阳公主守寡不久,刘秀与她议论朝臣,暗中观察她的想法。她在谈话中,夸赞宋弘"威容德器"。刘秀知道她看中宋弘,便召见他,让湖阳公主坐在屏风后面听。刘秀对宋弘说:"谚语说:'地位显贵了,要更换朋友;生活富足了,要更换妻子。'这是人的常情吧!"宋弘听了,对以"贫贱之交不可忘,糟糠之妻不下堂",表示拒绝。刘秀回头对湖阳公主说:"事情成不了啦!"

　　在这次交谈中,刘秀以天子之尊,用"贵易交,富易妻"这个谚语来说服大臣宋弘抛弃糟糠之妻,改娶公主。宋弘则用"贫贱之交不可忘,糟糠之妻不下堂"这个谚语来反驳,结果说服了刘秀。

　　像这样用谚语来作为论据的事例,在历代典籍中不乏记载。特别是一些政论性著作,尤为突出。试举唐·吴兢所撰《贞观政要》中的两例:

　　① 俚语曰:"贫不学俭,富不学奢。"言自然也。今陛下以大圣创业,岂惟处置见在子弟而已,当须制长久之法,使万代遵行。(卷四)

　　意思是:俗话说:"穷人不用学俭朴,自会俭朴;富人不用学奢华,自会奢华。"是说自然的力量。现在陛下依靠崇高的德望创业立国,岂能仅仅处置好现在的子弟就算完事,还应该制订长治久安之法,使子孙万代都遵照执行。

　　② 又时有小事,不欲人闻,则暴作威怒,以弭谤议。若所为是也,闻于外其何伤?若所为非也,虽掩之何益?故谚曰:"欲人不知,莫若不为;欲人不闻,莫若勿言。"为之而欲人不知,言之而欲人不闻,此犹捕雀而掩目,盗钟而掩耳者,只以取

诮,将何益乎?(卷五)

意思是:陛下常因一点小事不想让人知道就大发雷霆,以阻止人们的批评。如果行为正确,传到外边又有什么损伤?如果行为不正确,即使掩盖过去又有什么益处?所以有俗语说:"要想别人不知道,不如自己不去做;要想别人听不到,不如自己不去说。"做了又想别人不知道,说了又想别人听不见,这就好像闭塞眼睛捉麻雀,堵住耳朵偷铃铛,只能招来讥嘲,有什么好处呢?

《贞观政要》是一部系统总结"贞观之治"的政论性著作,涉及我国古代治国安邦的诸多问题。例①是贞观十一年(公元637年),侍御史马周(601—648)给唐太宗李世民上疏中的一句话。"贫不学俭,富不学奢",指人性并非天生,经济地位对人的思想行为有直接影响。他的奏疏得到唐太宗赏识和嘉奖。例②是贞观十一年,魏征(580—643)给唐太宗奏疏里的一段话。"欲人不知,莫若不为;欲人不闻,莫若勿言"这个谚语,出自汉·刘向《说苑·丛谈》,原作"欲人勿知,莫若勿为;欲人勿闻,莫若勿言",指无论做什么事,说什么话,都是瞒不住人的。唐太宗对魏征的奏疏也很赏识,"赐绢三百匹"。

运用谚语进行说理的传统,历久不衰。我国前裁军事务大使范国祥在《中国语言展现外交魅力》(《参考消息》2003年1月30日第14版)一文里回忆他1987年2月担任日内瓦裁军谈判会议轮值主席时,用汉语谚语成功地表达意图的经历时写道:

当时的形势有可能打开国际裁军谈判的僵局,又存在诸多不确定因素,各国裁军大使都想伸出触角探路,我在月初的一次宴会上讲了中国一个谚语:"只要工夫深,铁杵磨成针"。裁军大使们听后反应,故事虽然简单,但含义深远,有针对性。

事实说明,恰当地运用谚语,有助于提高语言的说服力,收到良好的效果。

(2) 用于记叙,增强语言的概括力

由于谚语善于用简练的形式形象地表达丰富的内容,所以,在记叙时恰当地运用谚语,能增强语言的概括力。如:

① 伏园虽然还没有现在这样胖,但已经笑嘻嘻,善于催稿了。每星期来一回,一有机会,就是:"先生,《阿Q正传》……明天要付排了。"于是只得做,心里想着,"俗话说:'讨饭怕狗咬,秀才怕岁考。'我既非秀才,又要周考,真是为难……"然而终于又一章。(鲁迅《华盖集续编·阿Q正传的成因》)

② 巡警一天到晚在街面上,不论怎么抹稀泥,多少得能说会道,见机而作,把大事化小,小事化无;既不多给官面上惹麻烦,又让大家都过得去;真的吧假的吧,这总得算点本事。而作警官呢,就连这点本事似乎也不必有。阎王好作,小鬼难当,诚然!(老舍《我这一辈子》五)

例①里的"讨饭怕狗咬,秀才怕岁考",指秀才害怕岁考,就像乞丐害怕狗咬一样。鲁迅先生由"秀才怕岁考"联想到自己怕"周考"。岁考一年一考,周考一周一考,岁考尚且可怕,周考自然更不必说。这样就既鲜明而又生动地概括了作者当时的"为难"心情。例②"阎王好作,小鬼难当",比喻上司好当,下级差役不好当,概括地反映了旧社会的一种怪现象。

谚语在记叙上的概括力,最明显地表现在"风土谚"上。如"上有天堂,下有苏杭"极言苏州、杭州的富庶和胜景;"桂林山水甲天下",极言桂林山水之优美;"湖广熟,天下足",极言两湖(湖北、湖南)、两广(广西、广东)在粮食生产上的重要地位;"贵州没天理,十里当五里",指贵州多山,里程难以准确计算,看起来很近,走起来却远。这些谚语都用简练的语句,概括了丰富的内容。

(3) 用于刻画人物形象,增强语言的感染力

文学是语言的艺术。伟大的文学家在运用语言塑造人物形象时,都十分注意发挥谚语的作用。《水浒传》就引用了许多富有表现力的谚语。如:

> 阎婆惜又道:"只怕你第三件依不得。"宋江道:"我已两件都依你,缘何这件依不得?"婆惜道:"有那梁山泊晁盖送与你的一百两金子,快把来与我,我便饶你这一场天字第一号官司,还你这招文袋里的款状。"宋江道:"那两件倒都依得。这一百两金子,果然送来与我,我不肯受他的,依前教他把了回去。若端的有时,双手便送与你。"婆惜道:"可知哩!常言道:'公人见钱,如蝇子见血。'他使人送金子与你,你岂有推了转去的? 这话却似放屁! 做公人的,'那个猫儿不吃腥?''阎罗王面前,须没放回的鬼!'你待瞒谁,便把这一百两金子与我,值得什么! 你怕是贼赃时,快熔过了与我。"(第二十一回)

在这段对话里,通过阎婆惜所说的"公人见钱,如蝇子见血"(指旧时衙吏见钱眼开,贪婪成性)、"那个猫儿不吃腥"(比喻爱财贪色的人恶性难改)、"阎罗王面前,须没放回的鬼"(比喻贪婪成性的人,不会放弃到手的财物)三个谚语,深刻地揭露了当时官府衙吏贪财如命的腐朽本质,同时又反衬出宋江仗义疏财的难能可贵,还把阎婆惜的形象刻画得栩栩如生。

《红楼梦》在运用语言上的成就,达到了我国古典小说语言艺

术的高峰。三言两语的谚语也是它用来刻画典型形象的重要工具。如：

　　凤姐儿道："……依我的主意,把太太屋里的丫头都拿来,虽不便擅加拷打,只叫他们垫着磁瓦子跪在太阳地下,茶饭也别给吃。一日不说跪一日,便是铁打的,一日也管招了。又道是'苍蝇不抱无缝的蛋'。虽然这柳家的没偷,到底有些影儿,人才说他。虽不加贼刑,也革出不用。朝廷家原有挂误的,倒也不算委屈了他。"平儿道："何苦来操这心！'得放手时须放手',什么大不了的事,乐得不施恩呢……"（第六十一回）

　　同是对王夫人耳房失窃这件事,凤姐儿用"苍蝇不抱无缝的蛋"（比喻自身没有什么问题,别人就钻不了空子）这个谚语,说明事出有因,对柳家母女要严加追查,严厉处理；而平儿则用"得放手时须放手"（常和"得饶人处且饶人"连用,指处事要以慈善为怀,留有余地）这个谚语,主张睁一眼闭一眼,趁早儿了事。两个谚语使两人的不同性格跃然纸上,给人以深刻的印象。

　　现当代也有许多作家、作品善于吸收谚语来丰富文学语言。可以这样说,运用谚语塑造人物形象、表现人物性格,增强语言的艺术感染力,是我国文学创作的一个优良传统。

思 考 题

　　一、有人说"谚语是流传于民间的形象通俗而含义深刻的语句"；有人说"谚语是民间广泛流传的固定语句,用简短通俗的语言说出深刻的道理,是群众生活经验的结晶"。你认为这些说法符合汉语实际吗？理由是什么？

二、举例说明谚语和格言、歌谣之间的联系和区别。

三、你认为谚语在语义上最重要的特点是什么？试举例说明。

四、同义谚语和异形谚语怎样区分？试举例说明。

练 习 题

一、下列语言单位中，你认为是谚语的，下画一横线：

千虑一得　情人眼里出西施　在太岁头上动土

想喝汤又怕被烫着　包子有肉不在褶上　耳不聋眼不花

白菜萝卜保平安　打铁不看火候　打铁也得看火候

大人不计小人过　千里姻缘一线牵　六十年风水轮流转

老鹰抓蓑衣,脱不了爪爪　前不着村后不着店

饭来张口,衣来伸手　宁撞金钟一下,不打铙钹三千

二、举出单句型谚语、复句型谚语和紧缩型谚语各三条：

  1. 单句型谚语：

    ①＿＿＿＿＿＿＿　②＿＿＿＿＿＿＿

    ③＿＿＿＿＿＿＿

  2. 复句型谚语：

    ①＿＿＿＿＿＿＿　②＿＿＿＿＿＿＿

    ③＿＿＿＿＿＿＿

  3. 紧缩型谚语：

    ①＿＿＿＿＿＿＿　②＿＿＿＿＿＿＿

    ③＿＿＿＿＿＿＿

三、补出下列由双语节组成的谚语中的前一个语节或后一个语节：

① 一日为师，_____ ② 十年树木，_____ ③ _____，良药苦口利于病

四、简释下列谚语：

① 百样雀儿百样音：_____

② 小胳膊拧不过大腿：_____

③ 不遇盘根错节，不足以成大器：_____

④ 当断不断，反受其乱：_____

五、用下列谚语各造一个句子：

① 一人难唱一台戏：_____

② 活到老，学到老：_____

③ 人敬我一尺，我敬人一丈：_____

④ 只要工夫深，铁杵磨成针：_____

第六章 惯用语

第一节 惯用语的性质和范围

1. 惯用语的性质

在第二章讲"语的分类"时,我们曾经指出:惯用语属于描述语,它的特点是描述人或事物的形象或状态,描述行为动作的性状;我们又指出,以"二二相承"为标识的成语,很大一部分也属于描述语。由此,惯用语可以定义为非"二二相承"的描述语。这个定义有以下三层含义:

第一,明确惯用语属于"语"的范畴,这样就可以把它与非语单位区别开来。

第二,明确惯用语属于描述语,这样就使惯用语不仅与歇后语(引述语)区别开来,而且与谚语(非"二二相承"的表述语)区别开来。

第三,明确惯用语属于非"二二相承"的描述语,这样就使惯用语与描述性成语("二二相承"的描述语)区别开来。

惯用语作为汉语语汇的重要组成部分之一,是早就存在的。先秦文献中就记载着不少惯用语,不过当时还没有惯用语这个名称。以《春秋左传》为例:

令尹子瑕言蹶由于楚子,曰:"彼何罪?谚所谓'室于怒,

市于色'者,楚之谓矣。舍前之忿可也。"乃归蹶由。(《昭公十九年》)

意思是:令尹子瑕为蹶由对楚王说:"他有什么罪?俗话所说'在家里生气而到大街上给人看颜色',说的就是楚国。可以舍弃先前的愤恨了。"于是就把蹶由放回吴国。

昭公将去群公子,乐豫曰:"不可。公族,公室之枝叶也,若去之,则本根无所庇荫矣。葛藟犹能庇其本根,故君子以为比,况国君乎?此谚所谓'庇焉而纵寻斧焉'者也。必不可。"(《文公七年》)

意思是:昭公准备杀死公子们,乐豫说:"不行。公族是公室的枝叶,如果去掉它,那么树干树根就没有树荫遮蔽了。葛藟还能遮蔽它的躯干和根子,所以君子常用它作为比喻,何况是国君呢? 这就是谚所说'树荫遮蔽,偏偏使用斧子',一定不可以。"

前例里的"室于怒,市于色"和后例里的"庇焉而纵寻斧焉",现在看来,都是非"二二相承"的描述语,属于惯用语。但当时没有惯用语这个名称,通称为"谚",相当于"俗语"或"俗话"。

还有些惯用语出现在古今文献里没有什么标志。如"风马牛不相及",最早见于《左传·僖公四年》:

四年春,齐侯以诸侯之师侵蔡。蔡溃,遂伐楚。楚子使与师言曰:"君处北海,寡人处南海,唯是风马牛不相及也。不虞君之涉吾地也,何故?"

意思是:四年春,齐侯率领诸侯的军队攻打蔡国。蔡军溃败,接着攻打楚国。楚子派遣使者到齐侯军中说:"君王住在北方,寡人住在南方,即使是马牛发情狂奔也不能彼此到达。没有想到君王竟跋涉到我国的土地上,这是什么缘故?"

"风马牛不相及",比喻两者全不相干,千百年来一直沿用,是一个很有生命力的惯用语,引用时通常没有标志。如:

① 一个居乡,一个居城,风马牛不相及的。(《活地狱》二七回)

② 其实民主政治与"散漫无政府状态"是风马牛不相及,乃是一种极寻常的常识。(邹韬奋《揭穿妨害民主的几种论调》)

③ 借外债和请名人讲演,本来是风马牛不相及的。(郭沫若《太戈尔来华的我见》)

这种情况在近代白话小说里很常见。以《水浒传》和《红楼梦》为例:

① 罢,罢!贼去了关门,那里去赶?便赶得着时,也问他取不成。(《水浒传》五回)

② 那婆子吃了许多酒,口里只管夹七带八嘈,正那里张家长,李家短,说白道绿。(《水浒传》二一回)

③ 你那姑娘只会打旋磨子,给我们琏二奶奶跪着借当头。(《红楼梦》九回)

④ 平儿咬牙道:"没良心的东西,过了河就拆桥,明儿还想我替你撒谎!"(《红楼梦》二一回)

例①里的"贼去了关门",常指出了问题之后才采取补救措施;例②里的"张家长,李家短",指漫无边际地议论这家或那家的琐事;例③里的"打旋磨子",形容围着别人献殷勤的样子;例④里的"过了河就拆桥",比喻达到目的之后,就把曾经帮助过自己的人抛开。它们都是描述人或事物的形象或状态,描述行为动作的性状,都属于惯用语。它们都是在语流里出现,没有明显的标志。

也有在惯用语前面加上"俗语云"或"俗话说"的,不过比较少见。如:

　　① 俗语云:"厮打时忘了跌法。"正是有势不使不如无。(《歧路灯》四六回)

　　② 常言一句俗话说:"矮子里面选将军。"就算他的能耐有限,但与这些打手打斗起来,他的本领却比打手胜百倍。(《小五义》五三回)

例①里的"厮打时忘了跌法",指平时掌握的本事,到真正要用时反而忘记了。例②里的"矮子里面选将军",指从平庸的人中挑选较好的。

给这种语言单位冠以惯用语的名称,始于20世纪60年代。当时,学者们发现,这种语言单位在性质上既有别于成语、歇后语,又有别于谚语;在结构上,不像成语那样采用"二二相承"的形式,也不像歇后语那样由具有"引注"关系的两个部分构成;在内容上,不像谚语那样具有知识性。随着研究的深入,大家发现,这种语言单位不仅有明显的特点,而且数量多,自成系统,是汉语语汇的一个重要组成部分。

2. 惯用语的范围

对惯用语的范围,有一个认识过程。早先,标准定得比较严:在形式上限于三字格和四字格,在语法结构上限于述宾关系,在语义上限于有引申、比喻意义的。这样一来,惯用语的范围便显得非常狭窄,只有像"走后门"、"碰钉子"、"炒冷饭"、"打游击"、"放空炮"、"钻空子"、"开倒车"、"揪辫子"、"戴高帽子"等才符合标准,而像"碰一鼻子灰"、"不管三七二十一"以及"风马牛不相及"、"贼去了关门"、"张家长,李家短"、"三分像人,七分似鬼"、"过了河就拆桥"等,都被排除在外,这显然不符合汉语的实际。

确定惯用语范围的前提,是要把惯用语放到汉语语汇的整个系统中去考察,要尽可能地把除成语、谚语、歇后语以外的其他语汇单位都包括进来。仔细观察,我们会发现这些单位具有共同的特点,就是在语义上具有描述性;在形式上是开放的,并不限于三字格或四字格;在结构上是多种多样的,不限于动宾关系;在意义上可以是白描的,不限于引申或比喻。这样,与前面所说的惯用语的定义正相符合。

确定惯用语的范围是一个相当复杂的问题。特别要注意的是以下几个问题。

(1) 划清惯用语与合成词,特别是复合词的界限

合成词是由两个或两个以上的词素组合而成的词,大致可分为两类,一类是词根与词缀的组合,称为派生词,如"老鼠、阿姨、鱼儿、上头"等;一类是词根与词根的组合,称为复合词。如"包袱、马后炮、乌纱帽、摇钱树"等。

从表面上看,复合词也是由两个或两个以上的词组合成的,在语义上有的具有引申义或比喻义,但它们表示的是一个概念。如"马后炮"是象棋术语,借来比喻不及时的举动;"乌纱帽",是一种纱帽,借指官职;"摇钱树"是神话中的一种宝树,多用来比喻可以借以源源不断地获取钱财的人或物。《现代汉语词典》第5版把它们都标为名词。

我们在第一章里就强调过,语是叙述性的语言单位。惯用语

既然是语汇的组成部分,语义的叙述性是其根本属性。因此,"马后炮"前面加上"放",说成"放马后炮",才是惯用语,同样,"乌纱帽"前面加上"丢"或"戴",说成"丢乌纱帽"、"戴乌纱帽",才是惯用语,而"摇钱树"则不能像"马后炮"、"乌纱帽"那样加相对固定的动词性语素,只能是复合词。

(2) 划清惯用语与专有名词的界限

一般地说,专有名词首先是词,不属于语,也就谈不上是惯用语。但有些专有名词使用时具有引申或指代义,容易被误认为惯用语。如:

阿斗 三国蜀汉后主刘禅的小名,是一个甘于沉沦、不思中兴的庸主,后常用来类比懦弱无能的人。〔例〕我常常想:倘使我自己不争气,是个扶不起的阿斗,事事都靠包青天、海青天,一个青天,两个青天,能给解决多少问题呢?(巴金《随想录·〈小人·大人·长官〉》)

诸葛亮 三国蜀汉丞相,《三国演义》和民间传说把他描绘成一位神机妙算的人物,常用来指足智多谋的人。〔例〕"放心吧,嫚姑子,"老金头笑嘻嘻地说,"你不知你们的头儿是个诸葛亮吗?他有退兵之计,你急什么?"(峻青《海啸》二章)

祝英台 传统戏剧《梁山伯与祝英台》中女主人公,女扮男装与梁山伯同窗三年,临别时托言为妹做媒许婚,后因父另许马家不从,与梁山伯双双殉情。常借指要求自由恋爱和忠于爱情的女子。〔例〕她痴情犹如祝英台,真心实意地等了他十几年,非他不嫁。(刊)

这类专有名词还有许多,如:阿Q、祥林嫂、李逵、武大郎、高衙内、赵子龙,等等。它们虽然在使用时具有引申或指代义,但不能改变词的性质。如同"包袱"、"辫子"虽然也有比喻义("包袱"比喻某种负担,"辫子"比喻把柄),但还是词,不属于语。

(3) 关于"吹牛"、"吃醋"等的归属问题

"吹牛"是"吹牛皮"的紧缩,类似的还有:

  拍马——拍马屁 耍滑——耍滑头 合拍——合拍子

             (以上 AB←ABC)

  装蒜——装洋蒜 扯腿——扯后腿 踢球——踢皮球

             (以上 AC←ABC)

对于这种情况,有三种不同意见:

(一) 认为 AB、AC 是词,ABC 是惯用语。

(二) 认为 AB、AC 和 ABC 都是惯用语。

(三) 认为 AB、AC 和 ABC 都是词,不是惯用语。

从语义是否具有叙述性的角度来观察,"吹牛、拍马"和一般双音节词的主要区别在于语义具有叙述性。"吹牛、拍马"和"吹牛皮、拍马屁",虽然字数(音节数)不同,但意义相同,都具有描述性。所以,第二种意见不无道理。

"吃醋",看起来也很像一般双音节复合词,但有不同点:语义上具有叙述性,指产生妒忌情绪(多指在男女关系上);结构上可以扩展,中间插入其他语言成分。如:

  ① 怪不得林宛芝在吃她的醋哩。(周而复《上海的早晨》一部二八)

  ② 齐光第见胡文玉一来就被渡边、张木康重用,早就吃胡文玉的醋,老想找个机会打击胡文玉一下。(雪克《战斗的青春》七章三)

③"你何必吃这种干醋?你屋里头不是也有一个吗?"克定嘲笑地说。(巴金《春》一〇章)

类似的还有"牵头、牵线、搭桥、买账、砸锅"等,它们的性质和"吃醋"类似,把它们归入惯用语,也说得过去。

不过,这些两字语,确有词化的趋势,把它们看成词也未尝不可。《现代汉语词典》(第5版)就把"吹牛"、"吃醋"等标注为动词。

第二节 惯用语的结构

1. 惯用语结构的类型

从结构类型上看,惯用语可分为单语节型和双语节型两大类。单语节型又可分为词组型、单句型和复句型三种;双语节型又可分为并列型和非并列型两种。分述如下:

(1) 单语节词组型惯用语

根据组合成分所形成的语法关系,又可分为以下五种类型。

(一)偏正词组型

有的属于定中词组。如:

① 我学过京剧、评剧、相声,单弦……当然都是半瓶醋,功夫不到家。(刘绍棠《敬柳亭说书》五章一〇)

② 姐姐就是这个直肠子,心里怎样想嘴里就怎样说。(陈登科《风雷》一部四八章)

③ 有些话听得,有的话就听不得!过去的老皇历已经不顶用了。(魏巍《东方》四部七章)

例①里的"半瓶醋",指对某种知识或技能只略知一二,也说半瓶子醋。例②里的"直肠子",比喻直性子或性情直爽的人。例③里的"老皇历",比喻陈旧过时的规矩。

有的属于状中词组。如:

① 谷北大一见柴禾靠边儿站了,便开心取乐儿,下聘书请柴禾当他的秘书,每月工资二百元。(刘绍棠《京门脸子》六章一〇)

② 你在洞口挖,只能炸住一两个。他人多了,一定往里挤,你在里面埋上一个,就给他来个连锅端了。(魏巍《东方》五部七章)

③ 这些"老板"们商议之后……合伙送他一顶"林老板"的帽子。不久,人家的帽子都一风吹了,他这顶帽子却像在那稀疏的头发上生了根。(孙华炳《重赏之下》一)

例①里的"靠边儿站",多指被迫离开职位,或失去权力。例②里的"连锅端",比喻全部除掉。例③里的"一风吹",指一下子全部取消。

(二)述宾词组型。如:

① 他趾高气扬,昂首挺胸,感到自己是一个强人,又有人给自己抬轿子了。(柳青《创业史》一部一八章)

② 她并不是有意识为蒋殿人他们打埋伏,因为她根本不知道是怎么回事。(冯德英《迎春花》一三章)

③ 今天说打到那里去过重阳,明天说打到那里去过年,总喜欢开空头支票。(李六如《六十年的变迁》一三章四)

例①里的"抬轿子",比喻为有势力的人捧场。例②里的"打埋伏",比喻隐瞒某方面的问题。例③里的"开空头支票",比喻作出不能实现的承诺。

(三)述补词组型。如:

①为了怕万一有错,先挂起来,不与本人见面。(柯岩《寻找回来的世界》)

②人总是有脸的,虽然这里谁也不知道我的身世……可是我和别人站在一起,总觉得比别人矮半截子。(曲波《桥隆飙》一八)

③朱老先生的这位义儿有本事把老头子哄得团团转,老头子一直被蒙在鼓里。(茅盾《霜叶红似二月花》二)

例①里的"挂起来"指把问题保留起来,暂不下结论或暂不处理。例②里的"矮半截子",多指在身份、地位等方面差得远,也说"矮半截"、"矮半截儿"。例③里的"蒙(méng)在鼓里",指受蒙蔽,对发生的事一无所知。

(四)连谓词组型。如:

①他宁肯有病装健康人,打肿脸充胖子,不让任何一个人知道真实情况。(巴金《谈〈秋〉》)

②我告诉你,你要误了我们的军情,我可叫你吃不了兜着走!(李凖《黄河东流去》六章二)

③打开窗户说亮话,就是犯法,也不应该是他,而应该是你,是朱锡坤!(陈登科《风雷》一部二三章)

例①里的"打肿脸充胖子",指硬装好汉或硬装门面,掩盖真实情况。例②里的"吃不了兜着走",指吃不消,经受不住,多比喻出了问题承担不起责任和后果。例③里的"打开窗户说亮话",指毫不隐讳,把话说在明处。

(五)兼语词组型。如:

①看吧,"赶狗入穷巷",要是逼得我王九天活不过瘾,那么……才有好戏看哩。(江萍《港九枪声》)

② 好吧！往后我就拿着鸡毛当令箭。(刘绍棠《豆棚瓜架雨如丝》八章)

③ 我有眼不识泰山,我真没想到你老人家在哲学方面有这样深的研究。(张恨水《傲霜花》四六章)

例①里的"赶狗入穷巷",比喻把人逼得走投无路。例②里的"拿着鸡毛当令箭",比喻以假充真,进行发号施令。例③里的"有眼不识泰山",指见识太浅,认不出地位高、本领强或名气大的人。

(2) 单语节单句型惯用语。如：

① "你自己没有脚呀？"雪春翻他,"大懒使小懒,还骂人呢。"(周立波《山乡巨变》上一四)

② 我看看我们排的民兵们,她们都大眼瞪小眼地瞪着我,等我下命令哩！(黎汝清《海岛女民兵》二五章)

③ 他觉得瞎猫碰见死耗子是最妥当的办法。(老舍《四世同堂》七七)

例①里的"大懒使小懒",指大懒人支使小懒人做事。例②里的"大眼瞪小眼",形容大家因惊惧或无可奈何而你看着我、我看着你,都不说话的样子。"瞪"也作"看、望"。例③里的"瞎猫碰见死耗子",比喻侥幸得到意外的收获或成功。

(3) 单语节复句型惯用语。如：

① 四面子都是事儿,从哪头办起呀,按倒葫芦瓢起来,咳,真愁死了。(王希坚《雨过天晴》一章八)

② 你这是什么话！不想当干部,就早吭声,不吃凉粉腾板凳,离了你这块云,天也照样下雨。(聂海《靠山堡》一九)

③ 咳！你的脑筋僵化了,过时了。你是大里不见小里见。(梁斌《播火记》二九)

例①里的"按倒葫芦瓢起来",形容问题复杂或事情头绪多,顾了这一头就顾不了那一头;"按倒葫芦"和"瓢起来"之间是连贯关系。例②里的"不吃凉粉腾板凳",比喻如果不干实事就腾出职位;"不吃凉粉"和"腾板凳"之间是假设关系。例③里的"大里不见小里见",指大的方面忽视了,却注意小的方面;"大里不见"和"小里见"之间是转折关系。

(4) 双语节并列型惯用语

这种类型的惯用语,前后两个语节之间有比较明显的语音停顿,书面上常用逗号隔开。它的主要特点,是前后两个语节结构多相同,形成对偶、排比或对称关系。其内部结构,常见的有"主谓+主谓"、"述宾+述宾"、"述补+述补"、"偏正+偏正"、"'的'字结构+'的'字结构"等类型。分别举例如下:

① 人们走进小屋里,你一言,我一语,谈论着这次军事行动。(梁斌《播火记》二三)

② 老掌柜李鸿云,其实也不是不知道,只不过是睁一只眼,闭一只眼。(刘江《太行风云》八)

③ 你说的那位赵股长,远在天边,近在眼前哩!(张行《武陵山下》四章一七)

④ 女儿是她一把屎一把尿拉大的,形影不离地在自己身边长大的。(冯德英《苦菜花》一章)

⑤ 葛启说:"……他为什么对浸种还有意见?"万福说:"人家那是吃香的喝辣的呢!"(李满天《水向东流》三〇章)

例①里的"你一言,我一语",形容众人热烈讨论的样子,属于"主谓+主谓"型。例②里的"睁一只眼,闭一只眼",指本来看见或知道,假装没看见或不知道,属于"述宾+述宾"型。例③里的"远在天边,近在眼前",常指所谈论的人就在眼前,属于"述补＋述补"型。例④里的"一把屎一把尿",形容养育孩子很艰辛,属于"偏正＋偏正"型。例⑤里的"吃香的喝辣的",指吃香、喝辣(形容吃喝好,生活舒适)的人,属于"'的'字结构＋'的'字结构"型。

(5) 双语节非并列型惯用语

这种类型的惯用语,也可参照复句的分类系统进行分析。如:

① 实话告诉你,现在谈不到两全其美,<u>不是鱼死,就是网破</u>。(李英儒《野火春风斗古城》二三章一)

② 你倒好,<u>不怨狼吃羊,只怨羊上坡</u>。(刘江《太行风云》二九)

③ 我也是想,他当左先锋尚且这样下场。常言道:"<u>没有功劳,还有苦劳</u>。"(田汉《江汉渔歌》四〇场)

④ 告诉你,<u>过了这个村可没有这个店</u>,耽误了事别怨我!(老舍《茶馆》一幕)

⑤ <u>一波未平,一波又起</u>。这一回,真要劳你的神代我看看火色了。(李劼人《大波》二部五章二)

例①里的"不是鱼死,就是网破",形容双方势不两立,不是生就是死,是选择关系。例②里的"不怨狼吃羊,只怨羊上坡",比喻颠倒是非,是转折关系。例③里的"没有功劳,还有苦劳",指即使没有立下大的功劳,也曾经吃苦受累,是让步关系。例④里的"过了这个村可没有这个店",比喻如果错过这个机会,就不会再有,是假设关系。例⑤里的"一波未平,一波又起",比喻一个问题还未解决,另一个问题又出现了,是递进关系。

综合以上所述,惯用语的结构类型可归纳为下表:

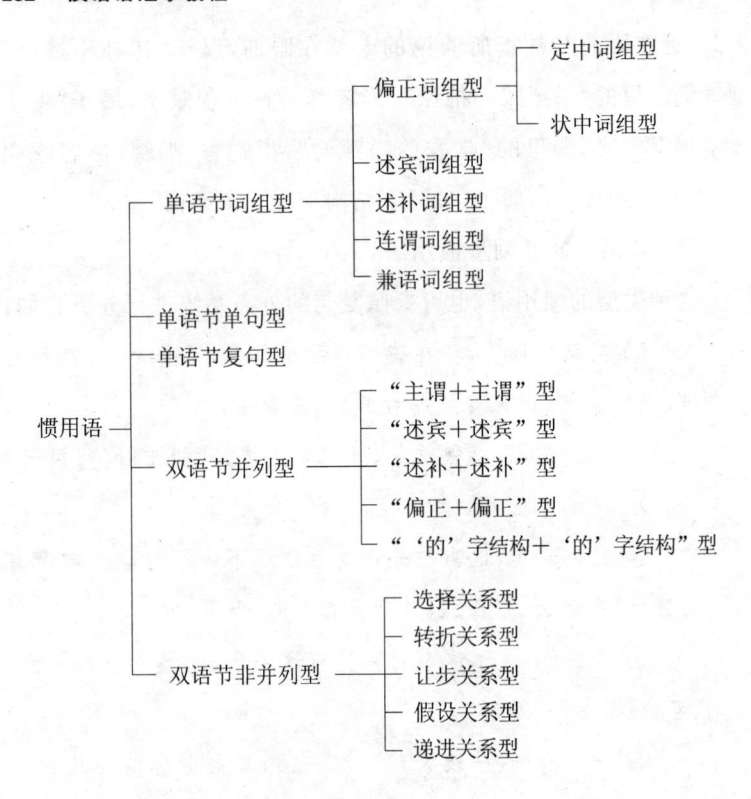

```
                                              ┌─ 定中词组型
                               ┌─ 偏正词组型 ─┤
                               │              └─ 状中词组型
                               ├─ 述宾词组型
              ┌─ 单语节词组型 ─┤─ 述补词组型
              │                ├─ 连谓词组型
              │                └─ 兼语词组型
              │
              ├─ 单语节单句型
              ├─ 单语节复句型
              │                ┌─ "主谓+主谓"型
              │                ├─ "述宾+述宾"型
惯用语 ───────┤─ 双语节并列型 ─┤─ "述补+述补"型
              │                ├─ "偏正+偏正"型
              │                └─ "'的'字结构+'的'字结构"型
              │                ┌─ 选择关系型
              │                ├─ 转折关系型
              └─ 双语节非并列型┤─ 让步关系型
                               ├─ 假设关系型
                               └─ 递进关系型
```

2．惯用语结构的相对固定性

结构上具有相对的固定性，是语的共同特点，表现在惯用语上也很明显。一方面，惯用语具有固定的结构，另一方面，这种固定具有相对性。

(1) 有的惯用语的语素可以进行同义或类义替换。如：

① 你有了砘儿叔，还要连秧儿叔，脚踩两只船。(刘绍棠《草窝》五节)

② 可是……可是小桂子，你一生一世，就始终这样脚踏两只船吗？(金庸《鹿鼎记》五〇回)

③ 咱们是经过大风大浪的人。如果反动派真敢来碰一碰,那就好比是鸡蛋碰石头。(峻青《女英雄孙玉敏》)

④ 你要我伸冤,你要我报仇,薛家是孤门小户,鸡蛋碰碾子啊?!(陈登科《活人塘》三)

⑤ 我也恨旧势力,我也喜欢新思想。不过现在你们怎么能够跟旧势力作对?鸡蛋碰墙壁,你们不过白白牺牲自己。(巴金《秋》三六)

例①里的"脚踩两只船"和例②里的"脚踏两只船",都是比喻和两方面都有约定或保持联系,看风向行动,"踩"和"踏"是同义语素。例③④⑤里的"鸡蛋碰石头(碾子、墙壁)",比喻弱者要和强者较量,"石头、碾子、墙壁"都是坚硬的东西,属于类义词。

(2) 结构成分可以拆开,插入其他成分

这种情况常见于述宾词组型的惯用语,动词性语素和宾语之间多可拆开。如:

① 你这个小詹,居然也敢在我面前板起面孔,摆起架子来了!(陈登科《风雷》一部五四章)

② 这两位夫人,尤其是那位已经二十六七岁的总务处长的夫人,摆着十足的架子。(丁玲《在医院中》三)

③ 奇怪的是他并未摆出理论家的架子,我也只把他看作一个普通朋友,并肃然起敬。(巴金《纪念雪峰》)

像这种例子可以举出很多。非述宾词组型的惯用语,有时也可以拆开,插入其他成分。如:

① 伍老拔瞅着顺他娘,问:"怎么你也不哭哭啼啼了?"顺他娘脸上腾地红起来,说:"羞死人哩!哪把壶不开你就提哪把壶!"(梁斌《播火记》三一)

② 新官上任三把火,他不从鸡蛋里找出点骨头来,怎能抬高他自己呢?(陈登科《风雷》一部二三章)

例①里的"哪把壶不开提哪把壶",比喻专拣对方的忌讳或弱处去说,中间插入"你就"。例②里的"鸡蛋里找骨头",比喻故意挑剔毛病,前面加"从",后面加"来",中间插入"出点"。

(3) 有时可以改变结构关系或前后掉换语素。如:

① 老麻虽然棒打鸳鸯,却也网开一面,没有给我穿小鞋,也没有抓我的辫子,打我的棍子,更没有拿老朋友的血染红顶子。(刘绍棠《野婚》三二)

② 咱们俩一齐心,处处找她的毛病,老给她小鞋穿,她就不敢再美了!(老舍《方珍珠》四幕)

③ 她把陈谷子烂芝麻尽量的往外倒。(老舍《老张的哲学》二四)

④ 看你这个人,自个不歇晌,还耽误人家睡觉,尽说些陈芝麻烂谷子的事!(秦兆阳《幸福》六)

例①里的"穿小鞋",比喻暗中刁难或打击报复。例②用"给"把"穿小鞋"里的宾语"小鞋"提前。例③里的"陈谷子烂芝麻",比喻陈旧、琐碎的话或事;例④里的"陈芝麻烂谷子",掉换了语素"谷子"和"芝麻"的位置。

(4) 结构形式可以扩展或紧缩。如:

① 他……真的想把这件事情缓和下来,大事化小,小事化无,免得成天价磨牙,耽搁工夫。(梁斌《烽烟图》二)

② 我们呢,也愿意大事化为小事,小事化为无事。(艾芜《芭蕉谷》)

③ 大事化小小化无呀!……我好不容易才说服了他啊!

我看,你也忍一忍,嗯?(康濯《水滴石穿》八)

④ 凡事总要大化小,小化无……把这件事平平安安过去,不就结了吗。(《官场现形记》二七回)

例①里的"大事化小,小事化无",这是通常说法。例②扩展为"大事化为小事,小事化为无事";例③④分别紧缩为"大事化小小化无"和"大化小,小化无",体现了惯用语具有较强的口语性的特点。

第三节 惯用语的语义

1. 惯用语语义的特点

惯用语语义具有描绘性、抽象性和惯用性等特点。下面依次说明。

(1) 描绘性

惯用语是描述性的语言单位,表明它具有描绘和陈述两种功能,其中,描绘功能是主要的。常见的描绘手法有以下五种。

(一) 白描法。如:

① 冷青霜跟黄金印的扣子拴得死,面和心不和。(刘绍棠《柳伞》五章二)

② 在李宝珠看来,她这位丈夫也不能算最满意的人。只能说是"比上不足,比下有余"。(赵树理《锻炼锻炼》)

③ 小五一看元英在纳底,喊了一声,说:"呀,白天游门走四方,黑夜点灯补裤裆,也不知道你活计是多,是少。"(刘江《太行风云》三九)

例①里的"面和心不和"指表面上很客气,内心却闹矛盾。例②"比上不足,比下有余",指比好的差一些,比差的又强一些。例③"白天游门走四方,黑夜点灯补裤裆",指白天闲逛,晚上才忙着干活。三者都是采用明叙直陈或如实描绘的白描手法。

(二) 引申法。如:

① 为了家里的生活,她想勇敢地挑起这副重担。(周而复《上海的早晨》一部三)

② 他们三个人各打各的锣,各唱各的调。(陈登科《赤龙与丹凤》四回)

③ 申家庄的代表讲申家庄的道理,孙家庄的代表讲孙家庄的道理,真是公说公有理,婆说婆有理,两方面又争开了。(孔厥等《新儿女英雄传》一五回)

例①里的"挑重担",原指挑很重的担子,引申指担负繁重的责任或工作。例②里的"各打各的锣,各唱各的调",引申指人各行其事,步调不一致。例③里的"公说公有理,婆说婆有理",引申指各说自己有理,谁也不服谁。

(三) 比喻法。如:

① 我愿意背这个黑锅,我不在乎这个,咱们心里明白算了。(刘知侠《铁道游击队》一七章)

② 八字没见一撇哩,先就这么对待,以后过了门,还不知这丁王庄的人,是怎样欺侮新媳妇呢!(王汶石《黑凤》八章)

② 花碧莲正是看过那一部爱情影片以后,按着葫芦画瓢,模仿那位女电影明星打扮的。(刘绍棠《小荷才露尖尖角》三)

例①里的"背黑锅",比喻代人受过。例②里的"八字没见一撇",比喻事情还没眉目。例③里的"按着葫芦画瓢",比喻按照某种样子模仿。类似的例子还可以举出很多,比喻是惯用语表义最常见的方式。

(四) 借代法。如：

① 我可不光耍嘴皮子，我的心放得正！(老舍《茶馆》二幕)

② 一些亏损企业虽然生产不景气，但企业中个别握有实权的干部却"富得流油"，群众称此现象为"富了方丈穷了庙"。(报)

③ 反正事已如此，你今天晚上去找老祝，和他当面谈谈，爱就爱，不爱拉倒！他走他的阳关道，你走你的独木桥，一刀两断。(陈登科《风雷》一部四八章)

例①里的"耍嘴皮子"，指说动听的话，用"嘴皮子"指代话。例②里的"富了方丈穷了庙"，指当头头的捞足了油水，富了起来，而所在的单位或企业却变得很穷，用"方丈"指代单位或企业里掌实权的头头，用"庙"来指代单位或企业。例③里的"他走他的阳关道，你走你的独木桥"，指彼此分道扬镳，各走各的路，用"阳关道"指代有光明前途的路，用"独木桥"指代艰险的道路。

(五) 夸张法。如：

① 有风不驶船，有近路不抄，那还算拳头上立人、胳膊上跑马的男子汉大丈夫吗？(郑秉谦《碧海缘》)

② 你常是个哑巴鸟，搬上碌碡都压不出个屁来，今个怎么像只画眉样的开口叫啦，还叫得这么好听？(李英儒《上一代人》一五)

③ 你怕什么？拔出一根毫毛来，比我们腰杆儿还粗呢。你还愁吃喝不成？(张恨水《金粉世家》八一回)

例①里的"拳头上立人、胳膊上跑马"，形容性格极其刚强。例②里的"搬上碌碡都压不出个屁来",形容人不说话,用再大的强制手段也不能叫他开口。例③里的"拔出一根毫毛来,比腰杆儿还粗",形容人极其富有。三者都用夸张手法。

(2) 抽象性

惯用语语义的形成,往往要经历从描绘性到抽象性的转化,即由实变虚,由具指到泛指。抽象性是惯用语语义的另一个重要特点。如:

① 我不甘放弃歌颂最可爱的人们的光荣责任,尽管只能写点报道也比交白卷好。(老舍《无名高地有了名·后记》)

② 他们走了,我实在累了,但还不得不开了个夜车,完成了工作。(康濯《我的两家房东》)

③ 登云故意卖关子,龙眼打了登云一拳,说:"你就别跟我兜圈子啦!"(王英先《枫香树》九章)

例①里的"交白卷",原指考试时写不出试题答案,把空白的卷子交出去;成为惯用语后指完全没有完成任务。例②里的"开夜车",原指驾驶员在夜间行车;成为惯用语后,指夜间继续工作或学习,赶时间完成任务。例③里的"卖关子"原为说书用语,指说书人说长篇故事时,说到重要关节处故意停住,以吸引听众继续听;成为惯用语后,指说话说到紧要处,故弄玄虚,使对方着急,以便实现自己的要求;"兜圈子"原指围绕某一目标绕圈儿;成为惯用语后,指说话做事,转弯抹角,不直截了当。

由两个语节组成的惯用语,其语义多由两个语节的字面义抽象概括而成。如:

① 这个酒囊饭袋他凭什么?文不成,武不就,我一根手指头能拨他个"大马趴"。(冀晖《烈马神枪传》五回)

② 走大路怕水,走小路怕鬼,还能报仇吗?(张行《武陵山下》四章二一)

③ 他……大彻大悟地自言自语起来:"啥啊!盐也只有那么咸,醋也只有那么酸。"(沙汀《淘金记》九)

例①里的"文不成,武不就",字面意义是指文的不行,武的也不行,实际意义是形容人什么本事也没有。例②里的"走大路怕水,走小路怕鬼",字面意义是指走大路也怕,走小路也怕,实际意义是形容人胆小怕事,顾虑重重。例③里的"盐也只有那么咸,醋也只有那么酸",字面意义是说盐和醋不过就有那样的咸味和酸味,实际意义是比喻事情就是那么一回事,没有什么了不起。

(3) 惯用性

惯用语语义的惯用性,是和构成语素的习惯性用法分不开的。有的理据并不充分,或者很难确定。如:

① 大家东一句,西一句,扯得非常亲热。(老舍《上任》)

② 她惊惶地睁起两只圆眼睛,东张张,西看看,一眼看见了老拴。(梁斌《烽烟图》五)

③ 你们东一榔头,西一棒子,力没往一处使,没击中要害。(鄢国培《漩流》二三章二)

④ 刘海清:对!咱们俩明天上班以前,就去看一遍,然后跟各工种商量一下,谁的料应当摆在哪儿,全不碍事!小陈:那就省得我东踢一脚,西踢一脚喽!(老舍《青年突击队》三幕一场)

例①里的"东一句,西一句",形容漫无边际地闲聊。例②里的"东张张,西看看",形容到处寻找。例③里的"东一榔头,西一棒子",形容动作不协调,力量分散。例④里的"东踢一脚,西踢一脚",形容手忙脚乱,穷于应付。它们都用"东"与"西"相对,带有习惯性,很难说出具体依据。

一些从珠算或算术口诀中转化过来的惯用语,语义的惯用性尤其明显。如:

① 陈家的老的、小的,只是个一退六二五,说他们做买卖的人素来不结交官府,推得干干净净!(欧阳山《三家巷》二七)

② 她说着又毛手毛脚地出了套间,见刘桂娃三下五除二地把一锅猪草全切出来啦。(王英先《枫香树》二四章)

③ 代用券换下来的现金,就三一三十一,各人分一点,留得看电影吃小馆。(张恨水《春明外史》七七回)

例①里的"一退六二五",原是珠算斤两法口诀,旧制一斤十六两,十六除一是0.0625,"退"是"推"的谐音,借用作推卸干净的意思。例②里的"三下五除二",原是珠算加法口诀,借用来形容行动果断敏捷。例③里的"三一三十一",是算术除法口诀,原为"三一三剩一",指用三除十,得三剩一,常借用来指平均分成三份。它们的结构浑然成一整体,其语义的形成,只能用惯用性来解释。

2. 惯用语语义的结构

(1) 字面意义和实际意义

从前面所举的实例中可以看出,惯用语字面意义大多只是它的语源意义,一旦成为惯用语之后,字面意义往往不起作用,抽象性的虚指义或泛指义才是它的实际意义。试看下面两组例子:

A组:

① 五龙湖边,有一香火池,池内焚黄纸,烧高香,青烟缭

绕。(石文生等《大佛寺传说》)

② 要是咱这条路上都修下你这样好心的队长,老百姓还不乐得烧高香?(冯志《敌后武工队》八章)

B组:

① 小伙子呀,放大炮,不要慌,轰隆一声响,石头天上翻,功效咱最高……(綦水源《三不吹》)

② 你为啥不和郭主人商量商量,在县里放大炮呢?(柳青《创业史》一部二章)

A组例①里的"烧高香",指在神像前焚烧高香(祭祀用的粗而长的线香)祈祷或感谢神佛保佑。这是它作为自由词组的意义,也是惯用语"烧高香"的语源意义。例②里的"烧高香",抽象出一个新的意义,成为它作为惯用语的实际意义:表示十分感谢或感谢不尽。B组例①里的"放大炮",指发射口径较大的火炮。这是它作为自由词组的意义,也是惯用语"放大炮"的语源意义。例②里的"放大炮",抽象出一个新的意义,作为惯用语的真实意义:比喻说大话或发表激烈的言论。

这种情况,在惯用语里具有普遍性。如"干打雷,不下雨"、"雷声大,雨滴小",如果指一种天气现象,便是自由词组,成为惯用语之后,语义分别抽象为"只有声势,没有实际行动",和"声势很大,实际行动很少"。这说明自由词组一旦转化为惯用语之后,就失去了原来作为词组时的字面意义,产生了一个具有抽象性、泛指性的新义,成为它们的实际意义。

(2)基本意义和附加意义

许多惯用语的实际意义,除了基本意义之外,还有色彩意义,包括形象色彩和感情色彩。惯用语的形象色彩,下一节讲惯用语的修辞作用时再叙述,这里着重讲述惯用语的感情色彩。

惯用语在感情色彩上的一个重要特点,就是贬义性。像"天生一对,地设一双"(形容男女双方非常般配)、"只打催战鼓,不敲收兵锣"(比喻只促人前进,不鼓励后退)以及前面引用过的"吃香的,喝辣的"等褒义的惯用语,为数不多。中性的惯用语虽然较多,也比不上贬义的惯用语多。

惯用语的贬义性,主要表现在从消极一面来描绘人的遭遇、形象或动作行为等。如:

① 想起不过半小时前他在那些污秽的市街中碰了一鼻子灰,他不能不生气了。(茅盾《报施》三)

② 他有个钻牛犄角脾气,不撞鼻子不回头。(张孟良《儿女风尘记》一部四)

③ 我偷偷地翻过墙院,出了黄坎村……到了口外。从此以后,就过起了那种人不像人鬼不像鬼的日子。(峻青《秋色赋》二辑)

④ 金旺、兴旺弟兄两个,给一支溃兵作了内线工作,引路绑票,讲价赎人,又做巫婆又做鬼,两头出面装好人。(赵树理《小二黑结婚》四)

⑤ 官娘子搬起石头砸自己的脚,想占便宜却吃了大亏。(刘绍棠《荆钗》四三章)

⑥ 我们有的先生,又想当婊子,又想竖贞节牌坊。(罗旋《南国烽烟》一部序篇)

例①里的"碰了一鼻子灰",比喻遭到拒绝或挫折,落得没趣。例②里的"钻牛犄角"(也说钻牛角尖、钻牛角),比喻固执地钻研无法解决或没有价值的问题;"不撞鼻子不回头",指不吃苦头或不遭受失败就不知悔改。例③里的"人不像人鬼不像鬼",形容境遇极其凄惨。例④里的"又做巫婆又做鬼",比喻两头装好人。例⑤里的"搬起石头砸自己的脚",比喻自作自受,自食恶果。例⑥里的"又想当婊子,又想竖贞节牌坊",指既想做坏事,又想捞取好的名声。

3. 惯用语语义的类聚

(1) 同义惯用语

两个或两个以上语义相同或相近的惯用语,叫做同义惯用语。同义惯用语的形成,主要是取材不同,但语义相同或相近。如:

① 也是我命苦,才出虎口,又入狼窝。(罗旋《梅》一四)

② 双连摸着脑袋,说:"啊呀,不要池里爬出来,再掉到井里哇!"(刘江《太行风云》四)

③ 倘或再有点事出来,可不是他们躲过了风暴又遇了雨了么?(《红楼梦》一〇七回)

例①里的"才出虎口,又入狼窝"、例②里的"池里爬出来,再掉到井里"和例③里的"躲过了风暴又遇了雨",实际意义都是指躲过一场灾难,又遭受另一场灾难,语义相同但取材不同,形成同义惯用语。

有些同义惯用语,可以组合成一个双语节惯用语。如:

① 他要是打我们,我们就刀对刀,枪对枪!(梁斌《播火记》三五)

② 你这个溜沟子舔屁股的狗腿汉奸,屎克郎爬在牛腿上,显在你什么地方!(刘江《太行风云》三二)

③ 她们虽然各吹各的号,各唱各的调,围攻的却都是谷秸一人。(刘绍棠《孤村》四五)

例①里的"刀对刀,枪对枪",形容针锋相对地斗争,由"刀对刀"和

"枪对枪"两个同义惯用语组成。例②里的"溜沟子舔屁股",形容拍马奉承,由"溜沟子"和"舔屁股"两个同义惯用语组成。例③里的"各吹各的号,各唱各的调",指各人说个人的一套,由"各吹各的号"和"各唱各的调"两个同义惯用语组成。

(2) 反义惯用语

语义相反的惯用语,叫做反义惯用语。如:

A组:

① 今个我跟你打大算盘。(浩然《艳阳天》一〇八章)

② 我看代表还是要,不过可以由村长指派,派那些最穷、最爱打小算盘的人,像老槐树老秦那些人。(赵树理《李有才板话》四)

B组:

① 调度会要开,这是吹冲锋号的时候,不能躺在病床上。(蒋子龙《机电局长的一天》)

② 你应该鼓励她,怎么也帮她打退堂鼓呢?(黎汝清《海岛女民兵》八章)

A组里的"打大算盘"与"打小算盘",由于语素"大"和"小"反义,而形成反义。B组里的"吹冲锋号"指鼓气向前进,"打退堂鼓"指泄气向后退缩,形成反义。

有些双语节惯用语是由具有反义性的两个语节构成的。如:

① 不要前门拒虎,后门进狼。(李六如《六十年的变迁》二卷一二章)

② 人家老马再三叮嘱我注意赵兴茂,我只顾跟上单老二,这不是抓个芝麻,漏掉西瓜哩!(黄日强《夺粮记》二七回)

③ 在长期打交道中,他知道陈尚仁是"嘴里念弥陀,心赛

毒蛇窝"的人。(罗旋《南国烽烟》一部四)

第四节　惯用语的语法功能和修辞作用

1. 惯用语的语法功能

惯用语可以单独成句,或充当复句里的分句,也可以作句子成分。下面分别加以说明。

(1) 单独成句

单独成句的,多为句子型惯用语。如:

① 说曹操曹操就到!这是贾鸿年!(赵树理《卖烟叶》)

② 王力:大嫂,有什么可笑的?方太太:可笑!太可笑!买金的遇见卖金的!(老舍《方珍珠》二幕)

③ 此等聚众骚扰的行径,分明是……一时间的冲动罢了!成事不足,败事有余!(茅盾《子夜》九)

例①里的"说曹操曹操就到",指正在谈论某人,某人就到跟前。例②里的"买金的遇见卖金的",形容事情十分凑巧,碰到了称心如意的人。例③里的"成事不足,败事有余",指人极其无能,不能把事情办好,只会把事情办坏。三者都是单独成句。

(2) 相当于一个分句,充当复句的组成部分。如:

① 我一见这种人就七窍生烟,气不打一处来,忍不住兜根子揭他们的老底儿。(刘绍棠《野婚》三六)

② 高不成,低不就,他落了空。(老舍《四世同堂》三七)

③ 他是贱骨头,敬酒不吃吃罚酒。(田汉《风雨同舟》二幕)

例①里"气不打一处来",指怒气一齐爆发出来,形容非常生气。例

②里"高不成,低不就",指高而合意的,做不了或得不到;做得了或能得到的,又认为低而不合意,不肯做或不肯要(多用于选择工作或选择配偶)。例③里的"敬酒不吃吃罚酒",比喻好言好语劝说偏不听,用强制的手段才接受。它们都分别充当复句里的分句。

(3) 充当句子某种成分

惯用语充当句子成分时,可作主语、谓语、宾语、定语、状语、补语等。

(一) 作主语。如:

① 干打雷不下雨是没有什么作用的。(老舍《离婚》一)

② 跟着龙王吃贺雨就是帮凶!(赵树理《李家庄的变迁》一五)

③ 平地一声雷,震动了锁井镇一带四十八村。(梁斌《红旗谱》一)

例①里的"干打雷不下雨",比喻只造声势,不见实际行动。例②里的"跟着龙王吃贺雨",比喻跟着有钱有势的人沾点儿便宜。例③里的"平地一声雷",比喻突然发生了一件大事。它们分别充当句子的主语。

(二) 作谓语。如:

① 你我不是外人,我们推开窗子说亮话。(阳翰笙《草莽英雄》五幕)

② 会运媳妇好了伤疤忘了痛——其实,她身上的伤口还没全结疤,就又和野汉来往了。(冯德英《迎春花》一三章)

③ 阿合马鱼肉百姓二十二年之久,老百姓都敢怒而不敢言。(田汉《关汉卿》一一场)

例①里的"推开窗子说亮话",也说"打开天窗说亮话",指毫无隐瞒地把话公开说出来。例②里的"好了伤疤忘了痛",指人的处境刚有所好转,就忘记了过去痛苦的教训。例③里的"敢怒而不敢言",指心里有怒气,因受到某种压力,不敢说出来。它们分别充当句子的谓语。

(三) 作宾语

这是惯用语比较常见的用法。既可以作受事宾语,也可以作"关系"宾语。如:

① 有那么几个人……想捞稻草,我们心里明白,不上他们的当。(丁玲《游汤原·三访》)

② 沙子堆出不了货,又叫贼偷了。总有一二十担吧,——真是卖灰面遇见吹大风!(沙汀《淘金记》二)

③ 上海发明了新办法,两边不照面,脊背靠脊背,职工在自己厂店里检举,资本家在市里交代不法行为,简单地说,就叫背靠背。(周而复《上海的早晨》二部二九)

例①里的"捞稻草",指快被淹死的人,抓住一根稻草,想借此活命,比喻在绝境中作徒劳无益的挣扎,作动词"想"的宾语。例②里的"卖灰面遇见吹大风",比喻事情偏不凑巧,碰见倒霉事,作动词"是"的宾语。例③里的"背靠背",指不当着当事人的面(批评、揭发检举等),作动词"叫"的宾语。

(四) 作定语

惯用语作定语也比较常见,一般要用结构助词"的"联结。如:

① 你们放心大胆地干吧,这是一本万利空手捞白鱼的买卖。(李英儒《野火春风斗古城》一六章二)

② 你爸爸是吐口唾沫脸上揩掉的人,出去未拿过人家一根线,未动过人家一把草,怎敢……去偷他家的驴子呢?(陈

登科《活人塘》三)

③ 他是属于那种"脸上带笑,袖里藏刀"的阴险的角色。(陈立德《前驱》二三)

例①里的"空手捞白鱼",指不用付出代价,白得好处,作中心词"买卖"的定语。例②里的"吐口唾沫脸上揩掉",形容人生性懦弱,任人欺凌,作中心词"人"的定语。例③里的"脸上带笑,袖里藏刀",形容人表面和善,却暗藏杀机,作中心词"角色"的定语。

(五) **作状语**

惯用语有的可直接作状语,多数要用结构助词"地"联结。如:

① 他白天去帮工,晚上很晚回到家……那真是头顶着星星,身背着月亮干哪!(黎明《祖国的儿子黄继光》一章一)

② (人贩子)没见梁永生的影儿,便横鼻子竖眼地责问翠花道:"他哪里去啦?"(郭澄清《大刀记》一卷开篇七)

③ 你们横草不动,竖草不拿地不劳动,还不是小姐?(老舍《青年突击队》四幕一场)

例①里"头顶着星星,身背着月亮",形容夜以继日,辛勤劳作,直接作中心词"干"的状语。例②里的"横鼻子竖眼",形容发怒的样子,作中心词"责问"的状语。例③里的"横草不动,竖草不拿",形容悠闲自在,什么活都不干,作中心词"不劳动"的状语。例②③分别用结构助词"地"联结。

(六) **作补语**

惯用语作补语,一般要用结构助词"得"联结。如:

① 这时候,正碰上罗生明又在跟张四海争闹预借工资的问题,两个人正吵得脸红脖子粗。(欧阳山《高干大》一二章)

② 阿合马已经气得吹胡子瞪眼,但仍在竭力敷衍……

(田汉《关汉卿》七场)

③ 那三藏与八戒、沙僧领御斋,忽闻此言,唬得三尸神散,七窍烟生,倒在尘埃,浑身是汗,眼不定睛,口不能言。(《西游记》七八回)

例①里的"脸红脖子粗",形容争吵时又急又生气的样子,作中心词"吵"的补语。例②里的"吹胡子瞪眼",形容发怒、生气的样子,作中心词"气"的补语。例③里的"三尸神散,七窍烟生",指三尸神(道教称在人体内作祟的有神,叫"三尸"或"三尸神")都走开了,七窍(指两眼、两耳、两鼻孔和口)都生了烟,形容非常惊慌,作中心词"唬"的补语。三者分别用结构助词"得"联结。

上述表明,惯用语的语法功能相当齐全,可以充当各种句法成分。

2. 惯用语的修辞作用

惯用语属于描述性的语言单位,它最基本的修辞作用,在于通过形象性的描绘使语言生动化,并在此基础上侧重揭示社会生活中的消极面。

(1) 进行形象性描绘是实现惯用语修辞作用的基本手段

惯用语所进行的形象性描绘,主要是围绕着人,常见的有五个方面。

(一)形象地描绘人的相貌。如:

① 他忙开了:征集,编制,陈列,讲演,招待,全是他,累得"四脖子流汗"。(老舍《铁牛和病鸭》)

② 素云十分明显地指桑骂槐,骂得何老九抬不起头来。(陈登科《风雷》一部三二章)

③原来胡二皮的兵每人都有杆大烟枪,个个面黄肌瘦,三分不像人,七分倒像鬼。(李晓明等《平原枪声》三〇)

例①里的"四脖子流汗",描绘人劳累的样子。例②里的"抬不起头来",描绘人受辱骂而不敢挺直腰杆面对的样子。例③里的"三分不像人,七分倒像鬼",描绘人身子瘦弱、相貌丑陋的样子。

(二) 形象地描绘人的性格特征。如:

① 她一个妇道人家,向来是刀子嘴,豆腐心,动起肝火,什么话也兴说。(魏巍《东方》一部七章)

② 刘大斗是个吃人不吐骨头的恶霸,群众一想起他们就害怕。(金敬迈《欧阳海之歌》二章五)

③ 鹏振是见人说人话,见鬼说鬼话的。(张恨水《金粉世家》四六回)

例①里的"刀子嘴,豆腐心",描绘人说话尖刻但心地慈善。例②里的"吃人不吐骨头",描绘人极其凶残。例③里的"见人说人话,见鬼说鬼话",描绘人处世圆滑,两面三刀。

(三) 形象地描绘人的心理活动。如:

① 你呀!把我看成什么人了,我对你还不是恨铁不成钢呀。(雪克《战斗的青春》三章二)

② 谢博堂脸上的红光不见了……显得有些灰溜溜的;可是"倒驴不倒架",肚子还是腆着,精神十足的样子。(陈淼《危难之间》一〇)

③ 年轻人,头上一把火,就是要有点恨天无把,恨地无环的劲头。(李英儒《上一代人》一二)

例①里的"恨铁不成钢",描绘恨人不能尽快成才的心情。例②里的"倒驴不倒架",描绘人已经失势,却仍自以为了不起。例③里的

"恨天无把,恨地无环",描绘人恨不得能控制天地。

(四)形象地描绘人的境遇。如:

① 我的运气不好,处处倒楣,碰钉子,事业一到我手里就莫名其妙地弄得一塌胡涂。(曹禺《北京人》二幕)

② 我看有一天,你龟儿子,定要倒楣的!一下子发病了,四面又没有人烟,喊天天不应,喊地地不灵,看你咋个办嘛!(艾芜《私烟贩子》)

③ 真是躲了一棒槌,挨了一榔头……为了甩开他们,我昨天在古人镇放出要去串乡卖货的烟幕,可是他们还是跟踪来了。(姜树茂《渔港之春》一二)

例①里的"碰钉子",描绘遭到拒绝或受到斥责。例②"喊天天不应,喊地地不灵",描绘身陷绝境,无处求助。例③"躲了一棒槌,挨了一榔头",描绘刚摆脱了困境,又陷入更大的困境。

(五)形象地描绘人的动作行为。这一类惯用语最多。如:

① 老头子管不了我,我不能守一辈子女儿寡!就是老头子真犯牛脖子,我手里也有俩体己。(老舍《骆驼祥子》六)

② 有人说,曾家三兄弟合穿一条裤子:曾长耀掌官印,曾再兴掌枪,曾作金管家财,三个人的罪行不能分开。(张行《武陵山下》九章五〇)

③ 被敌人追赶的,当然是好人,既是好人,就不能"黄鹤楼上看翻船",得要想办法营救。(严亚楚《龙感湖》二六回)

例①里的"犯牛脖子",描绘人耍倔脾气。例②里的"合穿一条裤子",描绘两人或几个人勾结起来干坏事。例③里的"黄鹤楼上看翻船",描绘人对别人遭受灾祸,无动于衷,采取袖手旁观的态度。

(2)侧重揭示消极阴暗面,是惯用语的主要特点惯用语描绘的范围很广，涉及社会生活的方方面面，多数是消极面。这和前面所说的惯用语语义的贬义色彩居多有关。

社会上的消极现象是不以人的主观意志为转移的客观存在，因此，惯用语常常用来作为思想斗争以至政治斗争的工具。

"只许州官放火，不许百姓点灯"这个惯用语之所以久用不衰，就在于它对于揭露社会的消极阴暗面有特殊的作用。鲁迅在《华盖集·碎话》里，就曾经用这个惯用语来讽刺当时文坛上的"天才"："况且文坛上本来就'只许州官放火，不准百姓点灯'，既不幸为庸人，则给天才做一点牺牲，也正是应尽的义务。"

鲁迅先生的杂文以强烈的战斗性闻名，其中惯用语的准确运用，对于提高语言的战斗性和艺术性往往起着其他语言形式不可替代的作用。他在《论"费厄泼赖"应该缓行》一文里，针对林语堂在《插论语丝的文体——稳健、骂人、及费厄泼赖》一文中所宣扬的"对于失败者不应再施攻击"一类论调，提出"落水狗"不仅可以打，而且非打不可，"不'打落水狗'是误人子弟的"。文章根据历史上血的教训，提醒人们必须提高警惕，对敌人不能妥协和宽容，要"即以其人之道还治其人之身"，发扬痛打"落水狗"的彻底革命精神。随着这种彻底革命精神的传播，"打落水狗"这个惯用语也就流行开来。

1927年2月19日，鲁迅先生在题为《老调子已经唱完》的讲演中，创造性地运用了"唱老调子"这个惯用语，把"唱老调子的先生们"提倡封建文化、反对民主和进步的丑恶嘴脸揭露得可谓淋漓尽致。他深刻地指出，历史上凡是"唱老调子"的保守势力，都一个一个地灭亡了，"唱完别人了，他们是要唱完了自己"。他号召青年要抛弃老调子。他说：

"那么,怎么好呢?我想,唯一的方法,首先是抛弃了老调子。旧文章,旧思想,都已经和现社会毫无关了。……我们的老调子,也就是一把软刀子。中国人倘被别人用钢刀来割,是觉得痛的,还有法子想;倘是软刀子,那可真是'割头不觉死',一定要完。……我想,叫我们用自己的老调子唱完我们自己的时候,是已经要到了。"

他鼓励青年不要怕危险,勇敢地走出洋楼和书房,寻找新的革命道路。全文灵活运用"唱老调子"这个惯用语达二十多处,堪称运用惯用语的范例。

思 考 题

一、有人把惯用语定义为:口语中一种相沿习用的定型短语;或表达一种习惯含义的固定词组。你认为合适吗?理由是什么?

二、如何区分惯用语与具有比喻义或引申义的合成词?试举例说明。

三、如何区分惯用语与谚语?试举例说明。

四、你认为惯用语在语义上最重要的特点是什么?试举例说明。

练 习 题

一、下列语言单位中,在你认为是惯用语的下面画一横线:
随大流　不甘心　装门面　不近人情　揭不开锅
不良贷款　当务之急　摸老虎屁股　众人拾柴火焰高
好心当做驴肝肺　喝水不忘掘井人　吃着碗里,看着锅里
从善如登,从恶如崩

二、举出单语节词组型惯用语和单语节单句型惯用语各三条：

1. 单语节词组型惯用语：

①_____ ②_____

③_____

2. 单语节单句型惯用语：

①_____ ②_____

③_____

三、补出下列双语节并列型惯用语的前一个语节或后一个语节：

① 上刀山，_____ ②_____，雨里去

③_____，下不着地 ④ 头痛医头，_____

四、简释下列惯用语：

① 打预防针：_____

② 小巫见大巫：_____

③ 指桑树，骂槐树：

_____

④ 只见树木，不见森林：_____

五、用下列惯用语各造一个句子：

① 开绿灯：_____

② 八九不离十：_____

③ 一竿子插到底：_____

④ 揣着明白的，说糊涂的：_____

第七章　成语

第一节　成语的性质和范围

1. 成语的性质

在第二章"语的分类"中,我们给成语下的定义是"'二二相承'的表述语和描述语"。我们同时知道,从内容上看,谚语属于表述语,惯用语属于描述语。在这一点上,有的成语和谚语一样,有的成语和惯用语一样,唯一可以作为区别性特征的,就是"二二相承"的四字结构。

我们把成语定义为"'二二相承'的表述语和描述语",含有以下四层意思:

第一、成语在字数上都是由四个字构成的语言单位,少于或多于四个字都不属于成语。如"一窝蜂"、"走后门"、"时势造英雄"、"不打不相识"等,前两个是惯用语,后两个是谚语。

第二、成语在读音上都是二二音步。否则,即使是四字格,也不属于成语,如"喝西北风"、"捅马蜂窝"、"旁观者清"、"当局者迷"(前两个是一三音步的惯用语,后两个是三一音步的谚语)。

第三、成语在结构上是相对固定的。否则,即使是四字格,也不属于成语。如"勤劳勇敢"、"请客吃饭"、"前后左右"、"花鸟鱼虫"等,它们都是自由词组。

第四、成语在语义表达上都是叙述性语言单位。否则,即使是二二相承的语言单位,也不属于成语。如"北京大学"、"朝鲜半岛"、"新闻联播"、"抗日战争"等,前两个是专名语,后两个是专门用语,它们都是概念性的语言单位。

综上所述,只有在语法、语义结构,或语音结构上采取"二二相承"格式的表述语和描述语,才是成语。换句话说,成语是"二二相承"的表述语和"二二相承"的描述语的合称。

把成语定义为"'二二相承'的表述语和描述语",是以语言事实为基础的理性思考。已故著名语言学家吕叔湘先生曾经说过:"成语的主要特点是形式短小,并且最好是整齐,甚至可以说是以四字语,尤其是二二相承的四字语为主。"(见《中国俗语大词典》序,上海辞书出版社,1989)把成语定义为"'二二相承'的表述语和描述语",继承和发展了吕叔湘先生的上述论述。

2. 成语的范围

(1) 成语范围问题的复杂性

把成语定义为"'二二相承'的表述语和描述语",使成语有了比较清晰的内涵和外延,为确定成语的范围提供了科学依据。

然而,由于成语是早已大量存在而且被人们广泛关注的语言单位,人们对成语的性质历来有不同的认识,对成语的范围也就众说纷纭,莫衷一是。

早先,"成语"多用来指称"习用的古语"。明确用来指称语汇单位,并列举较多语言事实的,始见于清代学者的著作。清代音韵训诂学家钱大昕在《恒言录》一书里,专列"成语类",共收 79 条。现在看来,成分较杂,其中既有成语(如"金玉满堂、多多益善、不学无术、屡见不鲜、人面兽心、千变万化、如释重负、对牛弹琴、掩耳盗铃、因噎废食、吹毛求疵、矫枉过正、风清弊绝、登峰造极、一败涂地、摇唇鼓舌、片纸只字、百孔千疮、奴颜婢膝、花言巧语、抱头鼠窜"等),又有谚语(如"近朱者赤,近墨者黑"、"远水不救近火"等)、惯用语(如"打秋风"、"抱佛脚"、"只许州官放火"、"悬羊头,卖狗肉"、"比上不足,比下有余"等)和歇后语(如"矮子看戏")。此外,还收了"百怪(多种怪异)、妖精、作獭(侵夺,侵害)、护身符"等复合词。

20世纪40年代,学者方绳辉在《成语和成语的运用》(《国语杂志》3卷2期,1943)一文里,认为"复字词根本不是成语","成语应当是'语'或'句'"。他把复合词排除在成语之外,这是正确的,是对成语认识的一大进步。但由于他把成语定义为"社会上流行的语句",仍然把成语的范围定得过宽。他把成语分成22类。包括:

一、俗语(如"不是冤家不聚头");

二、谚语(如"羊肉不得吃,空惹一身臊");

三、市语(如"水中捞月");

四、古语(如"牝鸡司晨");

五、常言(如"机儿不快梭儿快");

六、缩脚语(如"哑子吃黄连");

七、鄙语(如"利令智昏");

八、隐语(如"黄绢幼妇");

九、方言(如"不当家花拉");

十、惯语(如"就事论事");

十一、格言(如"满招损,谦受益");

十二、外来语(如"五体投地");

十三、典故(如"塞翁失马");

十四、简缩前人的文句(如"出类拔萃"取自《孟子·公孙丑上》"出乎其类,拔乎其萃");

十五、割裂前人的文句(如"千里鹅毛"来自黄庭坚诗"千里赠鹅毛");

十六、引用前人说的话(如"不入虎穴,焉得虎子"引自《后汉书·班超传》);

十七、重言叠用(如"如此如此");

十八、比喻(如"班门弄斧");

十九、转义(如"玉石俱焚");

二十、伸引(如"司空见惯");

二十一、将复字词拆开,插入限制或修饰的词(如"七零八碎");

二十二、语句有特殊的语风,非字面所能解释的(如"之乎者也")。

这种分类法,现在看来,明显不合理,从所举的例子中可以看出,除成语外,还包括谚语(如"不是冤家不聚头"、"机儿不快梭儿快"、"满招损,谦受益"、"不入虎穴,焉得虎子")、惯用语(如"羊肉不得吃,空惹一身膻"、"不当家花拉")和歇后语(如"水中捞月"、"哑子吃黄连")。这可以看做是对成语的广义理解。

这种对成语的广义理解,在当代学者中仍有影响。如有的学者把成语理解为"现成的话",认为成语的范围应包括:

二字成语:如"推敲"、"鸡肋"、"烂柯"、"请缨"、"涂鸦"、"献芹"、"献曝"等;

三字成语:如"闭门羹"、"口头禅"、"翘尾巴"等;

四字成语:如"投畀豺虎"、"光怪陆离"、"悲欢离合"、"口口声声"、"近水楼台"、"见仁见智"等;

五字以上的短句及复句成语:如"小巫见大巫"、"远水不救近火"、"行百里者半九十"、"城门失火,殃及池鱼"、"搬起石头打自己的脚"、"留得青山在,不怕没柴烧"、"只许州官放火,不许百姓点灯"、"踏破铁鞋无觅处,得来全不费功夫",等等。

这种对成语的广义理解,模糊了成语的特点,不利于划清成语和谚语、惯用语、歇后语等语类的界限。因此,许多学者不主张采用这种说法,提出了另一种观点,即对成语的狭义理解。早期的代表是已故著名学者周祖谟先生。他在《汉语词汇讲话》(人民教育出版社,1959)一书里,对成语的性质作了这样的概括:

> 成语就是人民口头里多少年来习用的定型的词组或短句。其中大部分都是从古代文学语言中当做一个意义完整的单位承继下来的。它的意思可以用现代语来解说,但是结构不一定能跟现代语法相合,例如"责无旁贷、义不容辞"。成语的结构是固定的,一般都是四个字,它是相沿已久、约定俗成的具有完整性的东西,所以称为"成语"。

这是对于成语性质和范围具有经典性的论述。它的重要性在于,不仅指出成语的结构是固定的,而且指出成语"一般都是四个字"。这就为成语与谚语、惯用语、歇后语等语类的区别提出了结构形式上的标准。

(2) 成语范围的模糊性

认为成语"一般都是四个字",这是对成语认识的又一大进步。后来的一些论著、教材或辞书,基本上都采用了这种说法。如:

> 成语是人们习用的、具有历史性和民族性的定型词组;汉

语成语以单音节构成成分为主,基本形式为四音节。

——马国凡《成语》,内蒙古人民出版社,1978,第 54 页

成语是熟语中最重要的一种,形式简洁而意思精练。汉语的成语多数是四字的,如"狐假虎威、弄巧成拙、兴师动众、惟妙惟肖"。

——北京大学中文系现代汉语教研室编《现代汉语》,商务印书馆,2003,第 246 页

人们长期以来习用的、简洁精辟的定型词组或短句。汉语的成语大多由四个字组成,一般都有出处。有些成语从字面上不难理解,如"小题大做"、"后来居上"等。有些成语必须知道来源或典故才能懂得意思,如"朝三暮四"、"杯弓蛇影"等。

——《现代汉语词典》(第 5 版)"成语"条,商务印书馆,2005,173—174 页

一说"基本形式为四音节",一说"多数是四字的",一说"大多由四个字组成",都意味着有少数成语可以不是由四个字组成的。这样,就难免使成语的范围模糊起来。这明显地表现在成语类辞书的收条上。据统计,上海辞书出版社 1987 年出版的《中国成语大辞典》,所收的 17934 个语目中,有 794 个不是由四个字组成的,约占 4.42%。其中属于谚语的有"初生牛犊不怕虎"、"远水救不得近渴"、"走了和尚走不了庙"、"吃一堑,长一智"、"来者不善,善者不来"等;属于惯用语的有"杀风景"、"杀人不眨眼"、"迅雷不及

掩耳"、"肉中刺,眼中钉"、"挂羊头,卖狗肉"等;属于歇后语的有"打破沙锅璺(问)到底"、"姜太公钓鱼,愿者上钩"、"泥菩萨过江,自身难保"等。还有"三人行必有我师"、"知之为知之,不知为不知"、"水能载舟,也能覆舟"、"欲穷千里目,更上一层楼"等格言或名句。这种情况在成语类辞书中具有普遍性。

要改变这种状况,必须进一步正确认识成语的性质,给成语下一个更加明确的定义。我们把成语定义为"'二二相承'的表述语和描述语",正是适应了这种需要,使成语有一个明确的范围。

(3) 有关成语划界的几个问题

明确了成语的性质和范围,并不等于解决了所有的问题。在具体操作时,往往还会碰到一些界限不清的现象。需要提出来讨论的有:

(一) 关于"不A不B"、"七A八B"、"可A可B"式四字格的归属问题。

甲类: 乙类:

不三不四　不卑不亢　　不上不下　不今不古
不伦不类　不折不扣　　不高不低　不快不慢
不知不觉　不屈不挠　　不紧不松　不前不后
不闻不问　不骄不躁　　不大不小　不早不晚
不偏不倚　不理不睬　　不哭不笑　不摇不摆
不痛不痒　不即不离　　不冷不热　不长不短
七上八下　七手八脚　　七长八短　七高八低
七嘴八舌　七拼八凑　　七死八活　七肥八瘦
可歌可泣　　　　　　　可多可少　可长可短
　　　　　　　　　　　可高可低　可上可下

上面所列四字格,甲类结构相对固定,可归入成语;乙类结构相对松散,可看做甲类的"活用",暂不归入成语。这里有个衡量尺度宽严的问题,由于"习用性"在不断变化,个人语感又不完全相同,对那些"两可"的,应当允许有"过渡性"的不同处理意见。

(二) 关于新生的、结构尚不十分定型的四字格的归属问题。

包办代替　插队落户　传经送宝　大风大浪　反腐倡廉
搭桥铺路　德才兼备　访贫问苦　风云突变　高歌猛进
真心诚意　植树造林　自作多情　扭亏为盈　重铸辉煌
更新换代　活学活用　宽打窄用　苦大仇深　评功摆好
脱贫致富　拥军优属　拥政爱民　防洪排涝　转轨变型

上面所列四字格,大都是近几十年来新产生的,有的结构还不十分定型。有的人认为是成语,有的人持怀疑态度。其实,成语的形成都有从"偶尔一用"到逐步习用的过程,如由"无的放矢"仿造而成的"有的放矢",开始也是偶尔一用,后来用得多了,也就成为公认的成语,被收入成语词典。因此,对新生的四字格,应当允许有一个"考察期",在认识还不一致的时候,暂不要下结论。

(三) 关于"AABB"式四字格的归属问题。

甲类:　　　　　　　　　**乙类:**

三三两两　口口声声　　　　子子孙孙　方方正正
形形色色　林林总总　　　　打打闹闹　平平稳稳
花花绿绿　郁郁葱葱　　　　四四方方　虚虚实实
鬼鬼祟祟　洋洋洒洒　　　　多多少少　里里外外
浑浑噩噩　袅袅婷婷　　　　奇奇怪怪　挑挑拣拣
堂堂正正　婆婆妈妈　　　　摇摇晃晃　稳稳当当
兢兢业业　　　　　　　　　痛痛快快

对这些四字格,可用两条标准来检验。一条标准是,看"AABB"式是不是"AB"式合成词的重叠,如果是的话,属于语法范畴的问题,应排除在成语之外。另一条标准是,看是否具有习用性,缺乏习用性的不宜列为成语。以上甲类习用性很高,又不是"AB"式合成词的重叠,可归入成语;乙类习用性相对较低,又是"AB"式合成词的重叠,不宜列为成语。

第二节 成语的结构

1. 成语结构的类型

"二二相承"是成语结构的特征。从表现形式上看,可分为严格意义上的"二二相承"和非严格意义上的"二二相承"。前者指语法、语义结构和语音结构都采用"二二相承"式,而且两个语步采用并列式,属于完全意义上的"二二相承"式;后者指语法、语义结构采用"二二相承"式,但两个语步采用非并列式,或语法、语义结构不是"二二相承"式,但语音结构或习惯读音是"二二相承"式,属于不完全意义上的"二二相承"式。据此,可把成语的结构分为两大类型:完全"二二相承"式和不完全"二二相承"式。

(1) 完全"二二相承"式

根据内部结构关系,又可分为五种类型。

(一)"主谓+主谓"型

并列的两个语步都是主谓结构。如:

① 此事在西安已经传得家喻户晓。(姚雪垠《李自成》三卷二五章)

② 这两年农民富起来,彩礼水涨船高,媒人的鞋底钱也

就大调价。(刘绍棠《小荷才露尖尖角》五)

③ 他们妄想从鲁迅身上获利,却落了个身败名裂、万人唾骂的下场。(王西彦《虻蜉的悲剧》)

例①里的"家喻户晓",指家家户户都知晓。例②里的"水涨船高",指水位上涨,船体也随之升高,比喻事物随着它所凭借的基础增长而增长。例③里的"身败名裂",指地位丧失,名誉扫地,遭到彻底失败。

(二)"述宾+述宾"型

并列的两个语步都是述宾结构。如:

① 他在暗里给他拿点子,鼓劲儿,倒比自己抛头露面强得多。(柳青《创业史》一部一八章)

② 他要兴利除弊,让饭馆彻底改变面貌。(刘心武《钟鼓楼》一章)

③ 我知道这全是捕风捉影,否则我决不敢请二位到舍间来玩儿了。(钱钟书《围城》七)

例①里的"抛头露面",原指妇女出现在大庭广众之中,今泛指在公开场合露面(多含贬义)。例②里的"兴利除弊",指兴办有利的事业,除去弊端。例③里的"捕风捉影",原比喻事物像风和影子一样难以捉摸,今比喻说话或做事用似是而非或虚无缥缈的迹象为依据。

(三)"述补+述补"型

并列的两个语步都是述补结构。如:

① 张纪文自从上任以后,就起早贪黑,把全副精力放在工作上,拼命地干。(欧阳山《三家巷》一七七)

② 二诸葛老婆正气得死去活来……(赵树理《小二黑结

婚》九)

③ 我们不论是办个银行,或是别的什么,总要实事求是,不能干买空卖空的勾当。(茅盾《子夜》五)

例①里的"起早贪黑",指起得早,睡得晚,形容人辛苦劳碌。例②里的"死去活来",指晕过去又醒过来,形容人极度生气。例③里的"买空卖空",是一种商业投机行为,交易者预计某些商品、证券行情的涨落,乘机买进或卖出,买时或卖时都无实物或货款过手,只是到期结算,从差价中获取利润;也泛指招摇撞骗,搞投机活动。

(四)"偏正+偏正"型

并列的两个语步都是偏正结构。如:

① 假如他迁就一下,周朝的人也许还会拿些高官厚禄给他。(郭沫若《屈原》一幕)

② 他自己并不希望看见什么豆汁摊子,大糖葫芦,沙雁,风车与那些红男绿女。(老舍《四世同堂》三五)

③ 他要真来山旮旯明察暗访,首先倒楣的还不是胡栓一家。(从维熙《阴阳界》八)

④ 他的话虽然包含着很深的理论,却又能深入浅出,使人一听就懂。(莫应丰《将军吟》一五章)

例①里的"高官厚禄",指高的官位,优厚的俸禄;例②里的"红男绿女",指衣着艳丽的男女人群。二者都属于"定中+定中"型。例③里的"明察暗访",指明里观察,暗里询问了解(情况等);例④里的"深入浅出",指道理深刻而表达得浅显易懂。二者都属于"状中+状中"型。

(五)"联合+联合"型

并列的两个语步都是联合结构。如:

① 衡量轻重缓急，目前只能先筹划破洛阳。(姚雪垠《李自成》二卷三六章)

② 书籍使我进入了无比奇妙的世界，我也变得更加痴痴呆呆，多愁善感，书中人物的悲欢离合叫我神驰天外，同喜同泣。(叶文玲《驽马十驾功不舍》)

③ 他那坚实的天生动人的嗓音，抑扬顿挫的音乐节奏，使人听得非常悦耳称心。(吴强《红日》一○章)

例①里的"轻重缓急"，指次要的和主要的，缓办的和急办的。例②里的"悲欢离合"，泛指悲哀和喜悦、别离和团聚等人生种种遭遇和心情。例③里的"抑扬顿挫"，指声音的高低起伏和停顿转折。

(六) 其他类型。如：

① 怪不得阁下的大作也是那样的斑驳陆离。(钱钟书《围城》三)

② 他的眼睛把扑朔迷离的现象看得清清楚楚。(周而复《上海的早晨》一部九)

③ 一个人能够这样活着，即使活上一天，也胜似那浑浑噩噩的一百年。(魏巍《路标》)

例①里的"斑驳陆离"，形容色彩错杂不一。"斑驳"(多种颜色夹杂在一起的样子)和"陆离"(色彩繁杂，变化多端的样子)都是联绵词。例②里的"扑朔迷离"，形容事情错综复杂，不易看清。《木兰辞》："雄兔脚扑朔，雌兔眼迷离，两兔傍地走，安能辨我是雌雄。"意思是，(把兔子提起来的时候)雄兔脚乱动，雌兔眼睛半闭，可是在地上跑起来，就难辨雌雄。"扑朔"和"迷离"，也都是联绵词。例③里的"浑浑噩噩"，形容糊涂无知，前后两个语步分别采用叠音式。

(2) 不完全"二二相承"式

根据内部结构关系,又可分为七种类型。

(一) 主谓关系型。如:

① 散了伙,他必感到空虚,寂寞,无聊,或者还落个江郎才尽,连诗也写不出了。(老舍《四世同堂》五五)

② 有时候,满腔热情往前跑,跑过火了,事与愿违,出了乱子。(杜鹏程《在和平的日子里》一章三)

③ 只有身临其境,才懂得是甘是苦。(巴金《随想录》四三)

例①里的"江郎才尽",指人才思衰退、枯竭。江郎,指江淹,南朝文学家,年少时以文才著称,晚年才思渐退,诗文无佳句,人们说他才尽了。"江郎"与"才尽"构成主谓关系,谓语"才尽"又构成主谓关系。例②里的"事与愿违",指事实与主观愿望相反,"事"与"与愿违"构成主谓关系。谓语"与愿违"是状中词组。"与愿"是介宾词组。例③里的"身临其境",指亲身到了那个境地。谓语"临其境"是述宾词组,宾语"其境"是定中词组。

(二) 述宾关系型。如:

① 你们明着是一刀两断,实际上却是在暗送秋波。(从维熙《远去的白帆》三)

② 咱们这工作只能是想成人之美,万万不可去给人使坏。(王朔等《编辑部的故事·谁是谁非》)

③ 瑞宣忽然浑身发起抖来,不知所措地颤抖着。(老舍《四世同堂》九八)

例①里的"暗送秋波",原指美女暗中以眉目传情,泛指暗中讨好人或暗中勾结。述语"暗送"是状中词组。例②里的"成人之美",指成全别人的好事,宾语"人之美"是定中词组,定语和中心词之间加助词"之"。例③里的"不知所措",指不知道应该怎么办。述语"不知"是状中词组,宾语"所措"是"所"字结构。

(三) 述补关系型。如:

① 麦子种完,犁铧一挂,就到了白露;这时节,锄头也就要束之高阁了。(路遥《平凡的世界》七章)

② 这事虽说不可操之过急,但也要在几天以内有点眉目才行。(姚雪垠《李自成》二卷二章)

③ 一场不可避免的大流血,大搏战,已经无可避免,迫在眉睫。(刘白羽《第二个太阳》一章)

例①里的"束之高阁",原指把东西捆绑起来,放在高高的架子上面,泛指弃置不用。述语"束之"是述宾词组,补语"高阁"是定中词组。例②里的"操之过急",指办事过于急躁。述语"操之"也是述宾词组,补语"过急"是状中词组。例③里的"迫在眉睫",指事情临近眼前,十分急迫。述语"迫"是不成词语素,补语"在眉睫"是介宾结构。

(四) 偏正关系型。如:

① 只要有"万水千山只等闲"的红军长征精神,视挫折为"家常便饭",就没有克服不了的困难,没有战胜不了的挫折。(王自力《挫折小议》)

② 陈克家,冯乐山……这都是一丘之貉!三爸不会不知道。(巴金《春》六)

③ 他……用炯炯有神的眼睛扫射了一下全体站着的人群。(杨沫《青春之歌》一部一五章)

④ 他明知未必成功,但事已至此,只有背水一战。(魏巍《火凤凰》六)

例①里的"家常便饭",指家中日常饭食,也比喻常见的或平常的事情。例②里的"一丘之貉",原比喻彼此一样,没有差别,现比喻一样的坏东西。二者都是定中式,其中定语"家常"是名词、"一丘"是定中词组。例③里的"炯炯有神",形容目光明亮,有神采。例④"背水一战",指在不利情况下和敌人作最后决战,比喻面临绝境,为求得生路而作最后的努力。(背水,背靠河水。《史记·淮阴侯列传》记载:汉将韩信率军攻打赵国,背水为阵,迫使将士拼命死战,大获全胜。)二者都是状中式,其中中心语"有神"是述宾词组,"一战"是状中词组。

(五) 连动关系型。如:

① 我老石不是那种过河拆桥的人,我是滴水之恩必报。(刘醒龙《秋风醉了》五)

② 他想接上去说,又觉得是画蛇添足,只好惋惜地坐着没动。(周而复《上海的早晨》四部三〇)

③ 散军口粮欠缺,更无酒肉,今日只好用你们送来的东西款待你们,这也算借花献佛。(姚雪垠《李自成》一卷二四章)

④ 他……一肚皮的愤懑无处倾吐,经常借酒消愁。(巴金《随想录》七六)

例①里的"过河拆桥",比喻目的达到后就把帮助过自己的人甩开。例②里的"画蛇添足",比喻多此一举,弄巧成拙。(《战国策·齐策二》记载:楚国有几个人得了一壶酒。一个人喝,喝不完,几个人共同喝又不够,于是约定,在地上画蛇,谁先画好谁喝。有一个人先画好了,左手拿起酒壶准备喝,可右手还在给蛇画脚。没等他画好蛇脚,另一个人画成了蛇,于是夺过酒壶说:"蛇固无足,子安能为之足?")二者都含有前后相连接的动作行为。例③里的"借花献佛",比喻拿别人的东西做人情;例④里的"借酒消愁",指用喝酒来消除心中的忧愁。二例中前后两个动作行为,后者分别是前者的目的。

(六)兼语关系型。如:

① 它比起那些卖国求荣认贼作父的丑类们来,简直是不可同日而语的了。(峻青《海啸》)

② 他向来是惯叫农民来钻他的圈套的,真不料这回是演了一套"请君入瓮"的把戏。(茅盾《子夜》八)

③ 郝达三父子,在前只要发现一点什么风吹草动,必要登门向这位诸葛军师请教的。(李劼人《大波》四部二章)

例①里的"认贼作父",指卖身投靠敌人。例②里的"请君入瓮",比喻用某人整治别人的办法,来整治他。(唐·张鷟(zhuó)《朝野佥载·周兴》记载:武则天当政时,周兴和来俊臣都是她信任的酷吏。有人告发周兴谋反,武则天命来俊臣去审问。来俊臣假意同周兴饮酒,席间,来俊臣谓兴曰:"囚多不肯承,若为作法?"兴曰:"甚易也。取大瓮,以炭四面炙之,令囚人处之其中,何事不吐!"即索大瓮,以火围之,起谓兴曰:"有内状勘老兄,请兄入此瓮。"兴惶恐叩头,咸即款伏。)二者第二个语素"贼"、"君"是兼语。例③里的"风吹草动",比喻轻微的动荡或变故,其中第三个语素"草"是兼语。

(七)并列关系型。

四个语素构成完全的并列关系。这同完全"二二相承"式中"联合+联合"型有所不同。完全"二二相承"式中的"联合+联合"型,有两个层次,前后两个语步分别是联合式,再组合成"联合+联合"型成语。如"悲欢离合","悲欢"、"离合"分别先组成联合式,再组合成联合型成语,而这种不完全"二二相承"式中的并列关系型

成语,只有一个层次,四个语素处在同一个平面上。如:

① 生老病死也都是一声不响地默默地办理。(萧红《呼兰河传》一章)

② 老秀才又酸气冲天,开口诗云子曰,闭口之乎者也,何满子只觉得枯燥乏味。(刘绍棠《蒲柳人家》二)

③ 高妈的话很像留声机片,是转着圆圈说的,把大家都说在里面,而没有起承转合的痕迹。(老舍《骆驼祥子》七)

例①里的"生老病死",泛指生育、养老、医疗、殡葬等。例②里的"之乎者也",由文言语助词"之、乎、者、也"组成,形容半文不白的话。例③里的"起承转合"原是旧时诗文写作结构章法上的常用格式:起,指开端;承,指承接上文加以申诉;转,指转折;合,指结束全文,用来比喻说话时的过渡。

综上所述,成语的结构类型可归纳为下表:

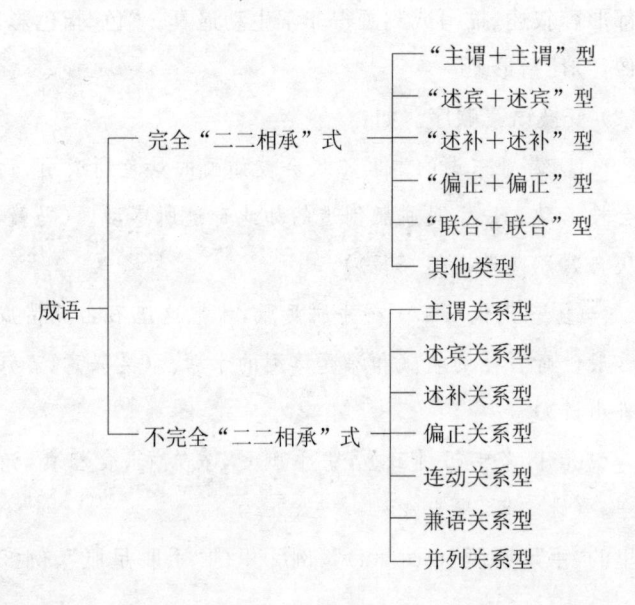

```
              ┌─ 完全"二二相承"式 ┬─ "主谓+主谓"型
              │                    ├─ "述宾+述宾"型
              │                    ├─ "述补+述补"型
              │                    ├─ "偏正+偏正"型
              │                    ├─ "联合+联合"型
成语 ─────────┤                    └─ 其他类型
              │
              └─ 不完全"二二相承"式 ┬─ 主谓关系型
                                    ├─ 述宾关系型
                                    ├─ 述补关系型
                                    ├─ 偏正关系型
                                    ├─ 连动关系型
                                    ├─ 兼语关系型
                                    └─ 并列关系型
```

2. 成语结构的相对固定性

与歇后语、谚语、惯用语相比，成语结构的固定程度要高得多，一般不能随意改变。但在长期使用过程中，少数成语的结构也有所改变，具有一定的灵活性，主要表现在以下几个方面。

(1) 变换某个语素。如：

① 邵越也不拒绝，把他知道的择一些血腥味浓的，绘声绘色讲给乌云听。（邓一光《我是太阳》一部四）

② 有"教养"的嘴巴，绘声绘影地在叙述一些惨厉的故事……使人毛骨悚然。（茅盾《闻笑有感》）

③《诗经·硕人》篇里面，只有二十几个字，就绘声绘形地刻画出一幅古代美人图。（秦牧《神速的剪影》）

例①里的"绘声绘色"、例②里的"绘声绘影"、例③里的"绘声绘形"，都形容叙述、描写或刻画得非常生动逼真。"色"指色彩，"影"指影像，"形"指形象。

(2) 变换语素顺序。如：

① 游览东湖的游客不仅会被如画的景色所吸引，而且还会被劳动人民手足胼胝创造的如此奇迹所感动。（冯赣勇《国庆自驾江南游之绍兴行》）

② 一代代石工……手胼足胝，才把这座石山开凿成今天这般千奇百怪的峭壁和深邃莫测的水塘。（吴兴意《春江水暖吼山游》）

③ 臣多年躬耕田垄，胼手胝足，衣布衣，食粗食，清贫自守。（姚雪垠《李自成》二卷三二章）

例①里的"手足胼胝（piánzhī）"、例②里的"手胼足胝"、例③里的

"胼手胝足",都指手掌和脚底长满了厚茧,形容长期辛苦劳作。

（3）变换语步的顺序。如：

① 大家坐在风和日丽的大院里。(韦君宜《露莎的路》五)

② 这一天日丽风和,谢家出门打猎。(魏巍《东方》一部二章)

③ 是好呵。我清早听见的时候,委实是刻骨铭心的。(郭沫若《屈原》三幕)

④ 你看,汉族怎样的不愿做奴隶,怎样的日夜想光复,这志愿,便到现在也是铭心刻骨的。(鲁迅《集外集拾遗补编·"生降死不降"》)

例①里的"风和日丽",例②里的"日丽风和",都指微风和煦,阳光明丽,形容天气很好。例③里的"刻骨铭心",例④里的"铭心刻骨",都指感受极深,牢记在心,永远不会忘记。

此外,少数成语在使用过程中可以拆开,插入其他语言成分。如：

① 回顾两年,时间很短,展望未来,任重道远。(陈荒煤《解放集》)

② 建立一个理想的社会对我们来说,还是任重而道远呢!(刘白羽《第二个太阳》九章)

第三节　成语的语义

1. 成语语义的特点

成语语义具有综合性、传承性和融合性三个特点。分述如下。

(1) 综合性

这里所说的"综合性",有两个含义。

(一) 成语语义兼具表述性和描述性两个特点,语义内容具有综合性。

表述性的成语,语义性质和谚语相同,也具有知识性。如:

① 他大器晚成,四十岁夺得"名人"头衔,五十岁以后棋才真正卓越起来。(朱苏进《天圆地方》)

② 不要气馁,"有志竟成",总会有我们的一天。(李六如《六十年的变迁》四章)

③ 孙传庭的脸色一变,大喝道:"本抚院军令如山,你敢抗命不前去么?"(姚雪垠《李自成》一卷一一章)

例①里的"大器晚成",出自《老子》四十一章:"大器晚成,大音希声,大象无形。"指大的或贵重的器物需要长时间的加工才能完成,今比喻能干大事的人,往往成就较晚。例②里的"有志竟成",出自《后汉书·耿弇传》:"将军前在南阳建此大策,常以为落落难合,有志者事竟成也。"指只要意志坚定,事情一定能够办成。例③里的"军令如山",指军事命令像山一样重,不可动摇,必须坚决迅速执行。它们都具有知识性。在语义性质上与谚语没有什么区别,只是采用了"二二相承"式的四字结构。

描述性的成语,语义性质和惯用语相同,也具有描述性,区别也是在结构上采用了"二二相承"式。如:

① 消息立刻不胫而走,很快就传遍了全县四乡八镇。(魏巍《火凤凰》一一〇)

② 这些形象大都……具有气壮山河的英雄气概和高屋建瓴的雄才大略。(古华《话说〈芙蓉镇〉》)

③席慕蓉的这篇散文写得一波三折,引人入胜。(叶公觉《席慕蓉的魅力》)

例①里的"不胫而走",本指没有腿而能够跑,比喻消息用不着宣传就到处传开;"四乡八镇",泛指乡村城镇。例②里的"气壮山河",形容气概如同高山大河那样雄伟豪迈;"高屋建瓴",原指在高房顶上把瓶子里的水往下倒,形容居高临下,势不可挡;"雄才大略",指非常杰出的才智和谋略。例③里的"一波三折",出自晋·王羲之《题卫夫人笔阵图后》:"每作一波,常三过折笔。"原指写字笔画曲折多姿,后用来形容文章结构曲折起伏,也比喻事情进行中阻碍、曲折很多;"引人入胜",形容风景或作品很吸引人。这些成语的语义都具有描述性,描述对象广泛,人和物都有。

(二)成语在语义形成过程中综合运用多种思维方式,包括逻辑思维方式和形象思维方式。形象思维方式,包括形象的描绘和富有想象力的夸张等。如:

①你们来意甚善,只是众怒难犯,赶快去罢!(《老残游记》一回)

②郝摇旗随即从后边杀出,把官军杀得落花流水,四处奔跑。(姚雪垠《李自成》二卷二六章)

③春来秋往,廿载寒暑如白驹过隙。(陈慧英《永远的冰心》)

例①里的"众怒难犯",指众人的愤怒不可触犯,采用的是推理判断式的逻辑思维方式。例②里的"落花流水",多见于唐诗,如李嘉祐《闻逝者自惊》:"黄卷清琴总为累,落花流水共添愁。"李群玉《奉和张舍人送秦炼师归岑公山》:"兰浦苍苍春欲暮,落花流水怨离琴。"原来是描绘残春的一种景象:凋谢的花朵随着流水漂走,今多形容零落残破、狼狈惨败的样子。例③里的"白驹过隙",出自《庄子·知北游》:"人生天地之间,若白驹之过郤(隙),忽然而已。"以骏马在隙缝上疾驰而过,来形容时间过得飞快,竭尽夸张,给人以奇特的想象。

(2) 传承性

成语,尤其是来自古代书面系统的雅成语,结构和语义都相对稳固,代代相传,有的经久不变,有的虽有变化,但可溯源流。常见的有以下几种情况。

(一) 语形古今相同,语义古今相承。如:

① 吴荪甫的脸上亮着胜利的红光,他踌躇满志地搓着手。(茅盾《子夜》一二)

② 朝廷上大小臣工,向来是党同伐异,门户之见甚深。(姚雪垠《李自成》二卷二三章)

③ 把个人的生死,看得轻于鸿毛。(杨之华《回忆秋白》)

例①里的"踌躇满志",出自《庄子·养生主》:"提刀而立,为之四顾,为之踌躇满志。"形容从容自得,满足于所取得的成就。例②里的"党同伐异",出自《后汉书·党锢传序》:"自武帝以后,崇尚儒学,怀经协术,所在雾会,至有石渠纷争之论,党同伐异之说。"意思是意见相同的结为朋党,攻击与自己意见不同的。本来指学术派别之间的斗争,后来扩大范围,泛指社会集团之间的政治斗争。例③里的"轻于鸿毛",出自汉·司马迁《报任少卿书》:"人固有一死,死有重于泰山,或轻于鸿毛。"指比大雁的羽毛还轻,形容轻微之极,价值极小。这些成语从古至今不仅语形未变,语义也一脉相承。

(二) 语形大同小异,语义古今相承。如:

①你看不见在这个社会里旧势力还是那样根深柢固吗?(巴金《家》二九)

②没料到众编辑却毫不气馁,纷纷亮出自己以为可以一言兴邦的良策。(王朔等《编辑部的故事·谁主沉浮》)

③她一见守仁那股流里流气的样子,就想呕,只好对他敬而远之。(周而复《上海的早晨》三部四六)

例①里的"根深柢固",出自《老子》五十九章:"有国之母,可以长久。是谓深根固柢,长生久视之道。"宋·司马光《上庞枢密论贝州事宜书》始作"根深柢固":"根深柢固,万无所虑。"指根基深厚牢固,不可动摇。例②里的"一言兴邦",出自《论语·子路》:"一言而可以兴邦,有诸?"唐·刘禹锡《唐故相国李公集记》始作"一言兴邦":"古所谓一言兴邦者,信哉!"指一句话可以使国家兴旺起来。例③里的"敬而远之",出自《论语·雍也》:"子曰:'敬鬼神而远之。'"晋·王嘉《拾遗记·吴》始作"敬而远之":"吴主潘夫人,父坐法,夫人输入织室,容态少俦,为江东绝色。同幽者百余人,谓夫人为神女,敬而远之。"指表面上尊敬对方,实际上有所顾虑,不愿与之接近或亲近。这些成语古今语形虽有差异,但语义相承。

(三)字面差异较大,语义古今承接。如:

①五四时代狂飙精神的高扬,不能清除积重难返的社会问题。(刘海粟《漫论郁达夫》)

②像中世纪骑士那样站在虹的桥上,高揭着什么怪好听的旗号,而实在只是出风头,或竟是待价而沽。(茅盾《虹》一)

③互相了解之后,才能够谈到切磋琢磨,互学所长。(叶圣陶《"以文会友"》)

例①里的"积重难返",指长期形成的恶习、弊端等,很难改变、扭转。语义可追溯到《国语·晋语》:"(骊姬曰:)重,无乃难迁乎?"例②里的"待价而沽",原指等待好价钱出售,后比喻怀才待用或待时而行。语义可追溯到《论语·子罕》:"子曰:'沽之哉!沽之哉!我待贾(gǔ)者也。'"例③里的"切磋琢磨",切(把骨头加工成器物)、磋(把象牙加工成器物)、琢(把玉石加工成器物)、磨(把石头加工成器物),原指古代器物加工的四种工艺,比喻学习或研究时共同商讨,彼此取长补短。语义可追溯到《诗经·卫风·淇奥》:"有匪君子,如切如磋,如琢如磨。"这些成语古今字面差异较大,但语义上有承接关系。

(3) 融合性

融合性是语义整体性的一种表现。在语汇系统里,成语语义的融合性程度是最高的。因此,有必要把融合性作为成语语义的一个突出特点。

成语语义融合性的形成,主要有三个因素。

(一) 语言因素

成语要求把一定的内容融入简短的四字格里,这就要求在语言上非常精练,尽可能地凝缩。如:

① 他日理万机,可是他还是什么都记得。(罗广斌等《红岩》二四章)

② 他说需要常吃才行,偶吃一次不能立竿见影。(梁实秋《雅舍小品·偏方》)

③ 他是著名善于用兵的……也许就此反守为攻,势如破竹,直捣那方面的巢穴呢。(叶圣陶《潘先生在难中》)

例①里的"日理万机",见明·余继登《典故纪闻》卷二:"(太祖曰:)朕日理万机,不敢斯须自逸,诚思天下大业以艰难得之,必当以艰难守之。"指君主每天处理许多政务,今泛指领导人十分繁忙,每天处理很多事情。例②里的"立竿见影",见汉·魏伯阳《参同契》卷下:"立竿见影,呼谷传响,岂不灵哉!"原指把竹竿立在阳光下面,立刻就能看见它的影子。用来比喻立刻见到功效。例③里的"势如破竹",出自《晋书·杜预传》:"今兵威已振,譬如破竹,数节之后,皆迎刃而解。"指形势如同劈竹子一样,劈开上面几节,下面就顺着刀口裂开了。原比喻顺利无阻,十分容易;今比喻节节胜利,毫无阻碍。这些例子都把所要表达的丰富内容融入到"二二相承"的结构中,比自由词组要凝练得多。

(二) 惯用因素

有些成语是在长期流行过程中约定俗成的,语素中含有许多惯用成分,有的还不好进行理据性的分析。如:

① 自己业务经验和大家差不多,半斤八两,有啥本事来当领导?(周而复《上海的早晨》四部六二)

② 坚强、自信、有气魄的郭振山,实在说,永远也不会向人低三下四啊!(柳青《创业史》一部二九章)

③ 老庄头丢了宝座又丢了脸,气得一命呜呼归了阴。(刘绍棠《村妇》卷一)

例①里的"半斤八两",指彼此一样,这里的"八两",沿用一斤等于十六两的旧制。例②里的"低三下四",形容卑躬屈膝地讨好别人,用"三"、"四"作语素,属于习惯性用法,说不出什么道理。例③里的"一命呜呼",指人死亡,常含诙谐意,"呜呼"原是文言虚词,旧时多用于祭文。许多由数字作语素构成的成语,如"两面三刀"、"五花八门"、"推三阻四"、"乱七八糟"、"一五一十"等,都属于这种情况。

(三) 历史人文因素

含有这种因素的成语,语义的融合程度更高,其语义结构更不好进行理据性的分析,必须进行语源考察,才能了解其真正含义。如:

① 古人一饭之恩,尚当结草衔环,何况我被表姨父养育了十九年。(琼瑶《六个梦·归人记》)

② 反正与我无干,用不着我杞人忧天。(姚雪垠《李自成》二卷三八章)

③ 不要杯弓蛇影,没有那么多的事。(二月河《雍正皇帝》上二七回)

例①里的"结草衔环",包含两个历史故事:结草,见《左传·宣公十五年》记载:春秋时,晋国的魏武子有个爱妾,魏武子临死前嘱咐他儿子魏颗,死后一定要让她殉葬。魏颗没有照办,而是让她改嫁了。后来魏颗带兵与秦军交战,见一位老人用打成结的草绊倒秦将杜回,使杜回成了晋军俘虏。当夜,魏颗梦见老人说:"我就是你所嫁出去的女子的父亲,特地来报恩的。"衔环,见晋·干宝《搜神记·黄衣童子》,又见《后汉书·杨震传》唐·李贤等注引梁·吴均《续齐谐记》:后汉杨宝九岁时,救了一只黄雀。夜里来了一个黄衣童子,口衔四枚玉环相报。后来把这两个故事合起来,表示真心实意感恩报德,至死不忘。例②里的"杞人忧天",见《列子·天瑞》:"杞国有人忧天地崩坠,身亡(无)所寄,废寝食者。"今比喻不必要的忧虑。例③里的"杯弓蛇影",指墙上的弓映到杯中,误以为蛇,比喻疑神疑鬼,妄自惊慌。这个成语也有一个故事:古代有人赴宴,见酒杯中有蛇影,酒后肚子疼痛,疑心中了蛇毒,便病倒,吃了药也不见好。后来得知那是挂在墙上的弓映入杯中,影子像蛇而

其实并不是蛇,病便不治而愈。(见汉·应劭《风俗通义·怪神》)

2. 成语语义的结构

成语的语义构成方式,跟谚语、惯用语一样,也可从两个层面来考察。

(1) 字面意义和实际意义

成语的字面意义和实际意义之间的关系,有三种情况。

(一) 字面意义就是实际意义。如:

① 我们奉公守法,不敢违抗命令。(霍达《补天裂》)

② 他决不幸灾乐祸,可也不便见义勇为,为别人打不平。(老舍《四世同堂》四八)

③ 鉴于这种形势,统帅部当机立断,决定停止进攻。(魏巍《地球的红飘带》二七)

例①里的"奉公守法",指奉行公事,遵守法纪命令。例②里的"幸灾乐祸",指别人遇到灾难时反而感到高兴;"见义勇为",指看到合乎正义的事情就勇于去做。例③里的"当机立断",指面对机遇,立即决断。这些成语照字面讲解就可以得出实际意义。

(二) 字面意义和衍生出来的引申义或比喻义并存。如:

A 组

① 这大锅饭可是众口难调,就怕弄得大伙也有意见。(及容《饥饿荒原》一四)

② 世上没有人人都高兴的事,俗话说:众口难调。(蒋和森《风萧萧》)

B 组

① 继之而来的是和风细雨,像黄梅季节的天气,不冷不

热,天天一样,持之以恒。(莫应丰《将军吟》二八章)

② 在解决人民内部矛盾时……采用和风细雨式的方法,人们如沐春风,心情舒畅。(高占祥《微风赋》)

A组例①里的"众口难调",指众人口味不同,很难做出适合每个人口味的饭菜;例②里的"众口难调",引申指各人要求不一,做事很难让所有的人满意。B组例①里的"和风细雨",指温和的风,细小的雨(使人感到舒适);例②里的"和风细雨",比喻和缓的做事方式(使人乐于接受)。两组例①里的成语采用的都是字面意义,例②里的成语分别采用了字面意义衍生出来的引申义或比喻义。

(三) 字面意义不是实际意义,衍生出来的引申义或比喻义才是实际意义。如:

① 你应该知道,"重温旧梦"是办不到的事。(茅盾《虹》四)

② 人活着,不单纯为了吃饭睡觉,那就成了酒囊饭袋。(周而复《上海的早晨》四部六四)

③ 我真讨厌她们那种狼狈为奸的样子。(巴金《秋》四二)

例①里的"重温旧梦",字面意义是重新经历以往的梦境,实际意义是指重新经历或回忆往日的美好事情。例②里的"酒囊饭袋",字面意义指盛酒装饭的口袋,实际意义是比喻只知吃喝,不会干事的人。例③里的"狼狈为奸",字面意义指狼和狈两种野兽合伙伤害牲畜,实际意义是比喻坏人相互勾结,一起干坏事。这些成语,字面意义都只是语源意义,不起实际表义作用,真正起表义作用的是引申义或比喻义。

(2) 基本意义和色彩意义

有些成语除了基本意义外,还有强烈的感情色彩,浓厚的语体(风格)色彩和生动的形象色彩。如:

① 你这人面兽心的人,我只说你和我交朋友,是一番好意,原来你是骗我的闺女。(张恨水《啼笑因缘》四回)

② 他真想乘此机会杀死门卫冲出去,又怕孤掌难鸣,惹出漏子来。(李英儒《野火春风斗古城》一九章)

③ 老犯人大约有五十七八岁的样子,身材长得高大魁梧,虎背熊腰。(从维熙《大墙下的红玉兰》一)

例①里的"人面兽心",指人表面装出善意,内心却跟禽兽一样,十分狠毒,具有明显的贬义色彩。例②里的"孤掌难鸣",比喻一个人难于成事,与谚语"一个巴掌拍不响"比较,带有明显的书面语色彩。例③里的"虎背熊腰",形容人膀大腰粗,身体魁梧、强壮,给人以视觉上的立体感,形象色彩非常鲜明。

3. 成语语义的类聚

(1) 同义成语。

两个或两个以上语义相同或相近的成语,构成同义成语。同义成语之间的语义差别,主要表现在四个方面:

(一) 意义轻重不同。如:

① 石老磨的一句话,说得她心服口服,连连点头。(刘绍棠《村妇》一)

② 这些道理……她听过很多了,每一次她都心悦诚服。(沙汀《煎饼》)

③ 二小姐是真有两下子,真有两下子,我佩服,五体投地地佩服。(老舍《四世同堂》七一)

例①里的"心服口服",指心口如一地信服。例②里的"心悦诚服",指诚心诚意地佩服或服从。例③里的"五体投地",原指古印度佛教中最恭敬的礼节,后比喻极为崇敬和佩服。这几个成语都含有佩服的意思,但"心服口服"语义稍轻,"心悦诚服"略重,"五体投地"更重。

(二) 适用对象或侧重点不同。如:

① 我们这次会晤在心心相印之中,还不免有些芥蒂。(茅盾《腐蚀·十一月二十一日》)

② 若得几个情投意合的人,相与徜徉其间,那才真有味。(朱自清《〈燕知草〉序》)

③ 他们想在创作上多下功夫,约几个志同道合的业余作者共同"探求"。(巴金《随想录》三三)

例①里的"心心相印",指彼此心意相同,非常投合。例②里的"情投意合",指彼此感情融洽,心意相投。例③里的"志同道合",指彼此志趣投合,观点一致。这几个成语意义相近,差异在于:"心心相印"侧重形容心意上投合,"情投意合"侧重形容感情上投合,"志同道合"侧重形容志趣上投合。

(三) 感情色彩不同。如:

A组:

① 老张对小周更是无微不至:从把着手教他打绑腿开始,一直到政治思想都照顾得周周到到。(茹志鹃《同志之间》)

② 孩子们也没有教育,下人们更是无所不至。(冰心《两个家庭》)

B组:

① 他好像把法庭看作救亡运动演讲大会,回答时侃侃而谈,口若悬河。(邹韬奋《患难余生记》一章)

② 爱说话的大都是年轻的,对人没什么防备,心中也没什么隐情,加上狂妄,便都夸夸其谈……别人也插不进嘴去。(王安忆《香港的情和爱》九)

A组例①里的"无微不至",指没有一处细微的地方不考虑到,形容关怀或照顾得非常细心周到。例②里的"无所不至",原指没有达不到的地方,实指什么坏事都做得出来。B组例①里"侃侃而谈",指从容不迫、理直气壮地谈话;例②里"夸夸其谈",形容说话浮夸,不切实际。两组例①和例②里的成语语义分别相近,一个重要区别就是感情色彩不同:例①都带有褒义,例②都带有贬义。

(四) 表义方式不同。如:

A组:

① 他这种自欺欺人的论调……彻底被事实粉碎了。(杨沫《青春之歌》二部三四章)

② 两人掩耳盗铃,还以为神不知鬼不觉。(刘绍棠《村妇》一)

B组:

① 麻雷子跟花鞋杜四臭味相投。(刘绍棠《蒲柳人家》一〇)

② 上有好者,下有效者。随波逐流,沆瀣一气,歪风愈演愈烈,难以收拾。(范若丁《想起张难先》)

A组例①里的"自欺欺人",指欺骗自己,也欺骗别人。例②里的"掩耳盗铃",出自《吕氏春秋·自知》:"百姓有得钟者,欲负而走。则钟大不可负,以椎毁之,钟况然有音。恐人闻之而夺己也,遽掩其耳。"指捂住自己的耳朵去偷铃铛,后比喻自欺欺人。B组例①里的"臭味相投",指彼此都有坏思想、坏作风,相互投合。例②里的"沆瀣一气",出自宋·王谠《唐语林》卷七:"崔相沆知贡举,得崔瀣。时榜中同姓,瀣最为沆知。谭者称:'座主门生,沆瀣一气。'"后比喻臭味相投的人相互交结,聚合在一起。两组例①里的成语都用直陈式表义,例②里的成语都用比喻式表义。

(2) 反义成语

语义相反的成语,构成反义成语。从构成语素和结构上看,主要有三种情况。

(一) 结构相同,关键性语素语义相反。如:

A组:

① 凡是无的放矢的空谈,只能当作生活的陈迹被浪花打入海底。(唐弢《海山论集》)

② 知道了这些群众意见,写文章时就可以有的放矢。(夏衍《劫后影谈》)

B组:

① 作家们应该以这种要求为光荣,而不应该"知难而退"。(陈荒煤《解放集》)

② 庞其杉决定同自己的病态心理搏斗。他知难而进。(刘心武《钟鼓楼》四章)

A组例①里的"无的放矢",指没有目标乱放箭,比喻说话做事没有明确目的,缺乏针对性。例②里的"有的放矢",与例①里的"无的放矢"语义相反。B组例①里的"知难而退",出自《左传·宣公十二年》:"见可而进,知难而退,军之善政也。"原指作战时,见形势不利及时退避,今指碰到困难就退缩。例②里的"知难而进",与例①

里的"知难而退"语义相反。

(二) 语素相同,关键性语素顺序不同。如:

A 组:

① 许某一向以德报怨,尤其是对何先生。(杨佩谨《霹雳》一二章)

② 他是向来公道,从没亏待了谁,可是人家"以怨报德"!(茅盾《子夜》八)

B 组:

① 早晨头脑最清醒,做起作业来,往往事半功倍。(冰心《三寄小读者》三)

② ……用手工业的办法去解决,那是事倍功半的。(王蒙《组织部新来的年轻人》)

A 组例①里的"以德报怨",出自《论语·宪问》:"或曰:'以德报怨,何如?'子曰:'何以报德?以直报怨,以德报德。'"指不记仇,反而施恩惠于仇人。例②里的"以怨报德",出自《国语·周语中》:"以怨报德,不仁。"指用仇恨来回报恩德,与例①"以德报怨"语义相反。B 组例①里的"事半功倍",出自《孟子·公孙丑上》:"当今之时,万乘之国行仁政,民之悦之,犹解倒悬也。故事半古之人,功必倍之,惟此时为然。"又见于《六韬·龙韬·军势》:"夫必胜者,先见弱于敌而后战者也。故事半而功自倍。"指费力小而功效大。例②里的"事倍功半",出自唐·白居易《为人上宰相书》:"盖得之,则不啻乎事半而功倍也;失之,则不啻乎事倍而功半也。"指费力大而功效小,与例①里的"事半功倍"语义相反。

(三) 语素不同。如:

A 组:

① 孙中山虽然只做了一个月的临时大总统,但是"天下为公"的恢宏大度,深入人心,流芳百世。(徐铸成《风雨故人》)

② 免得做十恶不赦的罪魁祸首,写在历史上遗臭万年。(叶圣陶《邻居》)

B组:

① 他……心中十分满意自己的未雨绸缪,料事如神。(老舍《四世同堂》三)

② 平时虚应故事,急时临渴掘井的病态,是愈来愈暴露得彻底了。(陈及《一个记者的经历》)

A组例①里的"流芳百世",指好名声在世上永远流传下去。例②里的"遗臭万年",指死后恶名流传,永远被人唾骂,与例①里的"流芳百世"语义相反。B组例①里的"未雨绸缪",出自《诗经·豳风·鸱鸮》:"迨天之未阴雨,彻彼桑土(dù),绸缪牖户。"意思是趁天还没有下雨,把桑树根的皮剥下来,把门窗修补好,今比喻事先做好预防、准备。例②里的"临渴掘井",出自《内经·素问·四气调神大论》:"夫病已成而后药之,乱已成而后治之,譬犹渴而穿井,斗而铸锥,不亦晚乎?"比喻事先没有预防、准备,事到临头才想办法(为时已晚),与例①里的"未雨绸缪"语义相反。

第四节 成语的语法功能和修辞作用

1. 成语的语法功能

成语,在结构上,有的相当于句子,有的相当于词组。可以单独成句,也可以充当复句的分句,但多数情况是作句子的某一成分。下面分别举例说明。

(1) 单独成句。如：

① 哀兵必胜！不要乐,要哀。(张恨水《啼笑因缘续集》一〇回)

② 这还用学吗？水到渠成。(周振天《神医喜来乐》二五章)

③ 怎么提到了她呢？太不伦不类了。(茅盾《虹》五)

例①里的"哀兵必胜",出自《老子》六十九章,原指对抗的两军实力相当,受压而充满悲愤的一方必定获胜;现指遭受压迫而奋起反抗的一方,必定能取得胜利。例②里的"水到渠成",比喻条件成熟,事情自然成功。例③里的"不伦不类",指不像这一类,也不像那一类,形容人不成样子。

(2) 充当复句的分句。如：

① 他在外面做过知县,现在告老还乡。(杨沫《青春之歌》一部五章)

② 与其在这里悬心吊胆,倒是守着自己家里人还安稳些。(李劼人《大波》四部四章)

③ 我觉得汗毛都竖起来了,但还不露声色。(茅盾《腐蚀·一月五日》)

例①里的"告老还乡",指旧时官吏年老请求辞职回归故乡,充当连贯复句里的分句。例②里的"悬心吊胆",指心和胆好像都悬着,形容担心害怕,充当选择复句的前一个分句。例③里的"不露声色",指不让内心活动从话语或表情上显露出来,充当转折复句的后一个分句。

(3) 充当句子成分

成语可以充当句子的主语、谓语、宾语、定语、状语、补语等多种成分,分别叙述如下。

(一) 作主语。如:

① 火炉早着慌了,你怎么还不做饭去?高谈阔论能当饭吃吗?(杨沫《青春之歌》一部一一章)

② 火光中的……杯盘狼藉,会惊起树上稳栖的禽鸟。(冰心《往事》)

③ 十六岁的谷雨,当时瞪着眼睛说的这番豪言壮语,又一次为大家传颂了一阵。(叶文玲《小溪九道湾》三)

例①里的"高谈阔论",指空泛不切实际的谈论。例②里的"杯盘狼藉",出自《史记·滑稽列传》:"日暮酒阑,合尊促坐,男女同席,履舄交错,杯盘狼藉。"指宴饮将毕或已毕时杯盘碗筷散乱的情景。例③里的"豪言壮语",指充满英雄气概的语言。

(二) 作谓语。如:

① 你们夫妻俩比翼双飞,共同进步,这是一件大好事。(邓一光《我是太阳》一部六)

② 他们的关系早已瓜熟蒂落。(魏巍《地球的红飘带》六一)

③ 大家在这里不期而遇,心里分外高兴。(成仿吾《怀念郭沫若》)

例①里的"比翼双飞",出自晋·陆机《拟西北有高楼》诗:"不怨伫立久,但愿歌者欢;思驾归鸿羽,比翼双飞翰。"比喻夫妻恩爱情深。例②里的"瓜熟蒂落",比喻条件已经具备或时机已经成熟。例③里的"不期而遇",指事先没有约定,意外地相遇。

(三) 作宾语。如:

① 少男少女只要给他用红头绳一系,就算佳偶天成了。(萧乾《终身大事》)

② 你总喜欢过甚其词,我前后不过给他三封信。(钱钟书《围城》九)

③ 说打头就是头,说打肚就是肚,真是百发百中。(马烽等《吕梁英雄传》五回)

④ 全家人喜笑颜开地围着,就像众星捧月。(叶文玲《银朵》一)

例①里的"佳偶天成",指天意安排的美满婚姻。例②里的"过甚其词",指话说得过分,与实际情况不相符合。例③里的"百发百中",指每次都命中目标,形容射击非常准。例④里的"众星捧月",比喻许多人簇拥着一个人。

(四) 作定语。如:

① 这是个多么坚强、勇敢、诲人不倦的人啊!(杨沫《青春之歌》二部二章)

② 这个风靡一时的《延安颂》,是朝鲜作家郑律成和一位女青年莫邪共同创作的。(魏巍《火凤凰》一七)

③ 包国维像有不共戴天之仇似的跟江朴拼命。(张天翼《包氏父子》五)

例①里的"诲人不倦",出自《论语·述而》:"默而识之,学而不厌,诲人不倦,何有于我哉!"指教育人时很有耐心,不知疲倦。例②里的"风靡一时",指在一个时期里非常流行。例③里的"不共戴天",出自《礼记·曲礼上》:"父之仇,弗与共戴天。"指不能在一个天底下一起生活,形容仇恨极深。

(五) 作状语。如:

① 他胆战心惊地看了他的祖母一眼。(巴金《秋》二六)

②"有什么见教！葛处长!"他不亢不卑地说。(从维熙《大墙下的红玉兰》六)

③ 有人妙语连珠地阐明中国和平建设的机会已经到来，中国就要重新崛起。(周大新《第二十幕》(中)二部二)

例①里的"胆战心惊"，形容非常害怕。例②里的"不亢不卑"，指既不高傲也不自卑。例③里的"妙语连珠"，指美妙精彩的话语像成串的珠子接连不断。

(六) 作补语。如：

① 那大厅上，更是陈设得花团锦簇。(茅盾《腐蚀·十一月二十五》)

② 她能为了一个滑稽的姿态而笑得前仰后合。(梁实秋《雅舍小品·女人》)

③ 现成的幸福道路你不走，却喜欢这样任意胡闹，为什么一定要闹得东奔西走，寄人篱下呢？(杨沫《青春之歌》一部八章)

例①里的"花团锦簇"，形容景象五彩缤纷，十分华丽。例②里的"前仰后合"，形容大笑后引起的难以自持的情态。例③里的"东奔西走"，形容到处奔走，生活很不安定；"寄人篱下"，比喻依靠别人过活，两个成语合起来做述语"闹"的补语。

2. 成语的修辞作用

吕叔湘先生在谈到成语的修辞特色时曾说："成语里边常常有蜜，例如'开卷有益'，也往往有刺，例如'开门揖盗'。"还说，"有蜜"是说有智慧，得有人情世故，让人从正面或反面受到教育；"有刺"

是说有机锋,带三分俏皮,能搔着痒处,叫人听了一惊或者一笑(看是刺着自己还是刺着别人)。听了不痛不痒,无动于衷,那就不是警句。(见《中国俗语大辞典》序,上海辞书出版社,1989)

像"开卷有益"这样"有蜜"的成语,多属于表述性成语,如"众志成城"(众人团结一致,力量犹如坚固的城墙)、"众口铄(shuò,熔化)金"(原形容舆论力量大,连金属都可以熔化,后指人多口杂,能混淆是非)、"众毛攒(cuán,积聚)裘"(聚集许多小块皮毛,可以缝制成一件毛皮衣服)、"唇亡齿寒"(嘴唇没有了,牙齿就会觉得冷。比喻二者利害关系十分密切,失去一个,另一个便面临生存危机)、"欲壑(hè,深谷)难填"(比喻欲望太大的人,很难满足)等,都含有深刻的哲理,反映了汉民族文化的智慧,千百年来从正面或反面教育着人们。

像"开门揖盗"这样"有刺"的成语,多属于描述性成语,如"指桑骂槐"(比喻表面上骂这个人,实际上骂另一个人)、"助桀(纣)为虐"(桀是夏朝的最后一个王,纣是商朝的最后一个王,相传都是暴君。比喻帮坏人做坏事)、"为虎傅翼"(傅翼:加上翅膀。比喻帮助恶人,增加恶人的势力)、"狐假虎威"(狐狸假借老虎的威势吓跑百兽,见《战国策·楚策一》,比喻依仗别人的势力来欺压人),等等,都很有机锋,往往能刺人要害,叫人一惊;如"弱不禁风"(形容身体虚弱,连风吹都禁不住)、"囊中羞涩"(形容经济困难,手中没钱)、"对牛弹琴"(比喻说话不看对象,对不讲理的人讲理,或对外行说内行话)、"牛刀小试"(比喻人有大才干,先在小事情上露一下身手),等等,则带有几分俏皮,往往能叫人一笑。

值得注意的是,成语所包含的如此丰富多彩、充满智慧的内容,是和它独特的结构形式结合在一起的。

成语并不是四字的随意组合。从修辞角度看,成语的结构有两个突出的特点。

一是对偶性强。前后两个语步,意义上有的相近、相似,有的相对、相反、相背,构成整齐的对偶结构。如:

赤手空拳　安家落户　家喻户晓　伶牙俐齿
　　　　——以上一、三,二、四语素意义分别相近
　　　　　或相似。

东倒西歪　左顾右盼　南腔北调　上挂下联
　　　　——以上一、三语素意义分别相对、相反,
　　　　　二、四语素意义分别相近、相似。

同生共死　争长论短　欢天喜地　绝无仅有
　　　　——以上一、三语素意义分别相近、相似;
　　　　　二、四语素意义分别相对、相反。

无独有偶　大同小异　有损无益　凶多吉少
　　　　——以上一、三,二、四语素意义分别相对、相反。

利害得失　生死存亡　悲欢离合　是非曲直
　　　　——以上一、二,三、四语素意义分别相对、相反。

二是节奏感、韵律感强。节奏上,除了采取二二式音步外,还注意平仄和谐;韵律上,采用双声、叠韵、叠音、押韵等多种形式,增强音乐感。如:

冰天雪地　珠光宝气　身经百战　颠三倒四
　　　　　　以上前后语步构成"平平仄仄"式。

肝胆相照　功盖天地　挥汗成雨　兵贵神速
　　　　　　以上前后语步构成"平仄平仄"式。

孤陋寡闻　文过饰非　春意盎然　枯木朽株

苦心孤诣　不知深浅　赤贫如洗　相机行事
　　　　　　　　　　以上前后语步构成"平仄仄平"式。

胆大心细　度德量力　玲珑剔透　光怪陆离
　　　　　　　　　　以上前后语步构成"仄平平仄"式。

空洞无物　冠冕堂皇　孤苦伶仃　狗苟蝇营
　　　　　　　　　　以上前后语步分别构成双声。

孜孜不倦　绰绰有余　咄咄逼人　洋洋得意
　　　　　　　　　　以上前后语步分别构成叠韵。

哗众取宠　屡见不鲜　老骥伏枥　买椟还珠
　　　　　　　　　　以上前一个语步采用叠音形式。

　　　　　　　　　　以上二、四语素押韵。

　　成语之所以成为语汇里使用频率最高的一种语类,是和成语自身特有的修辞特色分不开的。在实际运用中,它往往兼有谚语和惯用语的作用。

　　成语和谚语一样,用于说理,可增强说服力;用于记叙,可增强概括力。以前面提到的"开卷有益"为例：

　　① 我自读书以来,就很信"开卷有益"这句话是实在话,因为不论什么书,都有它的道理,有它的事实,看它总可以增广些智识。(鲁迅《集外集拾遗·聊答》)

　　② 重要的书必须反复阅读,每读一次都会觉得开卷有益。(马南邨《燕山夜话》)

　　③ 假如读者对于一本书的要求,只在于采取其可取者而弃其可去者,则很多著作……大都是开卷有益的。(李亚农《欣然斋史论集》总序)

　　"开卷有益",语本晋·陶潜《与子俨等疏》："开卷有得,便欣然忘食。"宋·王辟之《渑水燕谈录·文儒》:"太宗日阅《御览》三卷,因事有阙,暇日追补之,尝曰:'开卷有益,朕不以为劳也。'"意思是,只要读书就会有所受益;长期以来,成为勉励人们读书的座右铭。例①强调读书可以增广知识;例②强调重要的书要反复阅读;例③强调读书时要注意取舍,使"开卷有益"具有更加深刻的含义。

又如:

① 自从先严弃养,接着便是戊戌政变。到现在,不知换了多少花样,真所谓白云苍狗了。(茅盾《蚀·动摇》)

② 这就叫沧海桑田嘛。沧海都可以变桑田,咱们这幢房子为什么不可以变成花园呢?(欧阳山《三家巷》一○二)

③ 真是白云苍狗、沧海桑田,溥仪早还原成为一个大写的"人","墓木拱矣",婉容则早已凋谢了!(徐铸成《风雨故人》)

例①里的"白云苍狗",原作"白衣苍狗",出自唐·杜甫《可叹》诗:"天上浮云似(一作"如")白衣,斯须改变如苍狗。"意思是天上的浮云像白色的衣服,一会儿就变得像黑色的狗。例②里的"沧海桑田",语本晋·葛洪《神仙传·王远》:"麻姑自说云:'接侍以来,已见东海三为桑田。向到蓬莱,又水浅于往日会时略半耳,岂将复为陵陆乎?'"意思是大海变成桑田,桑田变为大海。二者都采用比喻手法记叙世事变化,前者侧重于比喻世事变幻无常,后者则侧重于比喻社会面貌变化巨大。例③二者连用,加强了语义。都具有很强的概括力。

成语和惯用语一样,也具有描绘作用,用简练的语言形式,展示出生动的形象。以前面提到的"开门揖盗"为例:

① 昨晚上对他开诚布公那番话,把市场上虚虚实实的内

情都告诉了他的那番话,岂不是成了开门揖盗么?(茅盾《子夜》一九)

②　经历、环境、教育等等都是读者身上、心上的积累,它们能抵抗作品的影响,也能充当开门揖"盗"的内应。(巴金《随想录》九)

"开门揖盗",指打开大门,请强盗进来(揖,拱手行礼),语本《三国志·吴志·孙权传》:"(孙)策长史张昭谓(孙)权曰:'孝廉,此宁哭时邪……况今奸宄竞逐,豺狼满道,乃欲哀亲戚,顾礼制,是犹开门而揖盗,未可以为仁也。'"后多用来比喻引进坏人,招致祸患,非常形象。例①指把坏人引进来;例②把它的意义进一步虚化,"盗"不是指坏人,而是指坏思想、坏观念,把抽象的东西形象化。

又如:

①　他的书法一向很好,可谓笔走龙蛇,意气纵横。(魏巍《火凤凰》四九)

②　叹了一口气,又提笔龙飞凤舞地写将起来,将写在宣纸上的一首诗写完了。(王火《战争和人》(二)卷一)

③　你,学富五车,才高八斗,出口成章,文不加点的大名公,我以什么来比你?(李劼人《大波》四部三章)

例①里的"笔走龙蛇",语本唐·李白《草书歌行》:"少年上人号怀素,草书天下称独步……时时只见龙蛇走。"形象地描绘了草书笔势的矫健多姿。例②里的"龙飞凤舞",语本梁·萧衍(梁武帝)《草书状》:"阙体难穷,其类多容,婀娜如削弱柳,耸拔如裊长松,婆娑而飞舞凤,婉转而起蟠龙。"形象地描绘了草书笔势的飘逸潇洒。例③连用四个成语,多方面、多角度的描绘人的学识才华。"学富五车",语本《庄子·天下》:"惠施多方,其书五车。"用来形容学识渊博。"才高八斗",事本五代·李翰《蒙求》:"谢灵运尝云:'天下才共有一石,子建独得八斗,我得一斗,自古及今同用一斗。'"用来形容人极有文才。"出口成章",语本《诗经·小雅·都人士》:"其容不改,出言有章。"用来形容文思敏捷。"文不加点",语出汉·祢衡《鹦鹉赋》:"衡因为赋,笔不停缀,文不加点。"除了形容文思敏捷外,还形容写作技能纯熟。

成语的作用是多方面的,有些成语的语义可以随着时代的前进而不断发展,不断丰富。如"实事求是",出自《汉书·河间献王传》:"修学好古,实事求是。"唐·颜师古注:"务得事实,每求真是也。"原指真诚地依据事实探求古书真义;现在则指从实际情况出发,不夸大,不缩小,正确地对待和处理问题。(见《现代汉语词典》(第5版)"实事求是"条)它的作用已经不限于修辞,而成为一种正确的思想路线和工作作风。

思 考 题

一、有人把成语定义为:一种相沿习用具有书面色彩的固定词组。你认为合适吗?理由是什么?

二、有人把"意义的整体性"和"结构的固定性"作为成语的两个基本特征。能依据这两个基本特征,把成语和其他语类区别开来吗?说说你的看法。

三、有些广告词,任意改变成语的语素或整体意义,谈谈你对这种现象的看法。如:

得芯应手(得心应手,圆珠笔芯广告)

出神入画(出神入化,书画艺术广告)

岂有此履(岂有此理,某鞋店广告)

骑乐无穷（其乐无穷，自行车广告）
一毛不拔（牙刷广告，意谓此牙刷特别结实、耐用）
高山流水（矿泉水广告，意谓此水乃高山之流水，清醇可口）

练 习 题

一、少数成语可以缩略成双音词，如"沧海桑田"可缩略为"沧桑"。下列成语可缩略成哪些双音词？把缩略的双音词填写在后面括号里。

切中肯綮（　　　　）　　管中窥豹（　　　　）
越俎代庖（　　　　）　　以蠡测海（　　　　）

二、说明下列完全"二二相承"式成语的结构类型：

呼风唤雨（　　　　）　　良师益友（　　　　）
并驾齐驱（　　　　）　　稀奇古怪（　　　　）
青梅竹马（　　　　）　　源远流长（　　　　）
废寝忘食（　　　　）　　翻来覆去（　　　　）
顶天立地（　　　　）　　斩钉截铁（　　　　）
欺世盗名（　　　　）　　柳暗花明（　　　　）

三、说明下列不完全"二二相承"式成语的结构类型：

刻舟求剑（　　　　）　　囿于成见（　　　　）
沁人心脾（　　　　）　　调虎离山（　　　　）
不寒而栗（　　　　）　　吹毛求疵（　　　　）
嫁祸于人（　　　　）　　削足适履（　　　　）
叶公好龙（　　　　）　　奇货可居（　　　　）

四、解释下列成语的本义、引申义或比喻义：

瓜田李下：_____

饮鸩止渴：_____

闻鸡起舞：_____

歧路亡羊：_____

兔死狗烹：_____

拾人牙慧：_____

五、用下列成语各造一个句子：

融会贯通：_____

道貌岸然：_____

叹为观止：_____

咬文嚼字：_____

同仇敌忾：_____

厚积薄发：_____

第八章　歇后语

第一节　歇后语的性质和名称

1. 歇后语的性质

歇后语的性质是一个比较复杂的问题,我们将分为以下几点进行讲述。

(1) 什么是歇后语

在第二章讲"语的分类"时,我们曾经指出:歇后语是由引子和注释两个部分组成的,称之为引述语。据此,可以把歇后语定义为由引子和注释两个部分组成的引述语。

这个定义有以下三个含义:

第一,歇后语同谚语、惯用语、成语一样,都属于"语"的范畴,是汉语语汇的组成部分。

第二,歇后语都是由两个部分组成的。这一点使它在结构形式上,明显地与成语区别开来。

第三,歇后语前后两个组成部分存在"引子"与"注释"的关系,这使它和由两个语节组成的谚语或惯用语区别开来。

歇后语作为一种语汇形式,来源已久。一般认为来源于古代民歌的"风人体"。清·翟灏《通俗编》卷三十八《识余·风人》里有这样的论述:

六朝乐府《子夜》《读曲》等歌,语多双关借意,唐人谓之风人体,以本风俗之言也。如:"理丝入残机,何患不成匹"、"攒门不安横,无复相关意"、"黄檗向春心,苦心随日长"、"打金侧瑇瑁,外艳里怀薄"、"玉作弹棋局,心中最不平"、"蚊子叮铁牛,无渠下嘴处"、"玲珑骰子安红豆,入骨相思知也无"、"合欢桃核真堪恨,里许元来别有人",皆上句借引他语,下句申释本意。今市俗有等谚语,如云:"释钩打钉,曳直"、"黄花女儿做媒,自身难保"、"黄檗树下弹琴,苦中作乐"、"火烧眉毛,且顾眼下"、"云端里放鹞头,露出马脚"、"哑子吃黄连,说不出底苦",乃其遗风。

又,风人之体,但取音同,不论字异。如:"雾露隐芙蓉,见莲不分明",以"莲"为"怜"也;"桐树生门前,出入见梧子",以"梧"为"吾"也;"朝看暮牛迹,知是宿蹄痕",以"蹄"为"啼"也;"石阙生口中,衔碑不得语",以"碑"为"悲"也……今谚亦然,如云:"火烧旗竿,好长叹"、"月下提灯,虚挂名"、"船家烧纸,为何"、"墙头种菜,没缘"、"外甥打灯笼,照旧"、"石臼里舂夜叉,捣鬼"、"堂前挂草荐,不是话"、"吕布跌下井,使不得戟",以"炭"为"叹","明"为"名","河"为"何","园"为"缘","舅"为"旧","捣"为"祷","画"为"话","戟"为"急"。

这两段话,清楚地表明,不论是非谐音性的歇后语,还是谐音性的歇后语,翟灏都认为是风人诗体的"遗风"。

关于风人体,南宋诗论家有过许多解说。严羽在《沧浪诗话》里说:"论杂体则有风人,上句述其语,下句释其义。"葛立方在《葛常之诗话》(卷四)里,把这种诗体的特点概括为"以下句释上句"。这些解说,和翟灏所说的"上句借用他语,下句申释本意"是一致的,是互为补充的。可见,风人体同我们现在所说的前"引"后"注"的歇后语,从形式上看,是一脉相承的:风人体的上句,相当于歇后语的"引子";风人体的下句,相当于歇后语的"注释"。就这一点上说,风人体可以看做是歇后语的诗歌形式。

歇后语脱离诗歌形式,成为流行于民间的语言单位,可能是在唐宋时期。唐·李义山编的《杂纂》、宋·王君玉编的《杂纂》续辑和苏子瞻的二续《杂纂》,都收集不少当时流行的歇后语。不过,他们所采用的体例和我们现在的歇后语汇编不同,都是以"注"为纲来编排的。如:

羞不出:新妇失礼 师姑怀孕 初落解 相扑人面肿

奴婢偷物败 犯奸 富人乍贫 重孝醉酒 子女豆瘢

杀风景:花架下养鸡鸭 游春重载 看花泪下

(以上见李义山《杂纂》)

自做得:木匠带枷 铁匠披锁

又爱又怕:小儿放纸炮 狗吃热肉 小儿看杂剧

不识好恶:岸上看人溺水 失火处说好看

(以上见王君玉续辑《杂纂》)

未足信:媒人夸儿女 敌国讲和 卖物人索价说咒

改不得:生来劣相 偷食猫儿

说不得:哑子做梦 贼被狗咬

(以上见苏子瞻续纂《杂纂》)

这种一"注"多"引"的现象,现在也很常见,如"一场空",就有"竹篮打水"、"水中捞月"、"梦中娶媳妇"等;"出力不讨好",就有"演戏顶石臼"、"猪八戒端盘子"、"老公公背儿媳妇过河"等。

元明杂剧和明清白话小说,更是大量地运用了歇后语。据统计,《金瓶梅》运用歇后语达 175 条之多。《西游记》、《红楼梦》、《儿女英雄传》、《醒世姻缘传》等也运用了不少歇后语。歇后语成为文学语言的组成部分。

(2) 歇后语前后两个部分之间的关系

关于歇后语前后两部分之间的关系问题,早在 20 世纪二三十年代,就曾经进行过热烈的讨论。其中影响最大的是以下两种说法:

一种说法认为:前一个部分是"譬(或'比喻')",后一个部分是"解(或'说明')"。

一种说法认为:前一个部分像谜面,后一个部分像谜底。

这两种说法都不够确切。

首先,歇后语处于语汇状态时,前后两部分谈不上"譬—解"关系或"谜面—谜底"关系。如:

　　狗咬老鼠——多管闲事

　　老母猪啃砖头——嘴硬

　　鸭子踩水——暗使劲儿

　　裁缝掉了剪子——就剩下尺(吃)

大家知道,比喻在形式上有本体、喻体和比喻词三个成分,本体和比喻词在一定条件下可以省去,但省去并不等于本来就不存在;而谜语则是让人猜的,在形式上,只能出现谜面,不出现谜底。上面所列歇后语表明,前一部分都说不出它们的"本体",而后一部分不能不出现,所以,前后两个部分之间,谈不上"譬—解"关系或"谜面—谜底"关系。

其次,把歇后语放到一定的语境里观察,确实有一些歇后语的前一部分是起比喻作用的。如:

① 康有富这时心中十分熬煎,真像十五个吊桶打水,七上八下,拿不定主意。(马烽等《吕梁英雄传》三二回)

② 你干的事,好比和尚头上的虱子,明摆着!(邱恒聪《狂飙》)

③ 他以为这样做群众会对他发生好感哩!大家知道他这是黄鼠狼给鸡拜年,不安好心,谁也不睬他。(刘流《烈火金钢》一一回)

例①"康有富……心中"是本体,"像"是比喻词,"十五只吊桶打水"是喻体,"七上八下"是对喻体的解释。例②与例①相同,只是把比喻词换成"好比"。例③把比喻词换成"是"。

但是,并不是所有的歇后语用于句中,前后两部分都存在"譬—解"关系。如:

① 这一个月的差事还算少,季交恕名下,只填上四个正字,每个正字五画,合共做了"五四得二十"回。其中叶得胜竟替他做了"二一添作五"——一半。(李六如《六十年的变迁》四章二)

② 韩老六赶紧抓住田万顺的胆小心情,把假笑收住,冷冷地说:"你要有本事,就甭听我的话,去跟工作队串鼻子,咱们骑在毛驴上看唱本,走着瞧吧!"(周立波《暴风骤雨》一部二)

③ 我曾"咸菜烧豆腐,有盐(言)在先":跟定我姓汪的,就有福同享,有祸同当。(燕平《从前,当我年轻时……》五九)

上面这些歇后语,前面都不能加比喻词。例①里的"二一添作五"是珠算除法的一句口诀,表示 $1÷2=0.5$,它的存在是为了从中引出"一半",没有比喻作用。例②里的"骑驴看唱本——走着瞧",后一部分"走着瞧"有双关意义,原指边走边瞧,实指事情的结果如何,以后再见分晓。例③里"咸菜烧豆腐,有盐(言)在先",运用"言"与"盐"之间的谐音关系,指有话说在前头。可见,即使把歇后语放到一定的语境中,也不能全用"譬解"关系来概括。

第三,确实有一部分歇后语,前后两个部分之间,有点像谜面与谜底的关系。如:

大米的弟弟——小米
二三四五六七八九——缺一(衣)少十(食)
嘴巴出血——红口(虹口)
打虎英雄——武松(吴淞)

这一类歇后语,显然是模仿谜语编造出来的,但为数不多。像"嘴巴出血——红口(虹口)"、"打虎英雄——武松(吴淞)"这类地名歇后语(虹口、吴淞,都是上海市的地名),流行面很窄,很少出现在文学语言里。它们介于谜语和歇后语之间,是歇后语中的一个小类。不能据此把整个歇后语的前后两个部分概括为"谜面—谜底"关系。

那么,歇后语的前后两个部分之间究竟是什么关系呢?

大量的语言事实说明:歇后语表义的重点都在后一部分,即后一部分表示整个歇后语的基本意义;前一部分除了表示某种附加意义之外,主要是起"引子"的作用,从中"引"出后一部分。比如:"高射炮打蚊子——大材小用",也可说成"电线杆当筷子——大材小用"、"顶门杠当针使——大材小用"、"被面补袜子——大材小用",就是因为"电线杆当筷子"、"顶门杠当针使"、"被面补袜子"和"高射炮打蚊子"一样,都可以"引"出"大材小用"来。既然歇后语的后一部分是从前一部分引申出来的,自然就含有对前一部分注释、说明的作用,如上几例中的"大材小用"都是对"高射炮打蚊子"、"电线杆当筷子"、"顶门杠当针使"、"被面补袜子"等的注释、说明。所以,歇后语前后两部分的关系可以概括为"引子"和"注释"的关系,简称为"引注关系"。由于歇后语的注释部分带有叙述性,所以,把歇后语称作"引述语"。

(3) 歇后语并不"歇后"

上面我们讨论了歇后语前后两个部分之间的关系问题,下面接着讨论歇后语是不是通常只说前一部分,可以"歇"去后一部分的问题。

歇后语,顾名思义,应当是"歇后"。有一种流行的说法:"歇后语是半截话,它的后半截常常不说出来,让人自己去体会猜测,所以叫歇后语"。然而,大量事实证明,歇后语并不"歇后"。请看下面的例子:

① 现在先办事要紧,事情办不好,一切都是嘴上抹石灰,白说!(臧伯平《破晓风云》九五)

② 你这话是嘴上抹石灰,白刷(说)!(侯玉鑫《大路歌》一章三)

③ 王胜昌嘴里在嚼一块红烧肉,心里在想:……今天,我又是嘴上抹石灰,白吃了。(姚自豪等《特殊身份的警官》一〇)

④ 咦,你算嘴上抹石灰,说白啦!(赵元修等《秦琼打擂》七回)

以上四例中的歇后语,前一部分相同,都是"嘴上抹石灰",后一部分表示不同的意义:例①里的"白说",指说话没有效果,说了不起作用;例②里的"白刷",利用"刷"与"说"的谐音关系,意义同例①;

例③里的"白吃",指吃喝不花钱,白享受;例④里的"说白",指说错了话。如果"歇"去后一部分,就让人很难"体会猜测",而且很容易造成误解,甚至令人不知所云。这是因为歇后语的前一部分在表义上具有模糊性,而语言的交际功能要求语言单位在表义上必须具有确定性。歇后语作为一种语言单位,其表义的确定性,是由后一部分来完成的。这是歇后语的后一部分不能随便省去的主要原因所在。

在实际应用中,如果硬把后一部分"歇"去,听话的人往往会因不明意思而发问。如:

① "我早把咱们这一仗估计透了,座山雕碰上咱们小分队,就好比三十晚上咽了气。""此话怎讲?"刘勋苍知道老栾又来了疙瘩话。"活不到来年初一。"(曲波《林海雪原》二四)

② 江峰笑着瞅了瞅丹凤,对方道成挤了挤眼:"怎么样,诗人?你瞧杨柳婆娑,绿波荡漾,杜鹃花开了,还有这样美丽的姑娘,该来一首的时候,怎么你反而走路包饺子……""什么意思?"方道成坐着问。"拿捏起来。"(李晓明等《风扫残云》一一回)

像这样的对白、对话在小说或戏曲里颇为常见,证明歇后语都的后一部分并非"说出来不说出来并不重要"。

还有的歇后语运用时,前后两个部分之间插入其他语言成分,或后一部分被拆开中间插入其他语言成分,这时如果"歇"去后一个部分,就会损害句子的完整性,使句子失去表情达意的功能。如:

① 现在是哑巴吃蚕豆——黎元洪心中有了数,他也慢慢地站起来,边擦眼泪边踌躇,口气不同了:"谁同你们造反?"

(李六如《六十年的变迁》六章三)

② 陈庆山不由得咧开大嘴笑了,说:"耗子啃皮球,你倒嗑(客)气起来啦!"(林予等《咆哮的松花江》上一一章)

③ 合作社里一片嘈杂,老初的大嗓压倒所有的声音,他说:"这算什么合作社,这些家伙,布袋里买猫,尽抓咱们老百姓的迷糊。"(周立波《暴风骤雨》二部五)

例①前后两个部分之间插进了"黎元洪"。例②前后两个部分之间插进了"你倒"。例③后一部分"尽抓迷糊"被拆开,中间插进"咱们老百姓的"。在这种情况下,如果硬要"歇"去后一个部分,不仅意思表达不清楚,连句子本身也不能成立了。

由此可见,所谓歇后语,其实并不"歇后",也不能都"歇后"。当然,这并不是说所有的歇后语都绝对不能"歇后",不过这是有条件的。常见的有两种情况。

一是同一条歇后语上文已经出现,或下文紧接着就要出现,为了避免重复,省去后一部分。如:

① 温十三妹周身痉挛,支吾道:"那,那就算我是小和尚念经——有口无心吧!还不行吗?""不行,你得说清楚,到底是'小和尚念经',还是你十三妹造谣?"何畅乘胜追击,步步紧逼。(周肖《霞岛》一〇章)

② 老根爷拦着张琦说:"我的话还没有跟你说尽。要说赶着羊群过火焰山的事,在咱这儿有,听说你和王主任三番五次逼着我们龙泉放秋放地,我看才真真正正是存心赶着羊群过火焰山——往死里逼俺们贫下中农哩!"(王东满《漳河春》一〇)

例①里"小和尚念经,有口无心"两次出现,第二次出现时省去了后一部分。例②前面只出现"赶着羊群过火焰山",是因为下文完整地出现两个部分,所以"歇"去了后一部分。这样不仅不会引起误解,反而显得简练。

另一种情况,是常用的歇后语。这是最主要的条件。因为常用的歇后语,人们都很熟悉,一提前一部分,就自然联想起后一部分说的是什么,并不影响整个歇后语语义的表达。如:

① 你不是说那女孩子国文都很好吗?我想她未必瞧得起我们这擀面杖吹火的东西。(张恨水《金粉世家》四五回)

② 你可别门缝里看人,放心罢,啥时候也不给俺穷弟兄丢脸。(杨纤如《金刚图》二二回)

③ 不过话讲回来,李国香这些年来能矮子上楼梯,也是颇为不容易的。(古华《芙蓉镇》四章二)

例①里只出现了"擀面杖吹火",省去后一部分"一窍不通"。例②里只出现了"门缝里看人",省去后一部分"把人看扁了"。例③里只出现"矮子上楼梯",省去后一部分"步步高升"。它们都是常用的歇后语,把后一部分"歇"去,并不影响对语义的理解,还给人以一种幽默感。

2. 歇后语的名称

歇后语既然并不"歇后",就有一个名实不副的问题。20世纪50年代,茅盾先生就说过:像"热鏊上的蚂蚁——走投无路"、"泥菩萨过江——自身难保"这一类歇后语,"除了大家熟悉的一些而外,如果只写出上半截而'歇'去它的后半截,那就使人猜不到它的意义。因而,这一类歇后语如果严格而论,应当有一个另外的名称"。(见《关于"歇后语"》,《人民文学》1954年第6期)20世纪80年代,有的学者根据"引注"关系是歇后语内部关系的基本特征,建议把歇后语改称为"引注语"。(见温端政《关于"歇后语"的名称问题》,《语文研究》创刊号,1980年)但是,名称的改变毕竟不是一件轻而易举的事情,确实有一个习惯问题、时间问题。我们相信,随着汉语语汇学研究的深入,会有越来越多的人认识到给"歇后语"正名的需要。在此之前,我们不妨把"引注语"作为候选学名,而仍把歇后语作为习惯性名称予以保留。

第二节 歇后语的结构

1. 歇后语结构的基本类型

由"引子"和"注释"两个部分构成,是歇后语结构的基本特点。大多数歇后语的"引子"和"注释",由一个语节构成,但也有一些歇后语的"引子"或"注释"由两个语节构成。如:

① 李宝泰本来就是个坏种,再加上这家伙给出些坏点子,就成了脑袋上长疮,脚底板流脓,坏透了。(刘江《太行风云》四)

② 我爹走的是哪一条,梨存走的又是哪一条呢?我们两家,正像爹所说的:"猪往前拱,鸡往后扒,各有各的路。"(刘澍德《桥》)

③ 这些人真是豆腐掉进灰堆里,吹也吹不得,打也打不得,要多难办有多难办!(黎汝清《海岛女民兵》一三章)

④ 李掌柜越来越心烦,有心将他父子赶走,又怕坑了饭店账;留他父子在店里,又担心欠的钱越来越多……真是两手托刺猬,扔出去舍不得,托在手里刺得痛。(张孟良《儿女风尘

记》一部一八)

例①里的"脑袋上长疮,脚底板流脓,坏透了",转指人品坏到了极点;例②里的"猪往前拱,鸡往后扒,各有各的路",转指人各走各的路子。二者前一部分都由两个语节构成。例③里的"豆腐掉进灰堆里,吹也吹不得,打也打不得",用来形容人很难对付,软的、硬的都不成;例④里的"两手托刺猬,扔出去舍不得,托在手里刺得痛",形容事情很棘手,左右为难。二者后一部分都由两个语节构成。不过这种情况比较少,下面我们主要讨论前后两个部分各由一个语节构成的歇后语的结构类型。

为了叙述上的方便,我们把"引子"简称为"引",把"注释"简称为"注"。

(1)"引"的结构类型

"引"的结构类型,主要有三种。

(一) 名词型。由一个名词构成,但限于多音节名词,未见有单音节名词作"引"的。如:

① 李之寿又补充说:"他是脚踏两只船,别看他儿当八路,水萝卜,皮红肚里白。"(丁玲《太阳照在桑干河上》一八)

② 我得先把话说在头边:如今我摊上真事儿了,你可不能黄花鱼溜边儿呀!(浩然《艳阳天》八五章)

③ 时来福就到处吹:"走后门咋啦!……它是臭豆腐——闻着臭吃起来香!"(于家乐《金奖白兰地》)

例①里的"水萝卜,皮红肚里白",比喻外表伪装进步或革命,实际上非常落后或反动;例②里的"黄花鱼溜边儿",转指回避矛盾,绕着问题溜走(黄花鱼,又称小黄鱼,春季常在沿海游动);例③里的"臭豆腐——闻着臭吃起来香",比喻某事物虽名声不好,却受欢迎。三者前一部分都由名词构成。这种类型的歇后语,为数不多。

(二) 短语型。如:

① 我当是谁了,原来是房檐上的草——刮来的野种儿。(鲍昌《庚子风云》一三章)

② 你现在是门缝里吹喇叭,鸣(名)声在外了。(柯岩《他乡明月》一五)

③ 关团长也是骑在老虎背上,身不由己呀!(李英儒《野火春风斗古城》一五章三)

④ 杨老二,你是顶着石臼做戏——费力不讨好。(鲍昌《庚子风云》二部六章)

⑤ 依我看,她是搬起碾盘打月亮,有些不识轻重。(朱文华《爱的复活》一章二)

⑥ 你小子,真不愧是吃剩饭长大的,一肚子馊主意。(周振天《神医喜来乐》一三章)

例①里的"房檐上的草——刮来的野种儿",用来责骂人是从外地漂泊来的,"引"是偏正词组。例②里的"门缝里吹喇叭,鸣(名)声在外",指人名声远扬,"引"是述宾词组(前加修饰语"门缝里")。例③里的"骑在老虎背上,身不由己",指受制于人,由不得自己做主,"引"是述补词组。例④里的"顶着石臼做戏——费力不讨好",指花了很大力气却没有落下好结果,"引"是连谓词组。例⑤里的"搬起碾盘打月亮,不识轻重",指人说话做事不会掌握分寸,"引"是兼语词组。例⑥里的"吃剩饭长大的,一肚子馊主意",指人出的都是不高明的点子,"引"是"的"字结构。

(三) 句子型。如:

① 牛志强心情焦急,暗暗埋怨牛阳春"猴子坐天下,毛手

毛脚"的。(严亚楚《龙感湖》二六回)

②为什么那个时候,你蛤蟆挂铃铛——闹得欢!可是现在,你撅着嘴,装哑巴。(碧野《丹凤朝阳》二四章二)

③要是说的叫人家抓住把柄,再传到李宝泰耳朵里,这不是老母猪钻进玉茭地,找的吃棒子。(刘江《太行风云》二四)

例①里的"猴子坐天下,毛手毛脚",形容做事粗心大意;例②里的"蛤蟆挂铃铛——闹得欢",形容人得意忘形的样子;例③里的"老母猪钻进玉茭地,找的吃棒子",指找着挨打(棒子,双关,本指玉米棒,转指棍子)。三者"引"都是句子型。

(2)"注"的结构类型

"注"的结构类型,主要有四种。

(一)单词型。可以是一个单音节词,也可以是一个多音节词。运用时,后面一般要加上助词。如:

①要叫他冲锋陷阵,那真不含糊;但要叫他提笔作文,那是"打着鸭子上架——难哪!"(刘林仙等《薛仁贵征东》一一回)

②"嗬,你还真有两下子,"宋少英同意王尚青的解释,笑笑说,"真是巴掌心里长胡须——老手了。"(黎汝清《万山红遍》二六章一)

例①里的"打着鸭子上架——难",指难以办到,"注"后面加助词"哪"。例②里的"巴掌心里长胡须——老手",原指"老了的手",转指在某方面很有经验的人,"注"后面加助词"了"。这种用单词作"注"的歇后语比较少。

(二)短语型。如:

① 只怪你自个一块好材料没有使到正路上,扰乱咱廖府的麦收,屎壳郎炮蹶子,好大的胆子!(秦兆阳《大地》一卷七)

② 我饿着又不向你借,这才是看《三国》掉眼泪,替古人担忧呢!(辛民《黄河儿女雪》三)

③ 我的意思是多谈实对实的,少来啄木鸟翻筋斗,耍花丽屁股,少放空炮。(李英儒《上一代人》三一)

④ 俺们都快干完了,他们才刚找木头橛子,真是"正月十五贴门神,迟了半个月"呀!(袁静《红色少年夺粮记》二章一)

⑤ 我那妹夫是毛厕坑里的石头,又臭又硬,你们去了,未必能说得了他。(慕湘《晋阳秋》三二章三)

⑥ 你们两人硬是城隍庙的鼓锤——一对!(罗广斌等《红岩》三章)

⑦ 你自小跟你那个妈一样,就是任性,一条道走到底……能不受罪吗?哼!脚上的燎泡——自己走的!(柳溪《四姊妹》二六)

⑧ 他们这种人属窗户纸的,一点就透。(张天民《创业》一二章)

例①里的"屎壳郎炮蹶子,好大的胆子",讥讽人胆子太大;例②里的"看《三国》掉眼泪,替古人担忧",指作多余的担忧。两个"注"都是偏正词组,前者是定中结构,后者是状中结构。例③里的"啄木鸟翻筋斗,耍花丽屁股",比喻故意卖弄花哨或炫耀自己的本事,"注"是述宾词组。例④里的"正月十五贴门神,迟了半个月",指时间晚了太多,"注"是述补词组。例⑤里的"毛厕坑里的石头,又臭又硬",讥讽人声名很坏,态度又死硬,"注"是联合词组。例⑥里的"城隍庙的鼓锤——一对",指成对成双,很相配,"注"是数量结构。

例⑦里的"脚上的燎泡——自己走的",比喻不良的后果是自己造成的,"注"是"的"字结构。例⑧里的"属窗户纸的,一点就透",指稍一指点就能明白,"注"是紧缩结构,"一……就……"表示条件关系。

(三) 句子型。如:

① 她这是捂着耳朵偷铃铛,自己骗自己。(张行《武陵山下》一二章七二)

② 咱们是一棵树上拴的俩驴,谁也跑不了。(周振天《神医喜来乐》七章)

③ 这三个人可用内蒙古老百姓的一句话概括:潘金莲的脚趾头——一个好的也没有。(于鲁人《巴拉根仓历险记》一章)

例①里的"捂着耳朵偷铃铛,自己骗自己",指自欺欺人;例②里的"一棵树上拴的俩驴,谁也跑不了",指双方利害紧密相连,出了事谁也脱不了干系;例③里的"潘金莲的脚趾头——一个好的也没有",指个个是坏东西。三个"注"都是句子型。

(四) 成语、惯用语或谚语型。其中,以成语、惯用语居多,谚语比较少见。下面各举一例:

① 不是有人认为我们迫击炮打蚊子——小题大做吗?(白桦《远方有个女儿国》一四)

② 大臣们听罢八王介绍了前敌情况,一个个都面面相观,那真是张飞玩刺猬,大眼瞪小眼。(郝赫《金沙滩》一二)

③ 人们都已赶来,大家乱成一团,七嘴八舌:"最好是灌野山羊血。""这才是太行山照见运粮河,远水不解近渴,哪来的这东西!"(刘江《太行风云》七)

例①里的"小题大做",指把小事当做大事来对待、处理,"注"是成语。例②里的"大眼瞪小眼",原指张飞的大眼睛瞪着刺猬的小眼睛,转以形容惊讶、惊恐或无可奈何的神情,"注"是惯用语。例③里的"远水不解近渴",指缓不救急,"注"是谚语。

(3)"引"、"注"之间的结构关系类型

前面,我们曾经讲过歇后语前后两部分之间的关系问题,侧重点在内容上(见第二章第二节)。这里着重从结构关系上进行讨论。

"引"、"注"之间的结构关系,有四种类型。

(一)"句子形式+句子形式"型。

这里所说的"句子形式",同前面所说的"句子型"一样,只是形式上像句子,但没有一定的句调,不是完整意义上的句子。如:

① 沟前边张有义和康有富吵起架来了……互相骂着,拉扯着,真是铜盆撞了铁扫帚,谁也不让谁。(马烽等《吕梁英雄传》三〇回)

② 闯王派我来,也只是同你们见见面,交交朋友,免得日后大水淹了龙王庙,一家人不认识一家人。(姚雪垠《李自成》一卷一四章)

③ 你们没有下会,风就刮到村上,我看有些人神神鬼鬼,像变性了一样,我心里就嘀咕:"这耗子上房,不是发大水,就是要下大雨。"(王东满《漳河春》一二页)

例①里的"铜盆撞了铁扫帚,谁也不让谁",指双方态度都很强硬,互不相让;例②里的"大水淹了龙王庙,一家人不认识一家人",指自己人之间发生误会。二者"引"和"注"都是单句形式。例③里的"耗子上房,不是发大水,就是要下大雨",比喻必然出现某种情况,

"引"是单句形式,"注"是复句形式。

(二)"句子形式＋短语"型。如:

① 他……假意向刘参谋官寻计,目的是玩"刘备摔孩子——收买人心的把戏"。(肖驰《决战之前》一五章)

② 我看你是寿星老儿买砒霜,活得不耐烦了。(群星《映天红》二二章二)

③ 亮伪的答话如胡椒拌黄瓜,又辣又脆。(邱恒聪《狂飙》一四章二)

例①里的"刘备摔孩子——收买人心",指要手段笼络人心,使人甘愿受其利用(《三国演义》第四十一、四十二回描写:刘备在长坂坡遭曹兵围困,赵云杀入重围救出刘备的儿子阿斗;刘备故作姿态要把阿斗摔在地下,说:"为汝这孺子,几损我一员大将!"),"引"是句子形式,"注"是述宾词组。例②里的"寿星老儿买砒霜,活得不耐烦",用来讥讽或责骂人不想活,自寻死路,"引"是句子形式,"注"是述补词组。例③里的"胡椒拌黄瓜,又辣又脆",形容说话尖刻干脆,"引"是句子形式,"注"是联合词组。

(三)"短语＋句子形式"型。如:

① 高松年的工夫还没到家,他的笑容和客气仿佛劣手仿造的古董,破绽百出。(钱钟书《围城》八)

② 光彩!光彩!真是对着镜子作揖——自己恭维自己哩!(李準《三月里的春风》一)

③ 甭看她人不大,心眼可是属石榴的,点多。(陈解民《俏寡妇开店·梨花泪》)

例①里的"劣手仿造的古董,破绽百出",形容暴露出的漏洞很多,"引"是偏正词组,"注"是句子形式。例②里的"对着镜子作揖——

自己恭维自己"，讥讽人自我赞赏，"引"是偏正词组，"注"是句子形式。例③里的"属石榴的，点多"，指主意、办法多，"引"是"的"字结构，"注"是句子形式。

（四）"短语＋短语"型。如：

① 咱说你这个人呀，可是个好人，就是六月里的梨疙瘩，有点酸。（丁玲《太阳照在桑干河上》三一）

② 我把你好有一比，你这可真叫高山摔茶壶——就剩下一个嘴儿了！（魏巍《东方》六部一三章）

③ 德福的火窜了上来，怒视卢忠，骂道："去你妈的！我看你是上坟不带烧纸，惹你祖宗生气！"（周振天《神医喜来乐》三三章）

例①里的"六月里的梨疙瘩，有点酸"，讥讽人有些迂腐，"引"和"注"都是偏正词组。例②里的"高山摔茶壶——就剩下一个嘴儿了"，讥讽人没有其他本事，只会耍嘴皮，"引"是偏正词组，"注"是述宾词组。例③里的"上坟不带烧纸，惹你祖宗生气"，责骂人言行荒唐，惹人生气，"引"是连谓词组，"注"是兼语词组。

2. 歇后语结构的相对固定性

歇后语和谚语、惯用语、成语一样，在结构上具有相对固定性，即既有固定的一面，又有灵活性的一面。像"老鼠过街——人人喊打"、"竹篮打水——一场空"、"徐庶进曹营——一言不发"等，结构都比较固定。但是，相比之下，歇后语结构的灵活性更为突出，主要表现在以下几个方面。

（1）取材相同的"引"，说法上可以有不同。如：

① 谢庆元像是老鼠钻风箱，两头受气，气得跟鸭公子一

样,喉咙都嘶了,倒在床铺上,哼天哼地。(周立波《山乡巨变》下九)

② 拣住一身黄大衣,又叫张有义扯烂了,众人还批评了我,真是老鼠钻到风箱里,两头受气!(马烽等《吕梁英雄传》三二回)

③ 这时,敌人真像钻进风箱的老鼠,两头受气,再也不愿意在这神秘的黑夜里,十分不利作战的地形上多停留一秒钟……(冯志《敌后武工队》二章)

(2) 同一个意思的"注",可以有不同说法。如:

① 彩霞咬着嘴唇,向贾环头上戳了一指头,说道:"没良心的!狗咬吕洞宾,不识好人心。"(《红楼梦》二五回)

② 我说:"你真是狗咬吕洞宾——不认识好人。我是可怜你有病。"(峻青《老水牛爷爷》)

③ 你真是狗咬吕洞宾,不识好丑人。人家一番好意,把喜事带来告诉你,你倒骂起我来了。(欧阳山《柳暗花明》一〇三)

(3) "引""注"次序可以倒置

歇后语作为语汇形式存在的时候,都是"引"在前,"注"在后。但运用时,在一定的语言环境里可以倒过来,变成"注"在前,"引"在后。如:

① 那穿绸穿缎的她不去看,她看上了个灰秃秃的磨官。真是武大郎玩鸭子,啥人玩啥鸟。(萧红《呼兰河传》七章四)

② 若有人问他的绳甩子是马鬃的还是马尾的?他就说:"啥人玩啥鸟,武大郎玩鸭子。马鬃是贵重东西,那是穿绸穿缎的人拿着。"(萧红《呼兰河传》六章二)

例①里的"武大郎玩鸭子,啥人玩啥鸟",比喻什么样的人配用什么样的东西,"引"在前,"注"在后,属于一般形式。例②里的"啥人玩啥鸟,武大郎玩鸭子","引""注"次序倒置,属于变式。下面两例也是"引""注"次序倒置:

① 这天他碰上丑毛,心上可就有几分恍惚:"人常说,知冬不知夏,腊月里买镰把。天下可真有这号怪事。"(刘江《太行风云》五六)

② 你太胆小了……怕什么,以烂为烂,泼着坛坛碰罐罐。(艾芜《百炼成钢》二章二)

例①里的"知冬不知夏,腊月里买镰把",指人连季节都搞不清楚;例②里的"以烂为烂,泼着坛坛碰罐罐",指豁出去干一场,不惜两败俱伤。

(4)"引"和"注"可以拆开,中间加入其他语言成分

歇后语作为语汇形式时,中间有语音停顿,不插入其他语言成分。在应用时则有灵活性,可以拆开,加进其他语言成分。如:

① 二老爷没有工夫和你磨牙。骑驴看唱本,咱走着瞧!(马烽等《吕梁英雄传》五二回)

② 好你个黄毛丫头,王八吃秤砣,你真铁了心啦!(李英儒《野火春风斗古城》七章二)

③ 在估不透看来,真的要是把玉芳给了梁宗彦,那才真是老鼠盗葫芦,大头儿正经还在后边哩。(刘江《太行风云》三八)

例①里的"骑驴看唱本,走着瞧",指事情结局如何等以后再看,"引""注"之间加进"咱"。例②里的"王八吃秤砣,铁了心",形容人拿定主意,决不改变,"引""注"之间加进"你真"。例③里的"老鼠

盗葫芦,大头儿在后边",指更严重的事情还在后边,"注"的中间插进了"正经还"。

上述情况表明,歇后语在结构上的灵活性比起其他语类来要大一些,同时也说明它并不是完全自由组合的,固定性还是它主要的一面。

第三节　歇后语的语义

1. 歇后语语义的特点

歇后语的语义具有双关性、多义性和方言性的特点。

(1) 双关性

双关现象,在歇后语里相当普遍,是歇后语语义的一个重要特点。主要表现在后一部分所表示的整个歇后语的基本意义往往有"本义"和"别义(也叫转义)"之分。大致有以下几种情况:

(一)利用后一部分里某个词语的多义性产生别义,即"转义双关"。如:

① 没有这东西,你就什么也别望办成……想到外面找工作,更是墙上挂竹帘——没门儿。(崔巍《爱与恨》五章)

② 哪个敢捣蛋,我夏金棍就敲破你们的脑袋……我这个人讲话是石板上钉钉子——硬碰硬!(丁令武《风扫残云》八章三)

③ 我是碟子里扎猛子——不知深浅!(李惠文《乱世夫妻》一四章)

例①里的"没门儿"原指没有门,转指没有门路,表示不可能。例②里的两个"硬"字,原指坚硬,转指态度强硬。例③里的"深浅",原指深浅的程度,转喻言行的分寸。

第二,利用后一部分里的一个或几个字的同音或近音相谐而产生别义,即"谐音双关"。如:

① 老汉们又忙说,钱不怕,朝廷爷吃煎饼——君(均)摊:已经说好各户按地亩、人头摊派。(郑义《老井》九)

② 刘海被姑娘的情意鼓动,感情的湖面又激起了波澜,他摇摇头说:"和尚的脑壳——没发(法)。"(罗石贤《荒凉河谷》七章二)

③ 五妹今年也有三十岁了……我看配你嘛!这才叫"何家的姑娘姜家的婆娘——姜何氏(刚合适)。"(欧阳山《黑凤凰》一三)

例①里的"朝廷爷吃煎饼——君(均)摊","君"与"均"同音相谐,指平均摊派。例②里的"和尚的脑壳——没发(法)","发(fà)"与"法(fǎ)"近音相谐,指没有办法。例③里的"姜何氏(jiāng hé shì)",与"刚合适(gāng hé shì)"近音相谐,指正好合适。

第三,利用后一部分里某个"假借"字而产生别义,即"假借双关"。如:

① 老蔡不等他说完,就霍地站起来,直勾勾地望着他说:"张金龙,你别老鼠上秤钩——自称自!"(孔厥等《新儿女英雄传》七五回)

② 他没有流露出笑容,也没有发出赞许声,这一来,掌柜的是老太太穿毡袜——毛了脚。(徐羽《大雪飘飘》三)

③ 于春保以教训的口气对卫钟华说:"副业抓不上,春耕备不好,脑门上长瘤子——净搞些额外负担,到年底……叫大伙儿喝西北风去呀?"(郭先红《征途》一四章)

例①后一部分里的"称"字,本是"称体重"的"称",指测定重量,借作"称赞"、"称道"的"称",指赞扬。例②后一部分里"毛",本指毡袜上的羊毛,借作"发毛"的"毛",指惊慌。例③后一部分里的"额",本是"额头"的"额",与前一部分"脑门相应,借作"额数、额外"的"额",指规定的数目。这种用借用一个词来表示同音同形而不同义的另一个词,以形成真正的语义,是歇后语语义构成的一种特殊手段。

第四,利用后一部分里词与词的组合,生成一个新的词语,从而产生别义,即"组合双关"。如:

① 你说行,我就派人,你说不行,咱就脚后跟拴绳子——拉倒。(张思忠《龙岗战火》)

② 老龙雨还真有眼力,彩虹这颗苗苗真是哑巴见面——没说的!(田东照《长虹》一章四)

③ 看来我的工作却像俗话说的:百年松树,五月芭蕉——粗枝大叶。(严亚楚《龙感湖》二〇回)

例①里的"拉倒"是"拉"和"倒"的组合,原指一拉就倒,转指"算了、作罢"。例②里的"没说的"是"没"、"说"和"的"的组合,原指没有什么可说的话,转指没有什么可挑剔的缺点。例③后一部分里的"粗枝"、"大叶"分别与前一部分里的"百年松树"、"五月芭蕉"相应,合成为一个成语,形容作风草率,做事不认真、不细致。

第五,后一部分运用比喻义,即"借喻双关"。如:

① 有新老汉走到灰灰脸跟前,拿起拐杖指住他的眉眼五官说:"哈巴狗戴串铃,你充什么大牲口!你说了为什么不算数?"(刘江《太行风云》四四)

②有个老头说:"你们跟我们合哪!是胖老婆骑瘦驴——

肥瘦相搭呗!"(李準《人比山更高》)

③ 不行不行,孤男寡女,坐在一处过夜,总不免讨人家说话,这叫做"黄鼠狼躲在鸡棚上,不吃鸡,也吃鸡!"(程瞻庐《唐祝文周四杰传》五二回)

例①里的"充大牲口",比喻冒充很有气派的人。例②里的"肥瘦相搭",比喻实力强的和实力弱的相互搭配。例③里的"不吃鸡,也吃鸡",比喻即使不做坏事,也会被人怀疑做坏事。

(2) 多义性

语有一语多义现象。歇后语与谚语、惯用语、成语比较起来,多义现象较为突出,主要表现在有些歇后语后一部分所表示的基本意义可作多种解释。如:

① 于头看模样虽是糊涂,可他的心眼儿比谁都机灵,就像俗话说的:小葱拌豆腐——一清二白。(陈立德《前驱》二七章)

② 大家要抓紧时间,发言要小葱拌豆腐,一清二白,别连汤带水的。(肖驰《决战之前》一〇章)

③ 我两个一块儿工作这么些年,真是小葱拌豆腐——一清二白,别说亲嘴,就连个手也没有拉过呀!(孔厥等《新儿女英雄传》一六回)

"一清二白"的"清"是"青"的谐音字,与前一部分"小葱"相应。在不同的上下文中,它有不同的意义:在例①里指对事物了解很透彻,与"糊涂"相对;在例②里指清楚明白,让人容易了解,与"连汤带水"相对;在例③里指关系或行为清白,无污点。

歇后语之所以会产生多义现象,原因很多。试比较以下三组例子:

A 组：

① 只要跟他一讲，就会是"胸口挂着钥匙——开心"。病，也就会渐渐好起来。(严亚楚《龙感湖》一三回)

② 魏明像炸开的地雷，顿时勃然大怒："什么？你真会胸口上挂钥匙——开心！"(报)

B 组：

① 方晴看出了沈颂治是"铜铃打鼓——另有音"，听了他的"呀"字，知道下面又要有一大块文章了。(戚天法《四明传奇》一七回)

② 办花会是铜铃打鼓——另有音(因)，谁还有心思去玩花会？(刊)

C 组：

① 这位大首长既是来调查，总不会是"木匠斧子——一面砍"吧，总得问问这联产责任制的由来吧。(张一弓《赵镢头的遗嘱》三)

② 他们长期受当官的欺骗宣传，木匠斧子——一面砍，对国际、国内形势两眼一抹黑……心里有怀疑。(王厚选《古城青史》四四回)

③ 不想郭春海和张虎蛮赶过来，木匠斧子一面砍，都帮着王连生说话。(胡正《汾水长流》一九章)

A 组例①②里的"开心"，原指打开心扉，"开"与"心"组成多义词"开心"：一为形容词，形容心情快乐舒畅；一为动词，戏弄别人，使自己高兴。例①采用前一个义项，例②采用后一个义项。B 组例①②里的"另有音"，原指另有声音，例①利用"转义双关"，指话里有话；例②利用"谐音双关"，指另有原因。C 组例①②③里的"一面砍",原指木匠的斧子(只在斧头的一面磨刃),只能用一面砍木材,构成具有惯用语性质的"一面砍"之后,有三个义项:一指看问题片面,只说一面之理;一指只听一边宣传,受一个方面的影响;一指处理矛盾纠纷不公正,偏袒一方。例①用第一个义项;例②用第二个义项;例③用第三个义项。

当然,我们说多义性是歇后语语义的一个特点,并非指所有的歇后语都是多义的。事实上,有不少歇后语是单义的,如"猫哭老鼠——假慈悲","假慈悲"只有一种解释,即做出假象,同情弱者或受害者;"船头上跑马——走投无路","走投无路"也只有一种解释,即处境困难,找不到出路。有的歇后语,除了本义之外,其别义已经作为实际意义凝固在歇后语上,成为它的基本意义。比如"狗撵鸭子——呱呱叫","呱呱叫"本指鸭子"呱呱"地叫("呱呱"是象声词),"呱呱"与"叫"组合成复合词后产生了别义,形容极好。这个别义已经代替了本义,实际上也成为单义歇后语。

(3) 方言性

语汇往往具有地域特色,歇后语表现得更为突出。歇后语语义的方言性,主要表现在两个方面。

(一) 某些歇后语表示基本意义的后一部分是方言词或含有方言词。如:

① 光有嗓子,不入弦,还不是猴儿拿虱子,瞎掰?(老舍《方珍珠》五幕)

② 等他把这些事忙完了,别人都吃完了早饭。总之,溥仪的生话就像是猴子驾辕——乱套了。(于友发《由皇帝到公民》)

③ 看这上面说的口气倒蛮大的,占了个张家口,就烟火

头掉进衣裳口袋里——烧起包来了。(刘子威《在决战的日子里》六章)

例①里的"猴儿拿虱子,瞎掰",指徒劳无益,白搭;"瞎掰"是来自北京、哈尔滨等地的方言词。例②里的"猴子驾辕——乱套",指乱了秩序或次序;"乱套"是来自北京、哈尔滨、西安、太原等地的方言词。例③里的"烟火头掉进衣裳口袋里——烧起包来",讥讽人因某种原因洋洋得意起来;"烧包",是来自北京、济南、洛阳、银川等地的方言词。

(二) 某些歇后语的产生具有地方的人文社会背景。如:

① 焦淑红说:"空口无凭,我们可要看你的行动。"马翠清说:"可不能天桥的把式,光说不练!"(浩然《艳阳天》九五章)

② 张枫林的脑子不用是不用,用时来得很快。他满有把握地回答说:"要点子现成,天津卫的鸭子,海来的。"(李英儒《还我河山》八章二)

例①里的"天桥的把式,光说不练",指光耍嘴皮,不来实的。天桥,这里指地名,在北京市永定门内,清末逐渐成为民间艺人演出的地方,卖艺的艺人常摆出表演功夫的架势,但多耍耍嘴皮,不动真的。例②"天津卫的鸭子,海来的",形容非常多。"天津卫",是今天津市的旧称,在天津方言里,"海"除指大海外,还指极多。

由于这些歇后语的构成成分中所含的方言语素,来自普通话的基础方言——北方方言,而且有一定的流行面,故能为普通话所接受,有助于丰富普通话的歇后语。要注意把这带有方言性的歇后语和流行面较窄的方言歇后语区分开来。下面两例中的歇后语就是方言歇后语:

① 怎么,你可咋唬啊!真是锈得木子死在树窟窿里,吃

了嘴的亏!(冯志《敌后武工队》二四章一)

② 据村上老一辈人们传说,记不清常观音保的哪代老祖辈,还下过几趟考场,可是到头来也没有进了学。直到如今,这一带的人们还流传着这么一句话:"七里铺家进秀才,没想。"(刘江《太行风云》一)

例①里的"锛得木子死在树窟窿里,吃了嘴的亏",指人吃亏吃在不注意说话上;"锛得木子"是黑龙江省哈尔滨市一带的方言词,指啄木鸟。例②里的"七里铺家进秀才,没想",指不可能,没有希望;"七里铺",据小说描写,是太行山上的一个小村庄,旧时自然条件差,群众生活贫困,文化极其落后,上得起学的人很少。这类方言歇后语,在各地方言里都大量存在。

2. 歇后语语义的结构

(1) 字面意义和实际意义

有些歇后语后一个部分所表示的字面意义,就是它的实际意义。如:

① 他对小队长是一肚子不满意,特别是看刚才突然进来一伙客商,更觉得住在这里是"鲁肃上了孔明的船——错了"!(孙景瑞《难忘的战斗》五章三)

② 闹散了会并不要紧,要紧的是假若政府马上施行自治,我们无会可恃,岂不是"大姑娘临上轿穿耳朵眼",来不及吗?(老舍《老张的哲学》一四)

③ 三个侦察员又分头在附近查看。查来查去,却似烂网打鱼——一无所获。(张作为《原林深处》六章)

以上三例中,歇后语语义结构比较简单,后一部分"错了"、"来不及"、"一无所获",一看就明白。

但是,多数歇后语后一部分的字面意义不是实际意义,从而构成前文所说的"双关"现象。这里需要进一步说明的是,歇后语的双关现象,并不意味着歇后语的语义具有"双层性"。语义上具有"双关"现象的歇后语,字面意义一般不起表义作用,起实际表义作用的是它的"别义"。如:

① 他看着嫌咱穷,咱看着还嫌他懒。再说句笑话:他刘二兴不过有两匹骡子,可是这好比大年初一捉个兔子,有它也要过年,没它也要过年。(李准《冰化雪消》)

② 咱们起义,不是拉人赴席。愿意干的跟老子来。贪生怕死,留恋家业,或是跟朱家朝廷割不断恩情的,滚他娘的去。大年初一逮兔子,有它过年,无它也过年!(姚雪垠《李自成》一卷二九章)

③ 柴老书记说:"咱们靠白手起家,自力更生,照样搞新产品,那些洋玩意儿——大年三十捉个兔子,有它过年,没它也过年!"(韶华《身边人物志·肠梗阻》)

以上三例中的歇后语说法略有不同,是同一个歇后语的不同变体,从字面上看,是说兔子和过年的关系,实际意义是比喻有没有某人或某物都不影响事情的进展,而这个实际意义是它唯一起表义作用的意义。

(2) 基本意义和附加意义

前面说过,歇后语都是由"引子"和"注释"两个部分组成的。前一部分既然是"引子",在表义上自然只起辅助作用,表示某种附加意义;而从"引子"引出来的"注释"部分,才是表义的重点所在,它表示整个歇后语的基本意义。试比较以下两组例子:

A组:

① 曾国藩两眼盯着刘蓉那张已变粗黑的脸,心中有点七上八下。(唐浩明《曾国藩·血祭》九章)

② 那胡正卿心头十五个吊桶打水,七上八下。暗暗地寻思道:"既是好意请我们吃酒,如何却这般相待!"(《水浒全传》二六回)

B组:

① 高生亮碰了一鼻子灰,又不好发区长脾气,只得跑去找区委书记赵士杰。(欧阳山《高干大》一二章)

② 不想刚说半句话,就抱着木炭亲嘴——碰了一鼻子灰!(李晓明等《风扫残云》九回)

以上两组里的例①都是一般说法,例②分别在"七上八下"、"碰了一鼻子灰"前面加上"十五个吊桶打水"和"抱着木炭亲嘴",都成了歇后语,但基本意义并没有发生变化,分别表示心神不定、拿不准主意和比喻遭到斥责或冷遇而落得没趣。这证明歇后语的基本语义是由后面的"注释"部分来表示的。

歇后语前一部分虽不表示基本意义,却可以表示附加意义,即附加于基本意义之上的某些色彩意义,包括形象色彩、感情色彩、风格色彩和阶级色彩。试比较以下几组例子:

A组:

① 既然朝廷无道,卢象升纵然做了宣太、山西总督,也如同水牛掉井里,有力使不出。(姚雪垠《李自成》一卷六章)

② 飞机的构造真复杂⋯⋯咱们学这个,那是拖拉机撵兔子——有力使不出。(刊)

B组:

①"真是绣球配了个牡丹,天生的一对!"巧凤高兴得抿不住嘴,眉是叶子眼是花。(贺为政《黄河儿女》一六章)

② 她跟陈歪脖真是瘸驴配破磨,天生的一对,又脆又恶又缺德!(舒丽珍《峦城火焰》六章)

C组:

① 要,要! 韩信将兵,多多益善!(唐亢双等《闹海记》上一○)

② 只要这东西不缺,我是"和尚化缘,多多益善"啰!(陈桂棣《挣脱十字架的耶稣》二三)

D组:

① 我是小姑娘掌钥匙,当家不作主哇。(李瑞林《火苗》一四)

②再说俺满喜哥他也是抠人家碗底儿的,丫环女带钥匙,就怕当家不作主。(刘江《太行风云》三五)

A组例①里的"水牛掉井里,有力使不出"和例②里的"拖拉机撵兔子——有力使不出",后一部分所表示的基本意义相同,都是指有力气用不上或使不出来;但前一部分所表示的形象色彩不同。"拖拉机撵兔子",具有时代性,如果用在例①里,显然不妥。B组例①里的"绣球配了个牡丹,天生的一对"和例②里的"瘸驴配破磨,天生的一对",后一部分所表示的基本意义相同,都是指男女正好配成一对,但前一部分所表示的感情色彩不同,前者带有明显的褒义,后者则带有明显的贬义。C组例①里的"韩信将兵,多多益善"和例②里的"和尚化缘,多多益善",后一部分所表示的基本意义相同,都是指越多越好,但前一部分所表示的风格色彩明显不同:"韩信将兵,多多益善"出自《史记·淮阴侯列传》:"上(刘邦)问曰:'如我能将几何?'(韩)信曰:'陛下不过能将十万。'上曰:'于君何如?'曰:'臣多多而益善耳。'"与"和尚化缘,多多益善"相比,风格迥然不同。D组例①里的"小姑娘掌钥匙,当家不作主"和例②里的"丫环女带钥匙,当家不作主",后一部分所表示的基本意义相同,都是指虽然掌管家中事物,但得听从别人,自己不能作主;但后者里的"丫环女"带有一定的阶级色彩。

歇后语的阶级色彩,也是歇后语时代性的一种表现。不能由此认为歇后语具有阶级性。歇后语是汉语特有的一种语汇,是语言的建筑材料,哪个阶级都可以使用,都可以理解。在歇后语语汇中,带有阶级色彩的只是少数。有的歇后语原有的阶级色彩,随着时间的推移而逐渐淡化。

3. 歇后语语义的类聚

(1)同义歇后语

两个或两个以上意义相同或相近的歇后语叫做同义歇后语。同义歇后语有以下两种情况:

(一)前一部分取材不同,后一部分所表示的基本意义相同。如:

① 说话办事要石斧凿石磨——石(实)打石(实)!(晓凡《强者·求实》)

② 今天我可是碌碡碰石头——石(实)打石(实)地什么话也给你抖了。(王东满《漳河春》四)

③ 同志们别笑,我说的这是碾砣砸碾盘,石(实)打石(实)的事。(冯志《敌后武工队》五章二)

(二)前一部分取材不同,后一部分所表示的基本意义相近。

如：

① 咱们不能老当掉在风匣里的老鼠,两头受气。(郭明伦等《冀鲁春秋》四章一)

② 曹昭一拍桌子:"皇天,皇天,我这才是野狗钻篱笆,两面受夹!"(刘澍德《甸海春秋》)

③ 他们老亲家俩若和和气气的,咱俩就不用当这骨缝里的肉,两面受硬的气。(刘亚舟《男婚女嫁》六)

如果前一部分取材大致相同,后一部分所表示的基本意义也相同,只是说法上略有不同,比如"吃柳条拉筐子——肚子里编"、"吃柳条拉竹筐——全在肚子里编"、"吃柳条拉笊篱——肚里现编现卖"等,是同一个歇后语的不同变体,不能认为是同义歇后语。如果后一部分所表示的基本意义不同,即使前一部分完全相同,比如"张飞穿针——粗中有细"、"张飞穿针——有力无处使"等,也不能认为是同义歇后语。

(2) 反义歇后语

两个歇后语的基本意义相反,叫做反义歇后语。如:

① 咱家的日子像芝麻开花一样节节高。(肖驰《决战之前》一六章)

② 日本侵略军占领了全东北……从此,老东山的日子真是王小二过年,一年不如一年。(冯德英《迎春曲》九章)

③ 别在海面上把他给胡弄跑了,得叫他屎克郎滚粪蛋,往前拱,瞅准了,囫囵个儿捶掉它。(刊)

④ 现在刚把估不透的尖儿平下去,又露出金山这种人,办事不往前看,老是屎克郎滚粪蛋,光往后爬。(刘江《太行风云》四七)

例①里的"芝麻开花,节节高",原指芝麻每一开花,就往上长一节,用来形容日子越过越好;例②里的"王小二过年,一年不如一年",指日子越过越差,语义正好相反,是比较典型的反义歇后语。例③里的"屎克郎滚粪蛋,往前拱"和例④里的"屎克郎滚粪蛋,往后爬",虽然前一部分相同,但后一部分所表示的基本意义相反,也是反义歇后语(屎克郎滚粪蛋往往是两个在一起滚,一个在前,身子往前爬,后腿向前拨动;一个在后,倒转身子向后退着爬,后腿推着粪蛋,所以同是"屎克郎滚粪蛋",既可以"引"出"往前拱",又可以"引"出"往后爬")。

同义歇后语和反义歇后语的存在,是汉语歇后语语汇丰富的表现。适当地运用同义歇后语和反义歇后语,能够加重语气,渲染气氛,增强语言的表达效果。如:

① 盘龙山上有了梯田,打出了井……这可是芝麻开花,节节高呀!上楼梯吃甘蔗,步步甜哪!(杨大群《山燕》一八)

② 你是吹糖人儿的出身,口气怪大;蚂蚁戴眼镜,自觉着脸面不小。(姚雪垠《李自成》一卷二九章)

③ 再硬的铁,在咱铁工的手里也能把它锤炼成铁器……你把这看成是"鸡娃吃黄豆——咽不下",我看它不过是"老虎吃豆芽——小菜一盘"。(刊)

例①里连用两个同义歇后语,把日子越过越美好的情景,更加生动地表现出来。例②里也是连用两个同义歇后语,把那种自以为了不起的样子,揭示得更加活灵活现。例③里用的是两个反义歇后语,"鸡娃吃黄豆——咽不下"比喻无力做某事,"老虎吃豆芽——小菜一盘"比喻做某事轻而易举,两相对比,一正一反,更加衬托出铁工藐视困难、战胜困难的意志和决心。

第四节 歇后语的语法功能和修辞作用

1. 歇后语的语法功能

歇后语进入句子以后,既可以作为一个完整的语法单位出现,又可以被拆开来成为两个语法单位。

歇后语作为一个完整的语法单位出现时,可单独成句,或充当复句里的分句,也可充当句子成分。当它被拆开成为两个语法单位时,便分别承担不同的语法功能。下面分别加以叙述。

(1) 单独充当句子。如:

① 钱兴他赚,也兴咱赚。八仙过海,各显各的本领。(李准《黄河东流去》三一章四)

② 我吗?庙门口的旗杆,光棍一条!(吴强《红日》二章九)

③ "是不是打架,打死人了?妈,我要去。""药里的干草,少得了你?"(丁玲《东村事件》四)

例①里的"八仙过海,各显各的本领",指人人都拿出自己的看家本领。例②里的"庙门口的旗杆,光棍一条",指单身汉一个。例③里的"药里的干草,少得了你?"采用反问句式,用来责骂人多管闲事,什么事情都要掺和。

(2) 充当复句里的分句。如:

① 我老了,八十岁学吹手——来不及了。(杨明《二龙传》三章二)

② 要是按这种敌情通报再行动,正月十五请门神——晚半月啦!(王林《腹地》四)

③ 赵清说话的声音虽不大,但是矮子下河——淹(安)了心了。(刊)

例①里的"八十岁学吹手——来不及",指学某种技艺或从事某项工作为时已晚,与前一个分句组成连贯关系的联合复句。例②里的"正月十五请门神——晚半月",指行动错失了时机,与前一个分句组成假设关系的偏正复句。例③里的"矮子下河——淹(安)了心",指拿定了主意,与前一个分句组成转折关系的偏正复句。

(3) 充当句子成分。

歇后语作为一个语法单位可以充当句子的各种成分。常见的是作谓语、宾语和定语,也可以作状语和补语,分别举例说明如下。

(一) 作谓语。如:

① 咱磨坊里的驴——听喝。(程树臻《钢铁巨人》二〇章)

② 云生呀,你面汤里搅黄面,好糊涂呀!(李德魁《好姻缘烧不散》)

③ 薛工程师窗户眼吹喇叭——名声在外。(扎拉嘎胡《草原雾》三章二)

例①里的"磨坊里的驴——听喝",指听人指挥或命令。例②里的"面汤里搅黄面,好糊涂",指人太不明事理。例③里的"窗户眼吹喇叭——名声在外",指人声名远扬。

(二) 作宾语。如:

① 我石玉林,就喜欢棉桃里面找胡桃——专拣硬的敲。(黎汝清《叶秋红》二五章)

② 我当里正的,有责任把这件事查清楚,要是没有,那最好,这叫做"麻雀肚里找蚕豆,根本没那回事"。(严霞峰《况公

案》三五回)

③ 一家哪知一家事,我家实情是花被盖鸡笼,外表好看里头空。(唐亢双《闹海记》一〇)

④ 每个厂总有这么几个人,就像茅厕里的石头,又臭又硬!(艾明之《火种》八章三)

例①里的"棉桃里面找胡桃——专拣硬的敲",比喻专门打击态度强硬的,作动词"喜欢"的宾语。例②里的"麻雀肚里找蚕豆,根本没那回事",指根本没有或不可能发生某事,作动词"叫做"的宾语。例③里的"花被盖鸡笼,外表好看里头空",指表面上看起来很富有而实际却很贫穷,作动词"是"的宾语。例④里的"茅厕里的石头,又臭又硬",责骂人名声很坏,态度又死硬,作动词"像"的宾语。

(三) 作定语。起修饰后面名词的作用,后面一般要加助词"的"。如:

① 咱庄稼人干营生,就得干些碌碡砸碾盘,石(实)打石(实)的活。(聂海《靠山堡》一七)

② 这一方人是不讲道理的。扳着屁股亲嘴——不认香臭的东西!(王兆军《盲流世家》一四)

③ 起眼一看,便知你是个"半天云里打灯笼,高明又高明"的角色。(克非《春潮急》一)

例①里的"碌碡砸碾盘,石(实)打石(实)",两个"石"字都谐"实",指实实在在。例②里的"扳着屁股亲嘴——不认香臭",讥讽人分不清是非好歹。例③里的"半天云里打灯笼,高明又高明",形容人的见解或本领等高超出众。

(四) 作状语。着重描写动作的情态,后面一般要加助词"地"。如:

① 大队的情况吗,好嘛,我和你三个铜钱放两处,一是一,二是二地摆一摆。(叶辛《我们这一代年轻人》二四)

② 可是,不与蔡志民来个山上滚石头——硬碰硬地干,哪有万全之计呢!(陈定兴《香港之滨》二章二三)

③ 两头老人催着他们年前结婚,秀英一直没吐口,小强他爹娘就老头儿拉胡琴,吱咕吱(自顾自)地忙活起来了。(马春《龙滩春色》八)

例①里的"三个铜钱放两处,一是一,二是二",指实事求是,本来怎么样就怎么样。例②里的"山上滚石头——硬碰硬",形容针锋相对,互不相让。例③里的"老头儿拉胡琴,吱咕吱","吱咕吱"谐"自顾自",指只顾自己,不顾他人。

(五)作补语。通常表示动作的结果,前面一般要加助词"得"或量词"个"。如:

① 几句话,把个马连福说得张飞穿针——大眼瞪小眼,后脊梁背苏苏地冒凉气。(浩然《艳阳天》一二章)

② 你……弄得猪八戒照镜子——里外不是人。穷的富的都不说你好,人叫你得罪完了。(孙犁《村歌》下一一)

③ 这一下子我闹了个武大郎攀杠子——上下够不着了。(张长弓《娜敏伊虹》四章九)

例①里的"张飞穿针——大眼瞪小眼",形容惊讶或惊恐。例②里的"猪八戒照镜子——里外不是人",指到处遭埋怨,落不是。例③里的"武大郎攀杠子——上下够不着",形容做事两头不落实,或上或下都有困难。

(4)前后两个部分拆开来,成为两个句法单位。

常见的有以下两种情况:

(一)前后两个部分被拆开后,前一部分从句子里提出来成为独立成分,后一部分充当句子的某种成分。如:

① 金叔,猫头鹰报喜,这两天你可真是丑名在外。(刘江《太行风云》二九)

② 蒜头疙瘩戴凉帽,侬我说,你趁早不要装大头鬼!(刘江《太行风云》四一)

③ 就他个土郎中,想在京师地面上跟我较劲?小泥鳅想翻船,他太不自量力了!(周振天《神医喜来乐》一二章)

例①把前一部分"猫头鹰报喜"提到句子前面,成了独立成分,后一部分"丑名在外",指坏名声流传在外面,作"是"的宾语。例②把前一部分"蒜头疙瘩戴凉帽"提到句子前面,成了独立成分,后一部分"装大头鬼",讥讽人装模作样冒充大人物,作"不要"的宾语。例③把前一部分"小泥鳅想翻船"提到句子前面,成了独立成分,后一部分"太不自量力"指不能正确估计自己的力量,作谓语。

(二)前后两个部分被拆开后,分别作句子里的某个成分。如:

① 你的花言巧语比狗屁还臭。头顶长疮,脚底流脓的东西,你算坏透啦!(冯德英《迎春曲》二三章)

② 这下车把式撤不了……还可以放羊拾柴禾,发动一些人出外揽活,捎带挣点别的"外快"。(聂海《靠山堡》二〇)

③ 你是个什么玩艺儿,狗一样的东西,也敢……挡你大爷的驾,真叫做屎壳郎掉进药柜里,你充什么大力丸哪?(吴越《括苍山恩仇记》二八回)

例①前一部分"头顶长疮,脚底流脓"作定语,后一部分"坏透"作"算"的宾语,责骂人品行坏到了极点。例②前一部分"放羊拾柴禾"和助动词"可以"组合在一起作谓语,后一部分"捎带"作另一个分句的谓语,指做某事时顺便做另一件事。例③前一部分"屎壳郎掉进药柜里"作"叫做"的宾语,后一部分"充大力丸"作另一个分句的谓语,讥讽小人物冒充大人物。

2. 歇后语的修辞作用

歇后语的前一部分虽然在表义上只起着辅助作用,但在修辞上却起着主要作用。歇后语最基本的修辞作用,就在于通过它前一部分所表示的形象、感情等色彩,使后一部分所表示的语义形象化,并在此基础上使语言具有诙谐性和讽刺性。

(1) 形象化是歇后语在修辞上的基本作用

歇后语一般都有形象色彩,这是歇后语之所以成为一种形象化的语言形式的根本原因所在。如:"打了耳子的瓦罐——不能提",除了表示"不能提"这个基本意义外,还能让人联想起一个打掉两旁的耳子无法用绳子提起来的瓦罐的形象;"戴着草帽亲嘴——差得远",除了表示"双方距离相差很远"这个基本意义外,还能让人联想起两人戴着草帽却硬要挨脸接吻的样子;"周瑜打黄盖——一个愿打,一个愿挨",除了表示"两厢情愿"这个基本意义外,还能让人联想起《三国演义》第四十六回所描写的黄盖主动向周瑜献了苦肉计然后诈降曹操的情况。这就大大地增强了语言的形象性。

歇后语的这种形象色彩,有三个特点。

(一) 取材广泛,贴近群众生活

歇后语前一个部分的取材涉及社会生活的方方面面,人物、动植物、食品和器物等都是常见的取材对象,其中人物上自帝王将相,下至三教九流,几乎无所不包。所描述的形象,贴近群众生活,

特别是贴近农民群众的生活。试看下面两个例子:

① 其实,鬼子这一招是屎壳郎趴在鞭梢上,光知道腾云驾雾,不知道死在眼前。(铁民等《金山虎赶会》)

② 和尚看了他一眼说:"你想干什么?我看你是屎壳郎飞到烟锅袋上,要拱老爷的火儿。""黑的粹"说:"不,他是屎壳郎飞到车道沟里,充硬骨头。"(梁斌《播火记》一一)

例①里的"屎壳郎趴在鞭梢上,光知道腾云驾雾,不知道死在眼前",指趴在鞭梢上的屎壳郎,只知道随着鞭梢在空中飞舞,没有想到随时都会被鞭子摔死;用以讥讽鬼子只顾耀武扬威,而不知道死在眼前。例②里的"屎壳郎飞到烟锅袋上,要拱火儿",讥讽人要惹人发火;"屎壳郎飞到车道沟里,充硬骨头",讥讽人不自量力,硬充好汉。像这样紧贴农民生活的歇后语,举不胜举。这是歇后语为什么广泛流传在农村,为广大农民群众所喜闻乐见的原因所在。

(二)想象新奇,超越常规

善于运用各种虚构手法塑造出种种人们意想不到的、超越常规的新奇形象,是歇后语前一部分的一个重要特色。试看以下几组例子:

A组:

① "是他们逼我干的。"老金想起他们丢下他跑了,就心里咒骂起来。"瘦兔子,泥菩萨洗澡,越洗越脏。"王德普斥道。(罗丹《风雨的黎明》一七章三)

② 你又老虎戴念珠,来混充善人了,你又是什么善人!(刘云若《红杏出墙记》五回)

B组:

① 他们体力大,我看是八十斤的菜山药——块大。(韩

映山《绿荷集·弯弯河堤》)

② 三张纸画了个驴头,好大的脸面,没有镜子,你也尿上一泡,照照你那眉眼!(刘江《太行风云》一八)

C组:

① 别以为会放几句洋屁,就屁眼里插芦花——假充大公鸡!(卞祖芳《高工奇遇记》二)

② 要想从老子嘴里掏出什么秘密,那不是踩着梯子吃星星,隔天远哪!(刘江《太行风云》三六)

A组例①里的"泥菩萨洗澡,越洗越脏",比喻越想洗刷自己的缺点、错误等,越暴露出问题严重;例②里的"老虎戴念珠,混充善人",指恶人伪装成好人。前一部分把无生物或一般动物当做人来描述,相当于修辞上"比拟"格里的拟人法。B组例①里的"八十斤的菜山药——块大",转指人个头儿大;例②里的"三张纸画了个驴头,好大的脸面",转指人自以为面子大。前一部分故意言过其实,相当于修辞上的"夸张"格。C组例①里的"屁眼里插芦花——假充大公鸡",讥讽人装出一副神气的样子,自以为了不起;例②里的"踩着梯子吃星星,隔天远",指离目标相差极远,根本不可能成功。前一部分所描述的都是现实生话中不存在或不可能存在的事情,却说得活灵活现,相当于修辞上的"示现"格。

这些脱离现实的奇特想象,在一般语言现象里似乎是应当注意避免的,而在歇后语里不仅是允许的,而且正是它的巧妙所在。

(三) 具有悬念性,给人以想象空间

歇后语常常通过前一部分新奇的想象,使人顿时感到莫名其妙,产生悬念,经过短暂的语音停顿,然后用一个贴切的注释,使人恍然大悟,从而产生妙趣横生的感觉。如:

① 咋呀,我看是锅盖上的米,快熬出来了。(崔巍等《爱与恨》二七章)

② "炸楼?"阎胖子说,"你可真是圣人喝卤水——明白人办糊涂事。将来,打回县城,你到哪里去办公?"(王汪《孤城残夜》一四章一)

⑤ 洛殿歪着头,也装着赞成地嗯着,心里可急得像一口吞了二十五只老鼠,百爪挠心。(雪克《战斗的青春》七章三)

例①先说出"锅盖上的米",语音上稍停顿,给人以悬念:在锅里熬的米,怎么跑到锅盖上来了;然后接着说出"熬出来了",使人领会到:米是在锅里熬得差不多时溢出来的,意在说明艰难的日子终于快熬过来了,有了出路。例②先说出"圣人喝卤水",语音上稍停顿,给人以悬念:卤水是熬盐时剩下的黑色液体,味苦有毒,喝多了会中毒死亡;既然是圣人,为什么要喝卤水,不想活呢?接着说出"明白人办糊涂事",使人悟其含意所在。例③先说出"一口吞了二十五只老鼠",语音上稍停顿,给人以悬念:人怎么可以一口吃下二十五只老鼠呢?接着说出"百爪挠心",使人恍然大悟,原来是形容人心烦意乱、心神不定。

戏剧和小说常常利用歇后语前一部分的悬念性,达到某种艺术效果。如:

京剧《玉堂春》里就有这样一段对白:

潘必正:二位大人……司吏把他二人好有一比。

王金龙、刘秉义:此作何来?

潘必正:黄檗树下抚瑶琴。

王金龙、刘秉义:此话怎讲?

潘必正:苦中而取乐啊!

刘秉义:我把他二人也好有一比。

王金龙、潘必正:比作何来?

刘秉义:望乡台上摘牡丹。

王金龙、潘必正:此话怎讲?

刘秉义:至死他也忘不了贪花呀!(见《中国唱片大戏考》,中国唱片厂编,上海文化出版社出版,1958年7月第55页)

(2)诙谐性和讽刺性是歇后语的主要修辞特色

(一)诙谐性

歇后语的诙谐性是前一部分的想象性、悬念性和后一部分巧妙配合的结果。试看离原草《姑嫂"谜"》里的两段描写:

桂蓉说:

"我给你说个谜猜猜吧!"

春芍想嫂子一定要训斥她了,不会有光沾,但还是笑着说:

"吐吐你的象牙!"

"'羊群里跑个兔',你猜这是啥意思?"桂蓉笑着说。

"啊——"春芍知道这是"歇后语",嫂子把它说成是"谜"了,听着怪俏皮的,可猜不透是啥意思,又急着想知道,所以说:"此言怎讲?"

"羊群里跑个兔,数它小,数它精呀!"桂蓉说。

春芍知道是骂她,一定要打嫂子。

……

春芍为了感谢嫂子给自己买鞋面,所以俏皮地说:

"我也说个'歇后语'来感谢你吧。"

"什么?"桂蓉没听懂。

春芍知道嫂子不知道什么叫"歇后语",就改口说:

"我给你说个'谜'呀!就是'羊粪蛋里掉个落花生'……"

春芍刚说到这里,嫂子就要拧嘴,小姑赶快用手招架说:

"我的好嫂子,好队长,这不是骂你的话……"

"快说,看你吐的什么象牙!"

嫂子并没有把手放下,春芍干咳了两声,笑笑说:

"羊粪蛋里掉个落花生,看来看去嫂子是个好仁(人)呀!"

"这还差不多……"

这两段姑嫂之间的对话充满了情趣,把歇后语的诙谐性和幽默性表现得淋漓尽致,把人物形象刻画得活灵活现,充满了生活气息。

(二) 讽刺性

如果歇后语的前一部分带有明显的贬义色彩,便往往具有讽刺性。如:

① "这才是拉拉蛄穿大衫,硬称土绅士。"粮户讽刺他。(周立波《暴风骤雨》一部一〇)

② 高柠子不等高大成发言,他讽刺二团长说:"你这是脱裤子放屁,多费一道手续。"(李英儒《野火春风斗古城》一六章三)

③ 村里其他一些看热闹的,还说着什么:郑德明是"头上戴袜子——能出脚来了"等一类风凉话。(李準《冰化雪消》)

这三例歇后语的前一部分都带有明显的贬义色彩。例①里的"拉拉蛄穿大衫,硬称土绅士"讥讽小人物硬充大人物;例②里的"脱裤子放屁,多费一道手续"讥讽人多此一举或无端添麻烦;例③里的"头上戴袜子——能出脚来了"讥讽人卖弄小聪明,想显示本事,结果出了丑。

有些前一部分不带明显贬义色彩的歇后语,用在一定场合也具有讽刺性,试看《红楼梦》第六十五回的一段描写:

尤三姐站在炕上,指着贾琏笑道:"你不用和我花马吊嘴的,清水下杂面,你吃我看见。见提着影戏人子上场,好歹别戳破这层纸儿。你别油蒙了心,打谅我们不知道你府上的事。这会子花了几个臭钱,你们哥儿俩拿着我们姐儿两个权当粉头来取乐儿,你们就打错了算盘了。我也知道你那老婆太难缠,如今把我姐姐拐了来做二房,偷的锣儿敲不得。

这里,连用了三个歇后语,对贾府纨绔子弟贾琏、贾珍连讽带刺,表现了尤三姐不惧权贵的泼辣性格。

古典名著《金瓶梅》在运用歇后语方面很有特色,其中有不少对刻画人物性格起了积极的作用。如:

话说潘金莲见孩子没了,每日抖搜精神,百般称快,指着丫头骂道:"贼淫妇!我只说你日头常晌午,却怎的今日也有错了的时节。你'斑鸠跌了弹——也嘴答谷了'!'春凳折了靠背儿——没的倚了'!'王婆子卖了磨——推不的了'!'老鸨死了粉头——没指望了'!却怎的也和我一般?"(六〇回)

潘金莲用猫吓死了李瓶儿所生的儿子之后,指桑骂槐,连用四个歇后语,生动地表现了潘金莲幸灾乐祸、泼辣狠毒和骄横跋扈的个性。

当然,歇后语和其他俗语一样,并非用得越多越好,而必须坚持两个基本原则:一是要精选,二是不滥用。精选,就是要区分歇后语里的精华和糟粕,做到取其精华,弃其糟粕。不滥用,就是要从内容需要出发,不搞语言游戏。著名作家老舍先生在谈到歇后语的使用时曾经说:"我看用得好就可以用。歇后语、俗语,都可以用,但用得太多就没意思。"(《关于文学的语言问题》,《福星集》第 92—106 页,北京出版社,1958 年)这告诉我们,运用歇后语和其他俗语,关键在于一个"好"字。

思 考 题

一、有人认为,歇后语前后两部分之间都存在譬(比喻)解(解释)关系,所以主张把歇后语叫做"譬解语"。对此,你有何评论。

二、有人认为,歇后语是由近似谜面、谜底的两个部分组成的带有隐语性质的口头用语。对此,你有何评论。

三、有人认为,歇后语通常只说前一部分,后一部分不说出来,让人猜想它的含义,所以叫做歇后语。对此,你有何评论。

四、试举例说明歇后语语义的双关性。

练 习 题

一、下列语言单位中,你认为是歇后语的,下画一横线:
  小和尚念经,有口无心　秤砣虽小压千斤
  老虎屁股摸不得　懒驴上磨屎尿多
  王婆卖瓜,自卖自夸　半路杀出个程咬金
  竹篮打水一场空　敬酒不吃吃罚酒

二、举出各类双关型歇后语各两条。
  1. 转义双关型:①_____　②_____
  2. 谐音双关型:①_____　②_____
  3. 假借双关型:①_____　②_____
  4. 组合双关型:①_____　②_____

5.借喻双关型:① _____ ② _____

三、补出下列歇后语的前一部分或后一部分:

① 花绸子上绣牡丹,_____

② 黄连树下弹琴,_____

③ _____,惹火烧身 ④ _____,假慈悲

四、解释下列歇后语:

① 高山上点灯——来明的:_____

② 西北风卷蒺藜——连风(讽)带刺:_____

③ 天上的月亮——看得见,摸不着:_____

④ 糖里拌蜜,蜜里调油——又香又甜:_____

五、用下列歇后语各造一个句子:

① 油炸麻花——干脆:_____
_____

② 三个指头捏田螺——万无一失:_____
_____

③ 蛤蟆钻灶膛——又憋气又窝火:_____
_____

④ 丈八高的灯台——照见别人,照不见自己:_____
_____

第九章　方言语汇

第一节　方言语汇的性质和调查研究的意义

1. 什么是方言语汇

通过前面几章的学习,我们已经初步掌握了汉语语汇的性质、范围、分类及其结构类型和语义特点,等等。在此基础上再进一步深入探讨,就会发现,与汉语词汇中包括方言词汇一样,在汉语语汇的宝库中,还应该包括丰富多彩的方言语汇。

方言语汇,指的是汉语方言中"语"的总汇。为了加深对方言语汇性质的理解,须要明确以下三个问题。

第一,明确什么是方言。简单地说,方言就是一种语言中跟标准语有区别的、只在一个区域内使用的话。如官话、晋语、吴语、粤语、闽语、湘语、赣语、徽语、客家话、平话等,都是与国家通用的普通话有区别的汉语方言。

第二,进一步明确"语"的定义。我们前面学过:"语是由词和词组合而成的、结构相对固定的、具有多种功能的叙述性语言单位。"说语是由词和词组合而成的,指语是大于词的语言单位,单词不成语。说"语"具有相对固定的结构,指语的结构既有固定的一面,又有相对灵活的一面,自由词组不属于语。说"语"具有多种功能,指的是语不仅能像词一样充当句子成分,而且可以充当复句的组成部分,相当于一个分句;还可以单独成句,充当句群的组成部分。说"语"具有叙述性,指的是语总是表述某种思想认识或描述某种形象、性质或状态;而表示某种概念的专名语和专门用语,以及以表示概念为基础的复合词,都不是语。说"语"是语言单位,指的是语是语言的"建筑材料",来自名家名篇的格言警句属于言语单位,不是语。

语是以上五个方面的统一体。语的上述定义既适用于普通话,也适用于方言。

第三,明确方言语汇有广义和狭义之分。广义的方言语汇,指的是方言中所有的语,既包括和普通话不同的语,也包括除语音外和普通话在形式和意义上完全相同的语。狭义的方言语汇仅指方言中和普通话不同的语。如:

① 牛唔饮水,点揿得牛头低(谚语)。

$ŋeu^{21} m̩^{21} iem^{35} søy^{35}, tim^{22} kɐm^{35} tɐk^{5} ŋeu^{21} t'eu^{21} tɐi^{53}$。牛不喝水,怎能把牛头按低。比喻不能强迫别人。

——陈慧英《广州方言熟语举例》

② 瓮旮旯儿的孤儿老鼠——没啦上过排场(歇后语)。

$uŋ^{35} kʌʔ^{54} la^{31} zʌʔ^{23} tiʌʔ^{23} ku^{31} zʌʔ^{45} —— mʌʔ^{54} la^{13} suə^{35} kuei^{35} p'æ^{35} tṣ'aŋ^{513}$。

——侯精一《平遥方言简志》

③ 放野火(惯用语)。

$fã^{24\text{-}44} ɦia^{12\text{-}11} hu^{24\text{-}44}$ 乱说,造舆论。

——许宝华等《上海方言的熟语》

④ 瘦麻圪筋(成语)。

səu³⁵ ma¹¹ kəʔ⁵⁴ tɕiŋ¹¹ 形容人瘦而无力。

——沈明《太原方言词典》

有些普通话常用的语,进入方言后,其中的一些语素被替换成方言的说法。如:

① 巧妇难为无米之粥(普通话)。

tɕʻiau²¹⁴ fu⁵¹ nan³⁵ uei³⁵ u³⁵ mi²¹⁴ tʂʅ⁵⁵ tʂou⁵⁵。

巧媳妇子插不下没米的粥儿(平遥方言)。

tɕʻiɔ⁵³ ɕiʌʔ²³ xu¹³ tsʌʔ²³ tsʻʌʔ³² pʌʔ⁴⁵ xɑ⁵³ mʌʔ⁴⁵ mi⁵¹³ tiʌʔ²³ tsuʌʔ⁵⁴ z̩ʌʔ²³。

——侯精一《平遥方言简志》

② 半夜看三国掉眼泪——替古人担忧(普通话)。

pan⁵¹ ie³⁵ kʻan⁵¹ san⁵⁵ kuo³⁵ tiau²¹⁴ ian³⁵ lei⁵¹——tʻi⁵¹ ku²¹⁴ z̩ən³⁵ tan⁵⁵ iəu⁵⁵。

半夜看三国流雨颗儿——替古人担忧(万荣方言)。

pæ³³ ia³³ kʻæ³³ sæ⁵¹⁻²⁴ kuɤ liəu²⁴ y⁵¹ kʻuɤr⁵¹——tʻi³³ ku⁵⁵ z̩ei³⁵ tæ³⁵ iəu⁵¹。

——吴建生《万荣方言志》

这类语也是方言语汇家族中的成员。这些带有方言色彩的语,常常被运用在文学作品中。如:

① 谁推你当主任的?你们几个狐朋狗友,耗子爬秤钩,自己称自己。(周立波《暴风骤雨》二部五)

② 任常有一肚子委屈,正像茶壶里煮扁食,肚肚里有,嘴嘴不得出来。(欧阳山《高干大》一一章)

例①里的"耗子",普通话说"老鼠";例②里的"扁食",普通话说"饺子"。

2. 方言语汇的系统性

方言语汇和方言词汇一样,具有系统性。方言语汇的系统性,体现在以下几个方面。

(1) 方言语汇阵容大,数量多

长期以来,人们对语的认识不够,所以对方言的调查研究,多在语音、词汇和语法特点等方面,较少关注到语。事实上,和方言词汇一样,方言语汇也是极其丰富的。从数量上来看,甚至比词还要多。这一点从《忻州方言俗语大词典》(上海辞书出版社,2002)就可以看得很清楚。该书共收录了词和语 22000 余条,其中"语"的条目达 12000 条(其中谚语约 3300 条,歇后语约 1300 条,惯用语和成语约 7400 条),约占总数的 57%。(参看第一章第三节)这说明,以往认为方言中语的数量少于词的观点,不符合汉语方言的实际情况。

(2) 与普通话语汇一样,方言语汇也包括谚语、歇后语、惯用语和成语四大类

本着形式和意义相结合的原则,以叙述的方式和内容为标准,可以把"语"分为谚语、歇后语、惯用语和成语四大类。这种分类法体现了语汇自身的系统性,既适用于普通话语汇,也同样适用于方言语汇。

(一) 方言中的谚语,也是表述性的,表述某种思想认识,传授某种知识和经验。如:

① 拨出物事拨出嫁。

　　　　pə$^{55-33}$ ts'ə$^{55-33}$ ɦmə$^{12-11}$ z̩$^{12-33}$ pə$^{55-33}$ ts'ə$^{55-33}$ ka^{34} 送给别人的东西犹如嫁出去的女儿一样,不能要回。

② 鸡髀腿打牙,牙较白软。

　　kɐi^{53} pei^{35} ta^{35} ŋa^{21},ŋa^{21} kau^{33} yn^{23} 比喻吃了人的嘴软。

　　　　　　　　——陈慧英《广州方言熟语举例》

③ 春鳗春天的鳗鱼冬带冬天的带鱼,好食当鲦戴(味道鲜美)令人受不了。

　　tsʻuŋ^{44} muaŋ^{54} tøyŋ^{54} tai^{213}, ho^{21} lieʔ^{5} touŋ^{44} mɛ^{54} tai^{213}。

　　　　　　　　——祝敏青《福州方言熟语的修辞特点》

（二）方言中的惯用语,也是描述性的,描述人或事物的形象、性质或状态等。如:

① 吃排头。

　　tɕʻi$^{55-44}$ ba$^{12-22}$ dʏ$^{12-44}$ 受人批评,责骂。

　　　　　　　　——许宝华等《上海方言的熟语》

② 吃一节剥一节。

　　tɕʻioʔ^{5} ʔiəʔ^{5} tɕiəʔ^{5} poʔ^{5} ʔiəʔ^{5} tɕiəʔ^{5} 比喻没有长期打算,日子过一天算一天。

　　　　　　　　——鲍士杰《杭州方言词典》

③ 大路不走走田基田埂。

　　ta^{24} lu^{31} pu^{5} tsɐu^{54} tsɐu^{54} tʻẽ^{31} ki^{44} 指不走正路,专搞邪门歪道。

　　　　　　　　——刘村汉《柳州方言词典》

（三）方言中的歇后语,也是引述性的,由前后两个部分组成。前一部分是"引子",从中引出后一部分;后一部分是"注释",描述某种形象、性质或状态。如:

① 扒拉过料炭找东西——寻灰。

pa⁴³ la³¹ kuɤ²⁴ liou²⁴ tʻæ²⁴ tsou⁵³ tuəŋ³¹ ɕi²⁰——ɕiəŋ³¹³ xuɛi³¹ 料炭:没有燃烧尽的小块煤。灰:双关,本指煤的灰烬,转指倒霉。比喻自找晦气。

——温端政《怀仁方言志》

② 的老嘞戴上甑盔儿——漏咾气唎。

təʔ²⁻⁵ lou³⁵ lə¹⁰ tai³⁵ ʋ⁴³ tɕi³⁵ kʻuai¹⁰ ai¹¹⁻¹⁰——ləu³⁵ lou⁴³ tɕʻi³⁵ lɛ⁴³ 的老嘞:头上。头上漏气是说人傻。

——潘耀武《清徐方言志》

③ 檀香木合喽茅桶——屈喽你的材唎。

tʻã²² ɕiŋ²² məʔ¹¹ kuaʔ¹¹⁻⁴⁵ ləu³² mɑu²² tʻũ —— tɕʻyəʔ¹¹⁻⁴⁵ ləu³² ni³² təʔ¹¹ tsʻai²² lie³² 合:做。比喻大材小用。

——杨述祖《太谷方言志》

(四) 方言中的成语,从结构上看,也是"二二相承"的四字格;从叙述方式来看,绝大多数是描述性的。如:

黑天乌目　xuɯ⁵¹⁻²⁴ tʻiæ̃⁵¹ u⁵¹⁻²⁴ mu⁵¹　①指天色黑暗。②指不明白,糊里糊涂。

留列整眉　liu²⁴ liE²⁴ tʂE⁵⁵ mei　形容女人整洁漂亮。

里捶外打　li⁵⁵ pfʻu⁴⁵ uai³³ ta³³　形容女子能干,里里外外都能应付。

扯旗放炮　tʂʻE⁵⁵ tɕʻi²⁴ fʌŋ³³ pʻau³³　形容张扬、声张。

吃疑钻沙　tʂʻʅ⁵¹ ɲi²⁴ tsuæ⁵¹⁻²⁴ sa⁵¹　不信任,怀疑。

看重吃轻　kʻæ³³ pfʻʌŋ³³ tʂʻʅ⁵¹⁻²⁴ tɕʻiE⁵¹　指人看起来强大,实际虚弱。

——吴建生等《万荣方言词典》

我们在第二章讲过,成语可分为雅成语和俗成语两类。方言中的成语,一般都是俗成语。

(3) 方言语汇具有明显的语义类聚

如同普通话语汇有同义语和反义语一样,方言语汇也有同义语和反义语的类聚。以山西忻州方言中的"A眉C眼"式成语为例。

"眉眼"作为词,在忻州话和普通话里词义一样,都是指眉毛和眼睛,泛指人的容貌。在普通话里,用"眉"和"眼"构成的成语,常用的只有"眉高眼低、眉开眼笑、眉来眼去、贼眉鼠眼"等少数几个,而在忻州方言里,用"眉"和"眼"构成的成语竟有240多个。这些活跃在人们口语中的成语,形象、生动,表达细腻,深受人民群众喜爱。从表义上看,它们可以分为以下几类:

(一) 形容人的容貌

人的容貌有美丑之别,形容人容貌的成语也有褒贬之分。褒义的一组形容人容貌端庄好看。如:"周眉正眼"形容五官端正,"光眉俊眼"形容容貌英俊,"粗眉大眼"形容粗犷大方。另外,还有"柳眉杏眼、细眉薄眼、毛眉毛眼"等,专门用来形容妇女、小孩儿容貌秀气好看。

贬义的一组形容人的容貌丑陋。如:"丑眉怪眼"泛指一般容貌丑陋,"抽眉扯眼"形容眉眼歪斜、五官不正,"马眉虎眼"形容两眉相连、眉目不清秀。"猪眉洼眼"和"怄眉洼眼"都是形容人的眼框深陷,前者又兼指嘴长而噘起,后者又兼指眉毛眼睛离得太近。"猴眉鼠眼、猫儿眉鼠眼",都是形容人眼睛小,"猴眉鼠眼"兼指嘴尖,"猫儿眉鼠眼"兼指眉毛轻淡。"黄眉鼠眼"指脸黄,"黑眉鼠眼"指脸黑,"瞎眉鼠眼"指眼瞎或视力很差,"疤眉混眼"指脸上疤痕多,"白眉怪眼"指脸色苍白,"肿眉破眼"指面部浮肿,带有病态。

(二) 形容人的外表

形容人外表的一组多是贬义的。如:"老眉眨眼"形容人衰老;"人眉丢眼"形容表面健康,实际有病;"土眉悻眼"形容人土里土气,不时髦。在形容外表肮脏的一组中,"黑眉蹩眼"泛指脸上很脏,用得比较多。另有"黑眉洼眼"形容满脸很黑,"土眉混眼、灰眉鼠眼"形容满身尘土,"揉眉脏眼"则指痛哭时揉了眼睛,泪水弄脏了脸。

(三) 形容人的表情

喜怒哀乐的不同表情也有贴切的成语进行描画。如:"舒眉展眼"形容心情舒畅,"横眉瞪眼"形容发怒,"笑眉唬眼"形容高兴,"哭眉眨眼"形容悲哀,"瞅眉剡眼"形容两目认真看,"立眉霸眼"形容盛气凌人,"假眉弄眼"形容装模作样,"诓眉塞眼"形容撒娇献媚,等等。

(四) 形容人的性格

不同性格也可以通过不同的成语描述出来。如:"憨眉愣眼、慈眉善眼"形容老实善良,"凶眉恶眼、立眉疹眼"形容凶恶,"灵眉利眼、活眉溜眼"形容聪明伶俐,"呆眉悻眼、苶眉鼠眼"形容痴呆,"油眉滑眼、白眉二眼、失眉赖眼"形容油滑轻浮,"鬼眉怪眼、鬼眉鼠眼、鬼眉六眼"形容刁钻狡诈。它们之间又往往同中有异,如"鬼眉怪眼、鬼眉鼠眼、鬼眉六眼"都形容刁钻狡诈,"鬼眉怪眼"含有怪僻意,"鬼眉鼠眼"含有鬼祟意,"鬼眉六眼"含有奸猾意。

如此丰富的同义、近义或反义成语,不仅数量繁多,而且差别细小,常常使外地人眼花缭乱,但是当地人却分辨得很清楚,运用自如,体现了鲜明的地域特点和极强的表现力。

3. 调查研究方言语汇的意义

方言语汇的调查研究,目前还处在初期阶段,其意义还有待充分认识,下面做一些初步的说明。

(1) 方言语汇反映出当地的语言特点

方言语汇,无论是谚语、歇后语、惯用语还是成语,在语音、词汇、语法等方面都有鲜明的特点。

(一) 有些语,是当地特有的,如果不加解释,外地人不大容易理解。如下面的惯用语:

打牙较 ta^{35} ŋa^{21} kau^{33} 闲聊天儿。

揸葵扇 tsa^{53} k'uɐi^{21} sin^{33} 做媒。

摸门钉 mɔ^{35} mun^{21} tɛŋ^{55} 找人不遇,扑空。

——陈慧英《广州方言熟语举例》

放白鸽 fã$^{24-44}$ bɑʔ$^{13-11}$ kəʔ$^{55-33}$ 说空话,食言。

扳差头 pɛ$^{53-55}$ tsʻo$^{53-55}$ dɤ$^{13-31}$ 找岔儿。

饭泡粥 vɛ$^{13-33}$ pʻɔ$^{35-55}$ tsoʔ$^{55-33}$ 说话啰唆,令人厌烦。

——许宝华等《上海方言的熟语》

抉席片 tɕyɛ^{313} ɕiə^{2} pʻi$\tilde{\varepsilon}$^{53} 比喻讲话、写文章或演唱时东拉一句,西扯一句。

喝饴饹 cxɔʔ^{2} xɛ^{31} lɔ^{31} 比喻因事情牵连而遭受灾难。

没味素 məʔ^{2} vei^{53} su$^{53-31}$ 指人的言行翻来覆去惹人讨厌。

——温端政等《忻州俗语志》

有时表达同一个意思,在不同的方言里有不同的说法。如:在小地方做大事情,上海话说"螺丝壳里做道场[ɦlu$^{13-33}$ sɿ$^{53-55}$ kʻo$^{55-33}$ li$^{13-33}$ tsu$^{34-54}$ dɔ$^{12-22}$ zã$^{12-44}$]",重庆话说"板凳上打麻将[pan^{42} tɛn^{24}

saŋ²⁴ ta⁴² ma²¹ tɕiaŋ²⁴]"；各人凑钱聚餐，大家做东道，广州话说"田鸡东[t'in²¹ kɐi⁵⁵ toŋ⁵⁵]"，忻州话说"打平和[tɑ³¹³⁻⁴² p'iəŋ³¹ xuɛ³¹]"；通风报信，浙南闽语说"报水[bo¹¹⁻⁵³ tsui⁵³]"，忻州话说"掏耳朵[t'ɔ³¹³ ər³¹³⁻⁴² tuɛ³¹³]"。不同的说法体现了不同的构语理据。

（二）有些语是利用方言中特有的同音字或多义词构成的，不懂当地方言的人，往往不明其义。例如山西万荣方言中的几个歇后语：

① 裁缝把剪子野了丢了——净丢下留下尺啦

ts'ai²⁴ fʌŋ³³ pa⁵¹ tɕiæ⁵⁵ · tɯ⁵⁵ ia⁵⁵ · la——tɕ'iʌŋ³³ tiəu⁵¹ xa³³ tʂ'ʅ⁵¹ · la

② 笤帚刷锅——没刷子

t'iau²⁴ fu³³ fa⁵¹⁻²⁴ kuɣ⁵¹——mu⁵¹⁻²⁴ fa⁵¹ · tɯ

③ 等脑上头上顶驴粪——屎对头

tei²⁴ nau⁵⁵ · ʂɣ tiʌŋ⁵⁵ y fei³³——sʅ⁵⁵ tuei³³ · t'əu

例①讽刺那些光吃饭不干活的人。"尺"，梗摄开口三等昌母入声字，普通话今读上声；"吃"，梗摄开口四等溪母入声字，普通话今读阴平，两字声调不同。而在万荣话里，古阴入字今全都归入阴平，所以"尺、吃"声韵调完全相同，由此而构成了同音相谐。例②中的"刷"，万荣读 f 声母，也是古阴入字，今读阴平，和"法"字完全同音。"没刷子"即"没法子"，指没有办法，只好将就材料。例③是由"屎"和"死"相谐而构成的歇后语；"屎"和"死"，在普通话里声母不同，而在万荣方言里是相同的。

（三）方言语中往往含有深层次的古词语或方言词。仍以山西万荣方言为例：

① 搊得高摔得重

ts'əu³³ ti³³ kɑu⁵¹ fei⁵¹ · ti pf'ʌŋ³³

② 四月芒种想的铍，五月芒种抢的铍

sȵ³³ · yE mʌŋ²⁴ pfʌŋ³³ ɕiʌŋ⁵⁵ · ti p'ɤ⁵¹, u⁵⁵ · yE mʌŋ²⁴ pfʌŋ³³ tɕ'iʌŋ⁵⁵ · ti p'ɤ⁵¹

③ 厦檐底下呐虫蚁儿——飞不远

ʂa³³ · iæti⁵⁵ · xa · nai pf'ʌŋ²⁴ ir⁵⁵ ——ɕi⁵¹ pu⁵¹⁻²⁴ yæ̃⁵⁵

例①的意思是"举得高摔得重"。掬，《集韵》有韵侧九切,持也。今普通话已经不用,但保存在方言谚语中。当地还有一个方言成语"掬狗上墙",意为助纣为虐,其中也保留了这个词。例②是农谚,指四月芒种,麦子还没有大熟,只能挑熟了的先收割一点;五月芒种,麦子已经熟透,一刻也不能耽误,应赶紧抢收回来。当地农时一般是芒种后五天开镰割麦,才有这样一条谚语。"铍"是"割"的意思。万荣话中,"割麦、割草、割苜蓿"说"铍麦、铍草、铍苜蓿"。铍,《广韵》末韵普活切,"两刃刈也"。《六韬·农器》:"春铍草棘,其战,车骑也;夏耨田畴,其战,步兵也。"例③的歇后语里,"厦檐底下呐虫蚁儿",指屋檐下的鸟儿。"虫蚁儿"是万荣老一代人对鸟儿的泛称,《金瓶梅》中就有这样的用例:"贼短命,你是城楼上雀儿,好耐惊耐怕的虫蚁儿!"(二四回)。现在的中青年人,已经不把鸟儿叫做"虫蚁儿"了,这个词却如"活化石"一般,在歇后语中保留了下来。

又如山西太原、忻州、五台等地有下面的一些歇后语和惯用语：

赤尻子光屁股撑麻狐狼——胆大不知羞讥讽人胆子不小,但是做事不顾脸面,出了丑。

牙膏擦尻子——没完没了比喻做事不利落,总也完不成。

钻了得老脑袋不顾启子比喻办事只管眼前,不顾长远。

启子沉形容人因懒惰不干活而久坐。

嘴勤启子懒形容人嘴上说得好,实际很懒惰。

启,在山西话里与"读"同音,是"豚"的俗字。豚,《广韵》屋韵丁木切:"尾下窍也,启,俗。"民国初年山西印行的《方言杂字》中也有这个字,与"笃"同音,释为"出粪门也"。

(四) 有些语反映了当地方言的语法特点。如:

① 三月儿的雨贵起油三月里的雨水比油贵。

② 跟儿家在家孝父母,强起远烧香在家孝父母,强过远烧香。

③ 人情大起王法人情大过王法。

——罗福腾《牟平方言词典》

牟平地处山东省胶东半岛,牟平方言和山东省多数方言点一样,比较句的格式比较特殊。普通话说"一天比一天热",牟平等方言说"一天热起一天"。上面几条谚语反映了牟平方言和山东多数方言这一独特的语法现象。又如:

起面发酵白面馍馍不就菜,油泼辣子美得太好得很。

tɕ'i^{55} miæ^{33} mo^{24} mo$^{24-33}$ pu^{24} tɕ'iəu^{33} ts'ai^{33} —— iəu^{24} p'o^{51} la^{51} · tu mei^{55} · ti t'ai^{33}

这是晋南地区通行很广的谚语。例中的"美得太"相当于普通话的"好得很"。"……得太"是晋南话中表示程度高的一种常用句式。如:"街上人多得很",说成"街上人多得太";"今天天气冷得很",说成"今儿个天气冷得太"。表示程度的副词"太"如在句末还可以重叠,表示程度更深,如:"街上人多得太太","天气冷得太太"。在谚语或惯用语中,由于受节奏和韵律的限制,句末的"太"一般不重叠。

再如晋北定襄方言里有这样一个歇后语：

官地俩担供献——也叫有的

ku̯ẽ$^{214\text{-}42}$ ti^{53} lia^{31} t‘æ$^{214\text{-}42}$ kuei^{53} ɕiẽ$^{53\text{-}31}$ ——ia^{214} tɕiou^{53} iəu$^{214\text{-}42}$ tiəʔ^{2}

"官地俩[lia^{31}]"指官地村的人。"供献"是特制的祭奠用的大馒头。传说过去官地村有一个财主派长工挑着担子往丧家送"供献"。返回后，财主发现丧家回送的"供献"比惯例少了一个。财主问长工为什么，长工说："东家原来少拿一个，也叫有的；丧家多留了一个，也叫有的；路上丢了一个，也叫有的。"不想正说着，从他怀里掉下一个"供献"来。于是财主说："伙计偷了一个，也叫有的。"语中"也叫有的"，意思是"也有这种可能"。这种说法比较特殊。

(2) 方言语汇具有特殊的文化内涵

方言是地方文化的重要载体。方言语汇往往承载着浓郁而富有特色的地方文化。

(一) 反映当地自然环境和生产习俗

一方水土养一方人。在世世代代口耳相传的民间语汇中，首先反映出来的是当地的人文地理现象和生产生活习俗。中国是农业大国，在各地谚语中，气象谚和农谚占有相当的数量。因所处地理位置不同，气象谚语的构成条件和观察角度也有所不同。例如云雾笼罩山顶的自然现象一般称作"山戴帽"，是下雨的预兆。在各地方言中，由于地理条件不同，也就有不同的说法：

① 昆仑山戴帽儿，老天爷尿尿儿。

k‘uei^{51} ・y^{51} san$^{131\text{-}51}$ tai^{131} mɑor$^{213\text{-}35}$, lɑo^{51} t‘ian^{53} iə ȵiɑo$^{131\text{-}51}$ ȵiɑor^{131}。

——罗福腾《牟平方言志》

② 马山戴帽儿,下一小瓢儿。

$\text{m}\alpha^{55\text{-}45} \ \text{ʂã}^{51} \ \text{tɛ}^{213} \ \text{mɚ}^{42}, \ \text{ɕia}^{42\text{-}55} \cdot \text{i} \ \text{siɔ}^{55} \ \text{p'iɚ}^{42}$。

——赵日新等《即墨方言志》

③ 稷王山戴帽儿,龙圪蚕溜道儿 _{龙圪蚕:龙虱}。

$\text{tɕi}^{31\text{-}51} \ \text{uəŋ}^{325\text{-}31} \ \text{sã}^{53} \ \text{tai}^{31} \ \text{mɔ}^{31+51} \ \text{ɚ}^{31}, \ \text{luəŋ}^{325} \ \text{ki}^{325} \ \text{tsao}^{44} \ \text{liəu}^{31} \ \text{t'ɔ}^{31\text{-}51} \ \text{ɚ}^{31}$。

——朱耀龙《新绛方言志》

晋南古称河东,是黄河流域农业生产比较发达的地区之一。当地的农谚,充分体现了农耕经济的特点,其中有不少是反映赶农时、勤耕作的。如:

春忙秋忙,绣女儿下床

夏忙夏忙,铰割、载、碾、晒、藏

处暑不带耙,误了来年夏

过伏不种秋,种秋也不收

人哄地皮,地哄肚皮

这一带为产麦区,素有"山西粮仓"之美称。经济作物方面,以棉花为首。因此,有相当多的农谚反映小麦和棉花的播种耕作。如:

稠麦呛死草

想吃麦面,伏里犁地三遍

麦过冬,单怕旺,锄耙碾耱一起上

立夏种棉花,有树没疙瘩 _{棉桃}

棉花不打掐整枝,光长柴架架

宁夏引黄灌溉区与北方多数地区的自然环境有所不同,素有"塞上江南"的美称。当地的生产习俗,兼有南北农业的特点。这些特点也反映到谚语中来。如：

① 干三天,湿三天,不干不湿又三天
② 头水窜节,二水怀苞,三水灌浆,四水挨刀
③ 深谷子,浅糜子,荞麦种着浮皮子
④ 一年倒错茬口,十年缓着牙口

——李树俨《宁夏方言与引黄灌区农耕文化》

例①是稻田灌溉经验的总结,当地称"饮稻子"。例②告诉人们麦子出苗到收割四次浇水的功用,语中的"窜节"指拔节,"怀苞"指抽穗儿,"挨刀"指收割。例③指种谷子时种子要埋深一些,种糜子时种子要埋浅一些,而种荞麦时种子只要撒在地表皮就可以了。例④告诫人们一定要重视稻子、麦子、秋作物的轮作,否则会严重影响收成。

再看下面的例子：

① 春风不刮地不开,秋风不刮籽不来
② 立夏不起尘,起尘活埋人
③ 霜降阴不开,立冬封死海湖泊
④ 清明前种胡麻,九股八圪叉;清明后种胡麻,至死不落花

——《中国民间歌谣谚语集成·河套谚语》

这是流传在内蒙古河套地区的一些农谚。例①指春风吹解冻,秋风起禾熟。例②指初夏沙尘多。例③指霜降前后,背阴处开始结冰,到了立冬湖泊便冻实了。例④指清明前是种植胡麻的最佳时期,"九股八圪叉"指枝杈多就结籽多,收成一定会好;"至死不

落花",指开了花却没有结籽,没有收成。

搜集整理这些朗朗上口的农谚、气象谚,不仅能够简洁而明快地勾勒出当地农业生产的流程图,为地方农业生产建立丰富、翔实的民间档案,同时也使得一些切合实际并且经过验证的农业生产经验得以保存、流传。

(二) 反映人民群众长期积累的人生经验

方言语汇中包含着当地群众在长期实践中积累、总结出来的经验,蕴含着丰富而深刻的道理,放射着智慧的火花,是一份不可忽视的知识财富。如:

① 鸡春咁密都菢得出息。

kɐi⁵³ tsʻɐn⁵³ kɐm³³ mɐt²² tou⁵ pou²² tɐk⁵ tsʻɵt⁵ tsɐi³⁵ 鸡蛋这么严密都孵得出小鸡。指若要人不知,除非己莫为。

——陈慧英《广州方言熟语举例》

② 贪心勿足吃白粥。

tʻø⁵³⁻⁵⁵ ɕin⁵³⁻³³ vəʔ¹²⁻²² tsoʔ⁵⁵⁻³³ tɕʻi⁵⁵⁻³³ ba¹²⁻¹¹ tsoʔ⁵⁵⁻³³ 贪便宜落得一场空。

——许宝华等《上海方言的熟语》

③ 绑起来没有挨不了的打。

pɑŋ⁵⁵⁻⁴⁴ tɕʻi•lɛ mu⁵³⁻³⁵ iuɛi⁵³⁻³⁵ ɑi•puliɔ⁵⁵⁻⁴⁴•ti tA⁵⁵ 指在无奈的情况下什么苦累也能承受。

——张树铮《寿光方言志》

④ 能宁得君子一句言,不得坏蛋二百钱。

ləŋ⁵³ tə²¹³ cyn⁵¹•tə²¹³ i¹³¹ cy⁵³ ian,pu²³¹⁻⁵⁵ tə²¹³ xuai¹³¹⁻⁵¹ tan¹³¹ ər¹³¹⁻⁵⁵ po²¹³ tɕʻian⁵³

——罗福腾《牟平方言志》

⑤ 麻狐吃咾大胆的,河嘚淹杀会水的。

mɑ¹¹ xu⁵⁻² ts'ə?¹ lɔu⁵³ tɤɯ¹¹ tɛ¹ tə¹, xɣɯ¹¹ lə¹ ŋɛ¹ sa¹¹ xuai³⁵ ɕy⁵³ tə¹ 狼吃了胆子大的人,河里淹死会游泳的人。提醒人无论做什么事情都要小心谨慎。

——潘耀武《清徐方言志》

这类谚语涉及到人生感悟、道德修养、人际交往以及生活保健等方方面面,门类齐全,数量众多,语言精练,含义深刻,深受人民群众喜爱。

(三) 反映当地社会生活和民情风俗

方言语汇在群众的生产和生活实践中产生,又服务于人民群众。从丰富多彩的语汇中,我们可以看到民间文化的不同侧面。由于语汇形式的多样性和内容的丰富性,使其在反映当地社会生活、民情风俗方面,比方言词汇具有更强的承载力。例如晋中地区广泛流传着下面一些谚语:

秤平斗满,尺子绷展

让人买卖主顾多

生意靠实诚,买卖凭本钱

真金不怕火炼,好货不怕铺摊 好东西不怕摊开来给人看

这些谚语是对晋商"诚信为本"经营思想的高度概括和总结。当地还有不少商业谚语,反映出晋商的经营理念和经营作风。如:

买主买主,衣食父母

挑剔是买主,喝彩夸奖是闲人

一分二分不嫌少,千笔万笔不麻烦

三分利钱吃饱饭,七分利钱饿一半 合理赚取利润能长久做好生意,贪心牟取暴利反而会折本

地方饮食习俗也可以从语汇中反映出来。下面这些谚语,就准确、简练而形象地表明馒头在晋南乃至关中地区饮食生活中的重要性。

出门三件宝:馍馍、草帽和棉袄

老汉离不了婆婆,娃娃离不了馍馍

馍馍吃够吃饱,万事不愁

晋南馍馍不嫌多,蘸的辣子拿油泼

不吃馍馍不叫饭

"不吃馍馍不叫饭",意思是每顿饭都离不开馒头。晋南生产小麦,当地人以馒头为主食。当地习惯,无论是吃面条、饺子、米饭还是吃别的什么饭,都不会忘记放几个馒头在餐桌上。讲究的人家还要把馒头切成薄薄的片儿,整整齐齐地放在盘子里,以供用餐人最后吃一两片儿。不管前面吃了多少东西,吃的是什么,只有这最后的几口馒头下了肚,这顿饭才算圆满。所以,"馍"对晋南人来说,在一定程度上,已经不完全是物质上的需要,而成为一种精神上的安慰与寄托。

在晋南,馍不仅仅是人们一日三餐、果腹充饥的主食,而且具有重要的礼仪功能。与日常生活中"顿顿不离馍"相应,在晋南的民俗活动中,可以说是"事事不离馍"。这种礼仪用馍渗透到了民间风俗的方方面面。无论是婚丧嫁娶、生儿育女、逢时过节,还是宴请宾客、建造新房、走亲串友,都可以用花样繁多、含义丰富的馍制品作为礼物互相往来。谚语"晋南人情薄,馍馍换馍馍"就是对这种风俗的概括。

一些看似平淡的歇后语,也蕴涵着当地的民情风俗。山西忻州方言中就有这样一条歇后语:

小南宋养生育娃娃——一乍子一齐(做某事)
$\varepsilon i \varrho^{313\text{-}42} \ n\tilde{a}^{31} \ suan^{53} \ i\varepsilon^{313\text{-}42} \ va^{313\text{-}24} \ va^{313\text{-}31} \text{——} i\vartheta\mathrm{?}^2 \ tsa^{53} \ t\vartheta^{20}$

小南宋是忻州市村名,在忻州旧城东南15里处。旧时村里男人多去新疆一带经商,三年五载才结伴回家一次,育龄妇女也就在同一段时间生育。

有些语,承载着当地的历史掌故。河东地区流传着一条谚语:

姓曾不姓争,做官比水清

$\varepsilon i\Lambda\eta^{33} \ ts\Lambda\eta^{51} \ pu^{24} \ \varepsilon i\Lambda\eta^{33} \ ts\Lambda\eta^{51}, \ ts\vartheta u^{33} \ kua^{51} \ pei^{51} \ fei^{55} \ t\varepsilon`i\Lambda\eta^{51}$

这里记载了当地一个县长的故事。民国年间,荣河县有一个县长叫曾广钦,他和一般官员不一样,不吃请,不收礼,为人方正,做官清廉,能够体察民情,帮民解难。在任时为老百姓做了许多有意义的好事,群众便送他这样一句称赞的话。当地方言,"曾"和"争"同音,指姓曾的县长不和老百姓争夺利益,做官像清水一样廉洁。这条谚语经口耳相传,用来夸奖不谋私利的官员。

(3) 方言语汇正在迅速地消失

方言语汇反映了当地群众的集体智慧与实践经验,是群众语言艺术的结晶。它传承了独特而丰富多彩的地方文化,长期活跃在人民群众的口语之中,具有很强的感染力和生命力。但是,我们也应当清醒地看到,随着时间的推移和现代化进程的加快,带着泥土芳香的方言语汇也处在急剧的演变之中,有些在逐步弱化或消失。例如《忻州俗语志》(语文出版社,1986)中所收的2700多个条目,现在40岁以下的中青年,特别是城里人,已经有相当多的条目不会说,有的甚至没有听说过。

据考察,《金瓶梅》里出现的170多条歇后语,现在大部分已经不说。例如：

① 爱奴儿掇着兽头往城里掠——好个丢丑的孩儿（四二回。爱奴儿：小孩的泛称。掇：端。兽头：兽形的假面具，样子丑陋。掠：扔。骂人出丑。）

② 酉鬼上车儿——推丑（三二回。指太丑。"酉鬼"合起来是"醜"字，"醜"是"丑"的繁体。"推"谐"忒"。）

③ 蒋胖子掉在阴沟里——缺臭了你（七七回。蒋胖子：泛指胖子。缺："撅"的谐音，这里指蜷伏。缺臭了你：并不缺少你。）

这些歇后语不仅现在不说，而且如果不加解释，一般人也难于理解。

因此，方言语汇的调查研究具有紧迫性，有的还带有抢救性。面对全球化和市场化的挑战以及普通话的推广和普及，方言语汇的生存环境急剧恶化。如果不启动抢救工程，就有可能随着一代人的逝去而大量消亡。因此，要强化紧迫意识，抓紧调查整理方言语汇，为保存中华传统文化尽一分力量。

第二节 方言语汇的调查方法

1. 方言语汇调查的准备工作

方言语汇调查是一项细致而艰苦的工作，在开始调查之前，必须做好充分准备。准备工作主要有以下三个方面。

（1）方言语汇调查工作者自身应具备相关的基本知识和能力

（一）掌握汉语语汇学的基本知识

方言语汇调查工作者要首先掌握汉语语汇学的基本知识，对语汇的性质、范围、分类以及结构、语义、修辞等方面的特点有比较完整的认识。在前面几章中,我们已经学习了这些方面的知识,但是否真正掌握,并运用这些知识来指导调查实践,还需要作进一步的检验。

光掌握理论知识还不够,还得有感性认识。最好能读几本语汇类工具书,如商务印书馆出版的《成语熟语词典》(刘叶秋、苑育新、许振生编,1992),上海辞书出版社出版的《中国俗语大辞典》(温端政主编,1989),辞海版《中国谚语大全》、《中国惯用语大全》和《中国歇后语大全》(温端政主编,2005)等。

(二)掌握汉语方言学的基础知识

汉语方言学研究的对象是汉语方言,包括方言语音、方言词语、方言语法。"语音是语言的物质外壳",方言语汇的许多特点是通过语音表现出来的,因此,方言语汇调查工作者应当具有必要的审音、辨音和记音能力。记录方言语音,一般采用国际上通用的国际音标。这套记音符号是 1888 年由国际语音学教师协会(后更名为"现代语音学学会")制定的,后来经过多次修订,目前最新的版本是 1989 年改定的。这套符号一音一符,严谨细密,能够适应记录各种方言语音的需要,但是要真正掌握并熟练运用,必须经过专门训练。在初步学会国际音标,掌握了听音、记音的能力以后,还要学会如何归纳音系,如何与普通话音系进行比较等。此外,还要掌握一些音韵学基础知识。

除了语音外,方言词汇和方言语法的基础知识,也是不可缺少的。

(三)初步了解地方文化

如前所述,方言语汇承载着浓郁的地方文化,它全面而丰富地反映民情风俗,以及社会生活的方方面面。如果对某一地方的自然环境、经济、文化、历史以及日常生活、婚丧嫁娶习俗等没有任何接触和了解,就贸然去调查当地的方言语汇,肯定会碰到诸多困难。所以,在调查某一方言的语汇之前,就要注意了解相关的情况,包括自然条件、人文环境、风土人情等。

(2) 制定调查提纲

在语言调查中,制定调查提纲是重要的一环。一份科学的、符合实际需要的调查大纲,对完成语言调查有重要作用。我国现代方言学从上个世纪20年代开始,已经走过了80多年的历程,积累了丰富的经验。语音调查一般以《方言调查字表》(中国社会科学院语言研究所编辑,商务印书馆,1955;修订本,1981)作为单字记音的调查表格,其内容、方法已经相当成熟;词汇调查和语法调查起步较晚,但也以《方言调查词汇手册》(中国社会科学院语言研究所编辑,科学出版社,1956)为基础进行调查,取得了大量的成果。语汇调查目前还处于起步阶段,尚未形成一套切实可行的调查大纲类文本。

方言语汇涉及的内容广泛,各地文化背景不同,导致构语理据也多有不同,同时新的语汇层出不穷。因此,制定方言语汇调查提纲有较大的难度。在没有统一的调查提纲之前,可以参考以下两类著作。

(一) 普通话"语"类辞书

上世纪80年代以来,普通话"语"类辞书如雨后春笋,成果累累。方言语汇调查工作者可以根据调查目的、要求和时间安排等,自己做适当的选择。如果是做中小型的综合调查,可以参看《汉语常用语词典》(温端政主编,上海辞书出版社,1996)和《通用成语词典》、《通用谚语词典》、《通用歇后语词典》、《通用惯用语词典》(温端政、沈慧云主编,语文出版社,2002~2004)等,这几本词典收语数量适中,并有较为详细的注释,便于理解。如果是做大型的穷尽性的调查,可以参看辞海版《中国谚语大全》、《中国歇后语大全》和《中国惯用语大全》(温端政主编,上海辞书出版社,2004)。这是目前为止收语条目最多的一套工具书,信息量很大,值得参考借鉴。

(二) 地域性"语"类著作

专门搜集、整理方言语汇的著作,目前见到的仅有《忻州俗语志》(温端政等编,语文出版社,1986)、《忻州方言俗语大词典》(张光明等编纂,上海辞书出版社,2002)等少数几种。但有不少描写方言词汇的辞书或著作中记录了一些方言语汇,如《现代汉语方言大词典》42种分卷本(李荣主编,江苏教育出版社,1993~2003)、《北京话词语汇释》(宋孝才,北京语言学院出版社,1987)、《北京土语词典》(徐世荣,北京出版社,1990)等。成系列的方言研究丛书中也有一些谚语、惯用语和歇后语以标音举例的形式出现,如《山西省方言志丛书》(温端政主编,41种,语文研究编辑部增刊、语文出版社、山西高校联合出版社,1982~1995)、《山东方言志丛书》(钱曾怡主编,18种,语文出版社、齐鲁书社,1990~2005)、《湖南方言研究丛书》(吴启主编,10余种,湖南教育出版社,1998~1999)、《山西方言重点研究丛书》(乔全生主编,10余种,山西人民出版社,2002~2005)等等。

《昌黎方言志》(河北省昌黎县县志编纂委员会、中国社会科学院语言研究所合编,科学出版社,1960)中的"分类词表",被公认为汉语方言词汇调查的样板。不仅收词数量多,而且分类细致,可以作为调查方言语汇的重要参考。该书收词目近5000条,按意义分为36类,依次为:天文;地理;时令;时间;政治;工业、工艺;农业;商业;交通运输工具、邮电;动物;植物;房舍;衣料、服饰;器具;饮食;交际;婚丧、生育、寿辰;神鬼、祭祀;身体;疾病;医疗卫生;人品;职业;亲属;学校教育;文娱活动;动作;位置;一般名词;代词等;性质、感觉、状态、颜色;副词、介词等;数目;量词;新词新语示例;象声词。有些大类中还分为若干小类。如"天文"又分为"(1)日、月、星,(2)风、云、雷、雨,(3)冰、雪、霜、露,(4)气候";"地理"又分为"(1)地,(2)山,(3)河海,(4)石沙土块及其他,(5)城乡,(6)本县村镇特殊读音",等等。另外,在"分类词表"里还收了40多条成语,如"半生不熟"、"一清二白"、"管打来回"、"千辛万苦"等。谚语和歇后语作为标音举例,也分别收录了57条和26条,如"紧赶慢赶,小满开镰"、"腊七腊八,冻死鹅鸭"、"大风刮碌碡——往场(长)里看"、"剃头不用刀子——推(忒)好"等。

熟悉了上述相关材料后,可以初步按照语性分类列出一些最常见的语目,作为初步的调查大纲。例如谚语可大体分出"节令气象"、"农业生产"、"社会经济"、"明辨事理"、"人际交往"、"教育修养"、"人生境遇"、"养生保健"等;成语除了按照意义分类之外,还可以根据结构列出"复合式"、"重叠式"、"附加式"等,复合式又可以分为"主谓式"、"偏正式"、"动宾式"、"并列式"等。语目尽可能多选一些,分类尽可能详细一些,以便在调查中有取舍的余地。

上述两类著作,都只能起参考和引导的作用,不宜照搬或套用。调查提纲要"因地制宜"。在调查过程中,应不断补充、修订内容,使之切合当地方言实际。

(3) 选择合适的调查合作人

调查合作人是指为方言调查提供语料的人,也称为调查对象。方言调查的成功与否和调查合作人提供的语料是否丰富准确关系极大。聘请到合适的调查合作人,是调查成功的前提条件。可以根据以下几方面的条件来物色方言语汇调查合作人。

(一) 是地道的本地人,说纯粹的本地话,一直住在本地,或只是成年后短期离开过。

（二）受过中等以上教育，喜欢谈天说地，熟悉当地文化。

（三）生活经验丰富，年龄在50岁以上，最好是老年人。

（四）身体健康，能完成较长时间的调查任务。

与调查方言语音不同，方言语汇的调查合作人，不可能由一个人来承担。最好物色三至五人，甚至更多的人。物色多个合作人时，要考虑到有男有女，有不同职业和不同阶层的人。

2. 方言语汇调查的主要方法

方言语汇调查分为书面调查和田野调查两种。书面调查指从古今文献资料中辑录语料。田野调查指到群众中去，从活生生的口语中获取第一手语料。方言语汇具有口语性和群众性的特点，进行田野调查尤为重要。

田野调查分为直接调查和间接调查。直接调查是调查者直接深入到当地群众中，以各种方式进行调查，取得调查结果。间接调查是调查者不直接到调查点工作，而是委托当地具有调查条件的同志帮助调查，取得调查结果。这两种调查方法各有利弊。运用直接调查的方法，调查者亲身感受当地文化、语言特点，按照调查目的搜集材料，并能够准确记录其语音面貌。直接调查的缺点是花费时间比较长，如果调查者所调查的不是母语，这一问题就更加突出。间接调查委托当地人进行，可以不受时间的限制，获得语料的渠道也比较广泛，缺点是被委托的人不一定具备方言调查的知识和能力，特别是不能够准确记录方音，而没有记音的方言语料，对研究语言的人来说，则是很大的缺憾。

最好的办法是直接调查与间接调查相结合。先根据拟定的调查内容,委托当地人作初步的搜集,然后由调查者再作进一步的调查,包括记音等。

调查形式可分为对话式、座谈式和随机式三种。对话式,调查者与调查合作人(一人或两人),用直接对话的方式进行。座谈式,召集调查合作人(三人或三人以上),以漫谈的方式进行。随机式,调查者通过与调查合作人共同生活或工作,随时随地进行调查。一般来说,搜集、整理方言语汇需要较长的时间,以上三种方式可以结合进行。

无论是直接调查还是间接调查,也无论采用哪一种方法,都要注意从方言实际出发,采用启发式。要注意充分调动合作人的积极性,使他们变被动为主动,对语汇调查发生浓厚的兴趣,这样才能提供丰富的语料。

第三节 方言语汇调查研究的回顾、现状和前瞻

1. 方言语汇调查研究的回顾

我国的现代方言学是在20世纪20年代揭开序幕的。早期的方言调查研究工作,以语音为主。1928年在北京出版的赵元任的《现代吴语的研究》,是我国现代方言学史上第一部方言调查报告。该书分"吴音"和"吴语"两个部分。吴音部分包括声母、韵母、声调、声韵调总讨论;吴语部分包括30处75个词汇和22处56种用法的语助词。此后出版的陶燠民的《闽音研究》(1930)、罗常培的《厦门音系》(1931)、黄锡凌的《粤音韵汇》(1941)、董同龢的《华阳凉水井客家话记音》,都把调查研究的重点放在语音上。

上个世纪 50 年代,在高等教育部和教育部发出的《关于汉语方言普查工作的通知》指导下,汉语方言普查工作全面展开。普查以语音为重点,只记录少量词汇和语法例句。1958 年开始出版的《方言与普通话集刊》(共 8 种)和《方言和普通话丛刊》(共两种),所收文章大多是描写地点方言语音的,并重视方言和普通话语音的对应关系研究,以指导方言区人学习普通话语音。

1979 年《方言》杂志创刊,标志着描写方言学进入一个新的时期,方言语音研究更加深入,词汇和语法研究得到重视。列为哲学社会科学"六五"国家重点项目的《山西省方言志丛书》,每种都收方言词约 1000 条,并有语法方面的内容。在全面深入调查记录地点方言基础上撰写而成的《苏州方言志》(1988)和《上海市区方言志》(1988),收录方言词约 8000 条,对方言语法也进行了比较全面的描写和分析。

上世纪 90 年代至 21 世纪初,《北方话基础方言基本词汇》(陈章太、李行健主编,语文出版社,1996)和《现代汉语方言大词典》(李荣主编,江苏教育出版社,1992~2003)分卷本(共 41 种)和综合本(李荣主编,江苏教育出版社,2002)的编纂出版,标志着方言词汇调查研究取得了新的重大成果。

在上述调查研究成果中,虽然也包含了一些方言语,包括方言成语、方言谚语、方言惯用语和方言歇后语,但大多是以"标音举例"的形式或作为释文的用例出现的。已经发表的单篇调查报告,关于"语"的,为数不多。以《方言》上发表的调查报告为例,词汇调查报告的数量远远超出语汇的调查报告。从《方言》创刊至今,发表过的有关方言语汇的调查报告,给人印象较深刻的只有三篇:一是《广州方言熟语举例》(陈慧英,1980 年第 2 期);二是《上海方言的熟语》(许宝华、汤珍珠、钱乃荣,1985年第2、3、4期);三是《福州方言熟语的修辞特点》(祝敏青,2005年第2期)。这种现象说明,在方言词语的调查研究中,长期存在重词轻语的现象。

要改变这种状况,必须从改变观念开始。要认识语在语言中的地位和作用,树立既重视方言词汇调查又重视方言语汇调查的新观念。

2. 方言语汇调查研究的现状和前瞻

如前所述,《忻州方言俗语大词典》(上海辞书出版社,2002)的出版,标志着方言语汇调查和方言词汇调查一样受到重视。随着汉语方言调查研究的深入,已经有越来越多的学者开始意识到方言语汇调查研究的重要性和紧迫性。近年,台湾有位叫温惠雄的牧师,编写了《台湾人智慧歇后语》一书,收台湾闽南话歇后语608条,每条除注音外,还做了比较详细的注释。下面是该书所收的前四条:

阿猴厝顶——青仔欉 a-kâu chhú-téng——chhiⁿ-á-chang 阿猴即屏东,古早屏东一带,盖草厝,其厝顶的瓦就地取材,用槟榔树的树干(青仔欉)做的,青仔欉是妇女骂色迷直瞪着女人看的男子,或是查甫骂查某三八的意思。

阿公娶某——鸡婆(加婆) a-kong chhōa-bo——ke-po 阿公已经有老婆,欲阁娶某,就加一个"老婆",是"加婆"。"加婆"和"鸡婆"同音,鸡婆是好管闲事,插代蒜。

阿里山火车——碰壁 a-lî-san hóe-chhia——pòng-piah 阿里山森林铁路环山而造,连徊曲折上山,常常碰到山壁才转弯,"碰壁"是无法度前道,无路通行,或是碰着窘难。

阿里山苦力——碰壁 a-lî-san ku-li——pòng-piah 阿里山纵贯台湾西部,森林茂密。阿里山最高峰2663公尺,有登山火车,过77座铁桥,50个山洞。"苦力"是出卖劳力开垦的工人,在开垦阿里山时,这些"苦力"遇着真济石壁。碰壁,壁是爆炸山石壁,这里比喻人无钱,"进无路,退无路",陷入绝境。

像这样既有注音又有注释的方言歇后语汇编,在祖国大陆还不多见。但有两本著作比较引人注意。一是《重庆方言俚俗语研究》(杨月蓉著,中国文史出版社,2004),一是《汉藏语四音格词研究》(孙艳著,民族出版社,2005)。前者以重庆话中的俚俗语为主要研究对象,对重庆方言俚俗语的方音特征、语法结构、修辞方式等进行了阐释,也分析了重庆方言俚俗语的人文特征和文化意义;后者以汉藏语系为研究对象,系统而深入地描写了汉藏语四音格特别是汉语四音格的基本特征,并对四音格词产生、发展的内部动因和外部影响进行了分析和概括。这两本著作在材料的丰富性上和研究的方法上都有突破性的进展,给汉语语汇的研究注入了新的活力。

汉语方言语汇研究,植根于方言区的传统文化,有着美好的研究前景。《重庆方言俚俗语研究》的作者正在进一步搜集重庆各地区的方言俚俗语,准备编写《重庆方言俚俗语辞典》。在《忻州方言俗语大词典》问世之后,忻州师范学院方言研究中心启动了忻州方言俗语系列辞书编纂工程,目前《忻州歇后语词典》初稿已经完成,收歇后语约3000条,每条除了用国际音标注音、用普通话注释外,还举出方言用例。之后,还计划接着编纂《忻州成语词典》、《忻州谚语词典》、《忻州惯用语词典》。这个开方言语汇系列辞书之先河的工程,如得以顺利实施,将会促使方言语汇研究的繁荣和发展。与此同时,山西省社会科学院语言研究所正在进行山西方言俗语数据库的建设,在此基础上,"山西方言语汇研究"的课题也在进行中。

方言语汇研究的领域非常广阔。除了加强方言点的语汇研究之外,还要加强方言语汇的比较研究,包括方言语汇和共同语语汇的比较研究,方言语汇之间的比较研究,方言语汇的古今比较研究等。同时,也要加强方言语汇的应用研究,如作家如何在作品中成功运用方言语汇,在作品中运用方言语汇应该把握怎样的尺度等。在掌握语言事实的基础上,要加强方言语汇的理论研究,逐步建立起理论和实际相结合的汉语方言语汇学。

思 考 题

一、联系你的母语,谈谈方言语汇调查研究的重要性和紧迫性。

二、你调查过自己的母语吗?说一说你的母语在语词方面的主要特点。

三、举例说明方言语汇的文化背景。

练 习 题

一、记录你母语里的谚语 5 条,每条用国际音标标音,加以必要的注释。

① _____
② _____
③ _____
④ _____
⑤ _____

二、记录你母语里的惯用语 5 条,每条用国际音标标音,加以必要的注释。

① _____
② _____
③ _____
④ _____
⑤ _____

三、记录你母语里的成语 5 条,每条用国际音标标音,加以必要的注释。

① _____
② _____
③ _____
④ _____
⑤ _____

四、记录你母语里的歇后语 5 条,每条用国际音标标音,加以必要的注释。

① _____
② _____
③ _____
④ _____
⑤ _____

第十章 语典

第一节 语典的性质和功能

1. 语典的性质

我国传统的语文学注重解字释词,这类著作通称为"字书"。有的字书以字为对象,解释形体、读音和意义,并按一定的顺序编排,叫做字典。如东汉许慎的《说文解字》,清代张玉书等奉诏编纂的《康熙字典》(康熙五十五年〔1716年〕印行),汉语大字典编辑委员会编纂的《汉语大字典》(四川辞书出版社、湖北辞书出版社1986年10月第1版)等。19世纪末以来,随着西学东渐,引进"词"概念,汉语研究逐渐确立了"词"本位,陆续出现了以释词为主的词典,如中国大辞典编纂处汪怡等编纂的《国语辞典》(1937年起由商务印书馆分册陆续出版)、中国社会科学院语言研究所词典编辑室编纂的《现代汉语词典》(1978年12月由商务印书馆正式出版,1983年和1996年出版过两次修订本,2002年出版了增订本,2005年出版了第5版)、汉语大词典编辑委员会汉语大词典编纂处编纂的《汉语大词典》(第一卷,上海辞书出版社1986年11月出版,第二卷至第十二卷由汉语大词典出版社于1988年3月开始出版,于1993年11月出齐)等。随着语的研究的深入,出现了以"语"为收条对象的"语典"。

语典在性质上与字典、词典有相同之处,都是语文性的工具书,不同的是收条对象。字典是"以字为单位,按一定次序排列,每个字注上读音、意义和用法的工具书",词典是"收集词汇加以解释供人检查参考的工具书"。(见《现代汉语词典》第5版"字典"、"词典"条)然而,实际情况并非完全如此单纯。字典也往往捎带收词并加以解释(许多汉字本身就是一个词)。词典除收集词汇并加以解释外,一般都收领头的单字条目,并注音注释,起类似字典的作用;还有不少词典收有一定数量的成语、惯用语、谚语和歇后语,并注音注释。相比之下,语典却比较单纯,虽然释义时,有时也要对语目中的难字、难词做一些注释,但一般没有兼收字、词作为条目的。比照字典和词典,语典可以定义为:收集语汇加以解释,按一定次序排列,供人检查参考或阅读的语文性工具书。

2. 语典的功能

语典的功能,可以归纳为四个方面。

(1) 备查功能

这是辞书共有的功能。人们总是在学习、工作和生活中遇到某些疑难问题时,才去查阅辞书的。辞书编纂者也正是为适应这种需要,确定收条范围、释文的内容以及编排的次序等。正因为如此,人们常称辞书为"无声的老师"。语典也是这样。比如,《汉书·鲁仲连邹阳列传》里有下面一句话:

谚曰:"有白头如新,倾盖如故。"何则? 知与不知也。

如果对这里所引用的"谚"——"白头如新,倾盖如故"的含义不理解的话,便可查阅《中国俗语大辞典》(上海辞书出版社,1989)"白头如新,倾盖如故"条。其释文为:(书证中的"～"号替代语目)

【白头如新,倾盖如故】白头如新:指交往的时间很久了而互不了解,如同新结识的一样。倾盖:盖,车盖;指道路相遇,停车互语,车盖倾接。指有的人从初次相识到白头还不相知;有的人见上一面却如同故人一样。《史记·鲁仲连邹阳列传》:"邹阳客游,以谗见擒,恐死而负累,乃从狱中上书曰:'……谚曰:有～,何则?知与不知也。'"

○也作①〔白头而新,倾盖而故〕汉·刘向《新序》卷三:"(邹阳)乃从狱中上书,其辞曰:'……谚曰:有～。何则?知与不知也。'"②〔白头如新,交盖如旧〕汉·应劭《风俗通义·过誉》:"孔子称:'可寄百里之命,托六尺之孤,临大节而不可夺。'相与之义,具于此矣。语有曰:～。"③〔白发如新,倾盖如故〕宋·王楙《野客丛书》卷二七:"古人谚语,见于书史者甚多,姑著大略于此,曰'～。'"

读了这段释文,不仅对"白头如新,倾盖如故"这个古谚的含义有所了解,还知道它有"白头而新,倾盖而故"、"白头如新,交盖如旧"、"白发如新,倾盖如故"等变体,有助于进一步加深理解。

(2) 阅读功能

人们使用语典,除了遇到疑难进行查阅,从中寻求答案之外,还有一个目的,就是丰富语汇。因此,语典具有可供通读或部分通读的功能。这点,中小型尤其是小型语典更为突出。如前面提到的《通用成语词典》、《通用惯用语词典》、《通用歇后语词典》和《通用谚语词典》,所收的条目并不多,但都是常用的,不仅可供查阅,而且可供阅读,读者不仅能从中加深对"语"的理解,而且可以丰富自己的语汇,提高运用语汇的能力。

(3) 教育功能

语,特别是表述语,是有思想内容的,蕴含着丰富的中华民族的传统美德,它们不仅具有知识性,而且具有思想性。因此,使用语典,不仅有助于增长知识,扩大知识面,而且能从中受到传统美德的熏陶,提高思想道德水平。如上述《通用成语词典》、《通用谚语词典》里所收的"唇亡齿寒"、"众志成城"、"挨金似金,挨玉似玉"、"尺有所短,寸有所长"、"吃一堑,长一智"、"百闻不如一见"、"前事不忘,后事之师"等,都是古今相传的名语名谚,它们所蕴含的传统美德具有生生不息、历久弥新的品质,是永不枯竭的思想道德教育资源。

(4) 规范功能

语和词一样都是语言的"建筑材料"。语汇和词汇一样,也存在规范化的问题。这方面,国家还没有制订相关的法规。语典应当自觉地担负起这方面的责任。

由于语在结构上是相对固定的,在对语进行规范时,既要注意灵活性,又不能没有原则性。所谓灵活性,就是要承认语的口语性特点,不能限制得过死,允许有合理的变体。所谓原则性,就是要保持语言的纯洁和健康。

以上面提到的《通用歇后语词典》所收的"八仙过海,各显神通"为例:

【八仙过海——各显神通】bāxiān guò hǎi——gè xiǎn shéntōng 八仙:道教传说中的八位神仙:汉钟离、张果老、吕洞宾、铁拐李、韩湘子、曹国舅、蓝采和、何仙姑。相传八仙渡海到蓬莱山赴蟠桃会,一路上能行风的行风,能下雨的下雨,各自施展法力。神通:特别高超的本领。指各有各的高超本领,或各人施展各人的本领。[例]冯永祥没料到刚才恭维二太太一番话竟没照顾到大太太,眼睛一转动,立刻说道:"你们是八仙过海,各显神通。每个人的本领都很高强,小弟是五体

投地佩服!"(周而复《上海的早晨》)|不久以前他还抱着这样的想法:"让咱们八仙过海,各显神通罢,现在且不忙做结论,等秋收以后再说也不晚。"(白危《垦荒曲》)

也作〔八仙过海——各显其能〕。[例]他听见老孙头正在说道:"穷棒子闹翻身是八仙过海,各显其能。"(周立波《暴风骤雨》)

这里把"八仙过海——各显神通"作为主条,把"八仙过海——各显其能"作为它的变体,符合汉语实际。如果不加限制,还可以列出许多"变体":"八仙过海"也说"八仙飘海"、"八仙聚海"、"八仙同过海"等;"各显神通"也说"各使神通"、"各自显神通"、"各有各的办法"等。之所以没有把它们——列举出来,显然是考虑到通用型语类辞书所应起的规范作用。

第二节 语典的类型和结构

1. 语典的类型

语典可以从不同的角度进行分类:
从收条的规模上看,可分为大型语典、中型语典、小型语典。
从收条对象来看,可分为综合性语典和专语语典。
下面着重介绍综合性语典和专语语典。
(1) 综合性语典
又可分为完全综合性语典和不完全综合性语典。
(一) 完全综合性语典
这类语典全面收录语汇所属的各种语类,包括谚语、惯用语、成语、歇后语。如:

《汉语熟语大辞典》 武占坤、马国凡主编,河北教育出版社1991年出版。编者所说的熟语,包括谚语、惯用语、成语、歇后语,以及格言等,共收16683条(不包括变体)。语条按汉语拼音字母次序排列,是一部大型的综合性语典。

《成语熟语词典》 刘叶秋、苑育新、许振生编,商务印书馆1992年出版。编者在书前"序例"里说:"照我们的理解,所谓成语、熟语,指习用的古语、俗谚、格言、歇后语以及各方面能独立表意的词组、短句,其特点大都是约定俗成,结构固定,文字不能改动;意义亦往往不限于字面,而多引申、比喻、借代、夸张、形容等等用法。"本书收条以《辞源》(修订本)里的"成语熟语"条目为基础,新增条目为原有条目的一半,共约7500条,是一部中型的综合性语典。

《汉语常用语词典》 温端政主编,上海辞书出版社1996年出版。本书除收谚语、惯用语、成语、歇后语外,还收格言,共约11000条,其中成语约4800条,谚语约3000条,惯用语、歇后语、格言各约1000条。语条按汉语拼音字母次序排列,也是一部中型的综合性语典。

(二) 不完全综合性语典。

常见的是只收谚语、歇后语和惯用语,不收成语。如:

《中国俗语大辞典》 温端政主编,上海辞书出版社1989年出版。本书主编在"前言"里论述了俗语的性质和范围,认为俗语应包括谚语、歇后语、惯用语和俗成语四大类,考虑到俗成语多已为成语词典所收,故本书只收谚语、歇后语和惯用语,约15000条。著名语言学家吕叔湘先生为该书作序。

《俗语词典》 徐宗才、应俊玲编著,商务印书馆1996年出版。

编者在"前言"里称:"俗语包括大部分谚语和小部分歇后语。"本书共收俗语 13000 多条。从正文里看,除了谚语、歇后语外,还收了不少惯用语,也未收成语。著名语言学家张清常先生为该书作序。2004 年出版了修订本。

《语海》 何承伟总策划,上海文艺出版社 2000 年出版。本书收谚语约 24000 条,惯用语约 10000 条,俗成语约 14000 条,歇后语约 32000 条,未收雅成语。收条丰富是本书的主要特点之一。温端政为本书撰写的"序言"指出:"《语海》还可能存在这样或那样的不足之处,但她无疑是汉语民间语言收集、整理和研究的一个重要里程碑。"

(2) 专语语典

指专收某一语类的语典。分述如下。

(一) 成语类语典

这类语典,以成语为收条对象。已经正式出版的达数百种,较具代表性的有:

《汉语成语小词典》 本书由北京大学中文系 1955 级语言班集体编写,经著名语言学家魏建功、周祖谟审订,是成语类语典的发凡之作。共收成语 3559 条,释义准确,例句简明,特别适合中小学师生和一般语文工作者使用。20 世纪 50 年代由商务印书馆出版以来,深受欢迎,多次修订再版。

《分类成语词典》 王理嘉、侯学超编著,广东人民出版社 1985 年出版。该书按语目意义类别排列,共分"景物描写"、"评文论艺"、"教育学习"、"人物品行"、"心理情绪"、"言辞表达"、"社会斗争"、"社会生活"、"行事取法"、"情势状态"、"政治法律"、"军事经济"等 12 大类。大类之下又分若干小类。同类中的成语按音序排列。

《汉语成语大词典》 湖北大学语言研究室编纂,朱祖延主编,河南人民出版社1985年出版。本书收成语(包括少量古今常用的谚语和惯用语)达17000多条,超过了此前出版的同类语典。编者对众多条目采用了"主条"和"副条"相结合的形式,将内容(同义、近义、反义)或形式(字面、结构)关联密切的条目,适当地予以集中和合并,形成了一部分大小不等的条目群。编者还从历代文献中精选了书证,有助于揭示成语语义的演变。

《中国成语大辞典》 王涛等编写,上海辞书出版社1987年出版。本书收成语18000余条,包括主条和附条两类。著名语言学家王力先生为该书作序,指出"本书编者是几家出版社的编辑,他们注意搜集第一手资料,注意推敲词语的解释,在收词方面也掌握从严收录的原则"。

《汉语成语考释词典》 刘洁修编著,商务印书馆1989年出版。本书以考源求实为重点,共收成语7600多条,另收异体约10000条;部分成语还附略语,共约20000条。释义准确,书证丰富,材料来源止于清末。本书收条范围比较宽泛,以四字成语为主,也兼收二字、三字至十字的,如"推敲"、"不夜城"、"无所措手足"、"不费吹灰之力"、"不是冤家不聚头"、"天下无不散的筵席"、"不入虎穴,焉得虎子"、"天下本无事,庸人自扰之"等。经编著者大幅度的增补和修改,改名《成语源流大词典》,由江苏教育出版社于2003年出版。

《汉语成语辞海》 朱祖延主编,武汉出版社1999年出版。该书的主要特点是:在收条上,遵循"古今兼收、源流并重"的原则,收语目约25000条;收条不仅力求做到"全而纯",而且力求做到"大而新";书证丰富而不堆砌;重视反映成语的产生、形成和发展的演变。

《新华成语词典》 商务印书馆辞书研究中心编,许振生主编,商务印书馆2002年出版。本书是一部中型成语类语典,收录常用成语8000多条,释义简明准确,书证兼顾古今,源流并重,既注意探索成语本源,又能体现成语的时代气息,适合中等文化程度读者使用。

(二)谚语类语典

这类语典,以谚语为收条对象。已经正式出版的为数也不少,较具代表性的有:

《汉语谚语词典》 无锡师范学校《汉语谚语词典》编写组编,江苏人民出版社1981年出版。本书收谚语2393条,其中社会谚2000条,农谚204条,气象谚139条,卫生保健谚50条。每条都有释义,大部分举有书证,书证采自宋人话本、元明戏曲、明清小说,以及"五四"以来的文艺作品。这在当时还不多见。

《古谚语辞典》 张鲁原、胡双宝编著,北京出版社1990年出版。本书收截至清末各类著作中比较常见的反映社会生活的谚语5461条。每条一般举出早期书证一条,含义多的酌情多举,按时代先后排列。

《汉语谚语词典》 孟守介等编著,北京大学出版社1990年出版。本书收汉语常用谚语6546条,其中包括少量成语和格言。著名语言学家周祖谟为该书所作的序指出,该书"古今并重,广事搜罗,编排科学,解释明确","对广大语文工作者、文学作家,以及研究文化历史者都会有极大的参考价值"。

《谚语分类词典》 李庆军编著,黄山书社1991年出版。本书收古今常用社会谚语4500余条(不含副条),按语目意义类别排列,分人事、人物、人世、修养、家庭5大类,每大类又分为若干小类,计74小类。

《中国古代谚语》 王树山主编,山西教育出版社1999年出版。本书收古代谚语约7000条(包括主条和副条)。资料来源,以《四库全书》、《丛书集成》、《古今图书集成》、《古小说丛刊》为基本,旁及单行出版的子集、史书、笔记、小说、戏曲等。条目按意义分类编排,先分"社会"、"经济"、"人事"、"生活"、"艺业"、"精神"、"意识"、"形态"等八类,各类又按意义再分为若干类。

《谚海》 温端政、王树山、沈慧云主编,语文出版社1999年出版。本书兼收古今谚语共19023条,其中主条11129条,副条7894条。不论主条、副条,都举出书证或用例,是迄今为止收条最多、资料最为丰富的谚语类辞书。

《新华谚语词典》 温端政主编,商务印书馆2005年出版。本书为中型谚语词典,收录常用谚语约5000条。条目分正条、副条,反映了源远流长的中华传统文化。释义准确、简明,充分揭示深层意义;例句丰富、翔实,古今兼收,以今为主,体现谚语的源流演变、意义用法和时代气息;设置知识窗,丰富谚语的知识性,扩展知识面。

(三) 歇后语类语典

这类语典,以歇后语为收条对象。由于歇后语为群众所喜闻乐见,正式出版的此类语典越来越多,较具代表性的有:

《歇后语词典》 温端政、沈慧云、高增德编,北京出版社1984年出版。本书收歇后语2240条,其中主条1754条,副条486条。选条注意常用和健康,注音、释义力求准确,例证注意典范性,都采自正式出版物,有的注明出处。

《中国歇后语大辞典》 本书是主编欧阳若修在其编写的《歇后语小词典》(陕西人民出版社 1982 年初版,陕西人民教育出版社 1986 年修订版)的基础上补充收进汉语和少数民族语言中的一些歇后语编纂而成的,广西人民出版社 1990 年出版。本书收歇后语 12580 条,按内容分为 55 类,包括"奋发进取"、"勇敢坚毅"、"坚定自信"、"艰苦磨砺"、"正直无私"等。

《中华歇后语大辞典》 刘宝成主编,北方妇女儿童出版社 1994 年出版。本书收歇后语 10122 条,每条除了注音、注释外,还选用了古代白话小说、现代作家作品用例作为例句,惜未注明出处。

《常用歇后语分类词典》 沈慧云、温端政主编,上海大学出版社 2000 年出版。本书收歇后语 3384 条,其中主条 2068 条,副条 1316 条。每条都举出书证或用例。按意义分为 56 类,包括"公平正直"、"眼明心亮"、"聪明能干"、"自信乐观"、"果敢刚毅"、"率直泼辣"等。

《中国歇后语大词典》 温端政主编,上海辞书出版社 2002 年出版。本书收古今歇后语约 7000 多条(含副条)。不论主条副条,一般都配有例句,辅助说明语目的意义和用法,有两个或两个以上义项的,则分别举例。本书把歇后语的转义分为谐音双关、别义双关、假借双关、组合双关、借喻双关等,不同情况采取不同的释义方式,把歇后语的释义水平提高了一步。

(四) 惯用语类语典

这类语典,以惯用语为收条对象。已经出版的,比起上述三类语典,数量相对较少,较具代表性的有:

《汉语惯用语词典》 周宏溟编著,商务印书馆1990年出版。本书收惯用语3423条(包括副条350条),释文后面有的注明感情色彩或用法。例句尽可能从著名作家的作品中选取,原则上一义一例。语目都用汉语拼音字母注音,按词连写。

《汉语惯用语新解》 周培兴主编,青岛海洋大学出版社1995年出版。本书收录惯用语10576条(未计副条),释文较详,包括汉语拼音、结构关系、简明释义、举例等多项内容,例句都注明出处。多义惯用语,按照本义、比喻义、借代义、形容义和特指义的顺序进行比较全面的分析。

《汉语惯用语大辞典》 高歌东、张志清编著,天津教育出版社1995年出版。本书收惯用语14500多条,不仅广罗古今,而且钩沉探源,对所收的古代惯用语"辨语源、释语义、明语境、出书证";对所收的现当代惯用语,除释义外,也尽量给出例句(大部分引自正式出版的书刊,少数自编)。

《汉语惯用语辞典》 李茂编著,汉语大词典出版社2004年出版。本书收古今汉语中常见的惯用语约6000条,其中包括部分常见变式。编著者在"前言"里称:"在认定惯用语时我们不以音节多寡为取舍标准,对于某些具有语义变异特征的双音节语,我们也择其典型者收入本书。"因此,本书所收的语目,有不少是双音节的,仅"吃"字开头的,就有"吃开"(指受欢迎,被重视)、"吃肥"(比喻暗中捞了很多钱)、"吃屁"(比喻随声附和)、"吃通"(比喻到处都行得通)、"吃累"(①谓家庭负担重。②指负担)、"吃醋"(比喻产生嫉妒情绪。多指男女关系方面)、"吃瘪"(被迫屈服、认输)、"吃嘴"(谓贪吃;嘴馋),等等。(括号里的释文均引自原书。)

2. 语典的结构

语典的结构包括总体结构和条目结构。

(1) 总体结构

总体结构,是指语典的宏观结构,和其他语文辞书相同,一般分为主体部分和辅助部分。正文是主体部分,正文前面的"序"、"前言"、"凡例"、"索引"(有的也放到正文后面)和正文后面的"附录",属于辅助部分。

辅助部分又可分为必要部分和非必要部分。一般地说,"凡例"和"索引"是必要的辅助部分,"序"、"前言"和"附录"则属于非必要的辅助部分。

"凡例"是关于本书编纂体例的说明,多放在正文之前。"索引",旧称"通检"或"备检",是检索语目的一种工具;把正文中的语目或语目的首字摘录下来,标注出所在页码,按一定次序排列,供查阅。这两项,一般的辞书都要有,语典也是这样。

"序"和"前言"都是关于本书的总体说明。"序"多请对本书内容有研究的专家撰写,多介绍或评论本书的内容;"前言"多由编纂者自己或主编所写,多说明编纂本书的宗旨和经过。"序"和"前言"依次放在"正文"前面。有的语典只有"序"没有"前言",或只有"前言"没有"序",也有的二者都没有,也有的既有"序"又有"前言"。"附录"是附在"正文"后面的参考性资料,有的有,有的没有。

下面以《中国俗语大辞典》(上海辞书出版社,1989)为例,做具体说明。

本书"凡例"包括五项内容:第一项说明本书所收俗语的条数;第二、三项说明条目安排,包括条目的排列次序和"关联条目"的类型;第四、五项说明注释和例证。

本书有两个索引,一是"词目首字拼音索引",放在"凡例"后面,正文前面;二是"词目笔画索引",放在正文之后。

本书前有吕叔湘先生撰写的"序"。吕先生在"序"里着重讲了谚语,认为谚语是典型的俗语。他从19世纪英国教士特伦奇(Richard Chenevix Trench)所著的一本讲各国谚语的英文书里,转引了有关谚语的特点的话,加以申说,论述了俗语的特点以及和格言、成语等的异同。吕先生指出,谚语有三件东西不能少:得有刺,得有蜜,身子还得小。"得有刺",就是说要有机锋,带三分俏皮,能搔着痒处,叫人听了一惊或者一笑(看是刺着自己,还是刺着别人);"得有蜜",就是说得有智慧,得有人情世故,让人从正面或反面受到教育。不能光有机锋,光是俏皮,一笑拉倒;"身子还得小",就是说得像一把匕首,不能是丈八蛇矛,话一多,内容就冲淡了,棱角也没有了,智慧变成说教,机锋变成贫嘴。话虽不多,但画龙点睛似的为读者理解俗语指明了方向。吕先生在"序"中还对本书作了这样的评论:

> (本书编写)工作开始于1983年11月……从事收集资料和编注工作的语文教师和语文研究工作者共二十多人,阅读古今图书近二千种,摘录书证十万多句,编成一万五千条左右,可谓盛矣!

吕序之后,是本书主编温端政先生撰写的"前言"。"前言"分为四个部分:第一部分,进一步阐明了俗语的性质和范围,指出:俗语是群众所创造的,并在群众口语中流传、结构相对定型的通俗而简练的语句;俗语应包括谚语、歇后语(引注语)、惯用语和口头上常用的成语,而不应该包括方言词、"俗语词"、来自书面系统的成语和来自名家名篇的名言警句。第二、三、四部分,分别叙述了释义中所涉及的问题(如要不要溯源,对于内容消极的俗语要不要进行批判,如何准确解释俗语的语义)及其处理意见;编写中遇到的困难和克服办法;编写经过及存在的问题。

从上面所述可以看出,《中国俗语大辞典》在总体结构上是比较完整的。

(2) 条目结构

条目是指"辞书中由注释的对象和注释所组成的整体"(见《辞海》1999年版"条目"条),在词典中也称"词条",在语典中则称"语条"。在语典中,条目结构指的是正文中所收语条的构成要素及其排列次序。语条一般的构成要素和排列次序为:语目、语性、注音、释义、例证。其中语目和释义是一般语典不能缺少的两项。有的语典还含有语源考释、语用提示和相关知识介绍等项。

语目,过去也叫词目,分主语目和副语目。主语目,通常是该语的常见形式或规范形式,副语目是它的变体。如果古今兼收,则多以早期形式作为主语目。以《中国俗语大辞典》所收的"百闻不如一见"条为例:

【百闻不如一见】纵使听过百遍,不如见上一次真实可靠。形容实地观察的重要。参见"耳闻不如目见"。《汉书·赵充国传》:"充国曰:'~。兵难隃度,臣愿驰至金城,图上方略。'"清·浦起龙《史通通释》:"盖语曰:'~。'是以聚米为谷,贼虏之虚实可知;画地成图,山川之形势易悉。"张恨水《啼笑因缘》一九回:"凡事~。无论人家说得怎样神乎其神,总要看见,才能相信。"○也作〔千闻不如一见〕。《陈书·萧摩诃传》:"高祖遣安都北拒齐军于钟山龙尾及北郊坛。安都谓摩诃曰:'卿骁勇有名,～。'摩诃对曰:'今日令公见矣。'"宋·普济《五灯会元》卷一九"云盖智本禅师":"瑞州郭氏子。开堂日,僧问:'诸佛出世,天雨四花。和尚出世,有何祥瑞?'师曰:'～。'"周立波《山乡巨变》下三:"关于谢庆元的品评,近来塞满了他两耳朵,～,李月辉总想亲自找他当面谈谈。"(书证中的"～"号,替代语目,下同)

这里以"百闻不如一见"为主语目,以"千闻不如一见"为副语目,是因为前者从使用频率上看,是常见形式;从书证上看,是早期形式;后者把"百"说成"千",属于前者的变体,列为副语目。

语性,专语语典不注,也没有必要注;综合性语典,有的注有的不注。上述的《中国俗语大辞典》,没有注明语性,而《汉语常用语词典》则注明语性,成语、谚语、惯用语、歇后语,分别用简称"成"、"谚"、"惯"、"歇"注明。以该书所收的"安居乐业"条和"八字还没有一撇"条为例:

【安居乐业】(成)《汉书·货殖传》:"各安其居而乐其业,甘其食而美其服。"安于所居,乐其本业。指人安定地生活,愉快地劳动。姚雪垠《李自成》一卷一六章:"要是没有贪官污吏,没有灾荒,老百姓都能够～,该有多好!"

【八字还没有一撇】(惯)比喻事情还没有眉目。陈登科《风雷》一部六〇章:"那只是个影子,～,还早哪!要拖到麦收后去。"

注音,常见的有三种做法:一是用汉语拼音字母标注主语目单字的普通话读音;一是按照国家教育委员会、国家语言文字工作委员会于1988年7月1日联合公布的《汉语拼音正词法规则》,采用以词为拼写单位;一是只给主语目中的难读字或有异读的字词注音。如成语"戛然而止",《新华成语词典》实行单字注音,标作:jiá rán ér zhǐ;《现代汉语成语规范词典》(李行健主编,长春出版社,2000)实行按词连写,标作:jiárán'érzhǐ;《汉语熟语大辞典》不加标音,只在释文里注出"戛"的读音。又如谚语"吃一堑,长一智",《谚海》实行单字注音,作:chī yī qiàn,zhǎng yī zhì;《现代汉语谚语规范词典》(李行健主编,长春出版社,2000)实行按词连写,把"吃一堑"和"长一智"都看成是词,标作:chīyīqiàn,zhǎngyīzhì;《汉语熟语大辞典》不加注音,只在释文里注出"堑"的读音。

释义,同其他辞书一样,是语典的重要的也是必要的组成部分。释义的质量在相当大的程度上决定辞书的质量,语典也不例外。释义有正误、优劣之分。试比较以下三书对古谚"眉毫不如耳毫,耳毫不如老饕"的释义:

【眉毫不如耳毫,耳毫不如老饕】饕(tāo):贪食。形容老年人最贪食。宋·袁文《瓮牖闲评》一:"谚云:'眉毫不如耳毫,耳毫不如老饕。'故东坡作《老饕赋》。"

——《古谚语辞典》234页

【眉毫不如耳毫,耳毫不如老饕】老饕(tāo):贪食的人。眉有长毛的人寿长,比不上耳有长毛的人寿更长;耳有长毛又比不上贪食的人寿长。宋·袁文《瓮牖闲评》一:"谚云:'～。'故东坡作《老饕赋》。"

——《中国俗语大辞典》552页

【眉毫不如耳毫,耳毫不如老饕】méi háo bù rú ěr háo, ěr háo bù rú lǎo tāo 毫:细毛。老饕:贪食。苏轼《老饕赋》:"盖聚物之夭美,以养吾之老饕。"指眉头长有长毛的人,不如耳朵长有长毛的人寿命长;耳朵长有长毛的人又比不上胃口好的人寿命长。指老年人胃口好能长寿。宋·袁文《瓮牖闲评》一:"谚云:'眉毫不如耳毫,耳毫不如老饕。'故东坡作《老饕赋》。"

——《谚海》449页

比较一下可以看出,《古谚语辞典》释为"形容老年人最贪食",没有抓住要点;同时,"形容"二字抹杀了谚语的知识性,也欠妥。《中国俗语大辞典》和《谚海》对该条释义相似,但后者明确提出:"指老年人胃口好能长寿",显得更加到位。宋·吴曾在《能改斋漫录·事实二》里的一段话可以证明:"颜之推云:'眉毫不如耳毫,耳毫不如项绦,项绦不如老饕。'此言老人虽有寿相,不如善饮食也。故东坡《老饕赋》盖本诸此。"(项绦(tāo):脖项向下垂的软肉。)

例证,虽然不是语典的必要组成部分,但它的重要性不能忽视。好的例证,既能印证释义或弥补释义的不足,又能为语的运用提供范例。例证多采自作家的作品,但也可以编纂者自编。采自作家作品的例证,具有权威性和典范性的优点,但由于这些例证往往有其特殊的语言环境,难以做到十分贴切,有时出现引文过长或现实感不足等缺点;自编例证一般针对性较强,可以避免这些缺点。试比较:

【吃了河豚,百样无味】河豚:鲀的一种,肝脏、血液等有剧毒,肉味鲜美。吃过河豚以后,其他食物都觉得没有味道了。比喻有过好的经历,一般的就看不上眼。《孽海花》二一回:"后来打听得上海道快要出缺,这缺是四海闻名的美缺,靠着海关银两存息,一年少说有一百多万的余润,俗话说得好:'~。'若是做了上海道,也是百官无味的了。"

——《中国俗语大辞典》111页

【吃了河豚,百样无味】chīle hétún,bǎi yàng wú wèi 河豚:也叫鲀(tún),鱼类,肉鲜美,卵巢、血液和肝脏有剧毒,产于我国沿海和某些内河。比喻有过美好的经历,一般的也就不放在眼里。〔例〕听了世界三大男高音的演唱后,总有"吃了河豚,百样无味"的感觉,没兴致再听别的男声独唱了。

——《现代汉语谚语规范词典》31—32页

语源以及语用提示和相关知识介绍等,要根据情况和实际需要而定,并不是每条必备内容。语源考释还和辞书的性质有关,属于考释性辞书宜详,一般辞书宜简或从略。语用提示也是这样,侧重于实用的辞书,可根据需要作适当提示。相关知识的介绍,也是要从实际出发。下面试举几例:

【天字第一号】南朝周兴嗣的《千字文》,首句是"天地玄黄",旧时常用《千字文》作编序号,"天"字列为第一号。后借指最突出最重要的人或事。《水浒全传》二一回:"有那梁山泊晁盖送与你的一百两金子,快把与我,我们饶你这~官司,还你这招文袋里的款状。"《近十年之怪现状》一一回:"借了人家的钱,在赌债上扣还,这等~的便宜事情,你还不愿呢。"艾芜《私烟贩子》:"我卖鸦片烟就说卖鸦片烟,并没有说我在卖灵芝草。无论你咋个说,我们卖鸦片的,都是~的诚实人。"

——《中国俗语大辞典》878页

【吃了人家的嘴软,拿了人家的手短】chī le rénjia de zuǐ ruǎn,nále rénjia de shǒuduǎn 指得了人家的好处,就得替人家办事。〔例〕"吃了人家的嘴软,拿了人家的手短。"自从收了那个老板的一笔"辛苦费",每次去店里检查,他都睁一只眼闭一只眼,帮那老板做了不少手脚。提示:用于警世。

——《现代汉语谚语规范词典》32页

【饭后百步走,活到九十九】指饭后散步,有益于身体健康。包佳俊《一枝白丁香·薄冰》:"'饭后百步走,能活九十九',还是散散步走几站路吧!"王炳根《冰心在中国》:"'饭后百步走,活到九十九。'冰心在威尔斯利喜欢散步,吃过饭,百步走,所以她真正的活到了99岁(1900—1999)。"朱铎《步行与老年人》:"俗话说:'人老脚先老','饭后百步走,活到九十九'。古书也有言,如《五言真经》云:'竹从叶上枯,人从脚上老,天天千步走,药铺不用找。'确实,只要脚能健步,人就不易衰老。"

〔知识窗〕"饭后百步走"适合于平时活动较少,尤其是长时间伏案工作的人,也适合形体较胖或胃酸过多的人。但不能在刚吃完饭后就马上散步,而要在饭后20分钟后再开始百步走。也不能快步走,而要悠闲地漫步。这样才能有助于促进胃肠蠕动,有助于胃肠消化液的分泌和食物的消化吸收,有利于身体健康。

——《新华谚语词典》98页

语典的类型和结构是多种多样的。上面只是根据目前语典的编写情况作一般的叙述。随着语典编纂的进一步发展,在类型和结构上还会有不断的创新。

第三节 语汇研究对语典编纂的指导作用

语汇研究和语典编纂有密切关系,主要表现在以下两个方面:

一方面语汇研究对语典编纂有重要的指导作用；另一方面，语典编纂为语汇研究提供了坚实基础。下面着重讲语汇研究对语典编纂的指导作用。

语汇研究对语典编纂的指导作用，体现在许多方面，其中最突出的是立目和释义。

1. 立目

确立语目是编写语条的首要环节。语汇学里关于语的性质、范围和分类的论述，对于语目确立具有重要的指导意义。

(1) 明确语的性质和范围对于语典立目的重要意义

本书第一章所提出的"语词分立"的主张，明确指出了语和词的区别，提出了语的定义：由词和词组合而成的、结构相对固定的、具有多种功能的叙述性语言单位。在此基础上确定了语的范围：语应包括谚语、惯用语、成语和歇后语，而不包括复合词、自由词组，以及格言、名句等言语作品。这对于语典，特别是综合性语典立目的指导意义是非常明显的。

过去，有些综合性语典，一方面不注意语和词的区别，如把"摇钱树"、"聚宝盆"、"马后炮"等名词性复合词作为语收进来；另一方面，不注意语和自由词组、格言、名句等的区别，如把"不服水土"、"大丈夫处世当扫除天下"、"欲穷千里目，更上一层楼"等也作为语收进来。

试看《现代汉语词典》(第5版)对"摇钱树"、"聚宝盆"、"马后炮"的定性和释义：

【摇钱树】yáoqiánshù 名 神话中的一种宝树，一摇晃就有许多钱落下来，后多用来比喻可借以源源不断地获取钱财的人或物。

【聚宝盆】jùbǎopén 名 传说中装满金银珠宝而且取之不尽的盆,比喻资源丰富的地方。

【马后炮】mǎhòupào 名 象棋术语,借来比喻不及时的举动:事情都做完了,你才说要帮忙,这不是～吗?

"摇钱树"、"聚宝盆"、"马后炮",之所以是词而不是语,关键在于它们是概念性的语言单位,缺乏语所具有的叙述性。过去,有的语典编纂者忽视了这一点,往往认为它们具有比喻义,就把它们作为语收录进来。

再看"不服水土"、"大丈夫处世当扫除天下"和"欲穷千里目,更上一层楼":

"不服水土",被不少辞书作为语(成语)收录进来。但从《现代汉语词典》(第5版)所收的"不服"和"水土"条中可以看出它属于自由词组:

【不服】bùfú 动 ①不顺从;不信服:～管教｜说他错了,他还～。②不习惯;不能适应:～水土｜气候～。

【水土】shuǐtǔ 名 ①土地表面的水和土:～流失｜森林能保持～。②泛指自然环境和气候:～不服。

从上面所列的第二个义项可以看出,"不服水土"也可以说成"水土不服",都是由"不服"和"水土"组合而成的,属于自由词组,而语的结构是相对固定的。

"大丈夫处世当扫除天下",出自《后汉书·陈蕃传》:

陈蕃,字仲举,汝南平舆人也……年十五,尝闲处一小室,而庭宇芜秽。父友同郡薛勤来候之,谓蕃曰:"孺子何不洒扫以待宾客?"蕃曰:"大丈夫处世当扫除天下,安事一室乎?"勤知其有清世志,甚奇之。

"欲穷千里目,更上一层楼",出自唐·王之涣《登鹳雀楼》诗:

白日依山尽,黄河入海流。欲穷千里目,更上一层楼。

可见"大丈夫处世当扫除天下"和"欲穷千里目,更上一层楼",都是个人的言语作品,属于格言或名言,而不属于作为语言单位的语。

(2) 明确语的分类对语典立目的重要意义

本书第二章"语的分类",提出语义叙述方式和结构形式相结合的层次分类法,把非"二二相承"的表述语归于谚语,把非"二二相承"的描述语归于惯用语,把引述语归于歇后语,把"二二相承"的表述语和描述语归于成语。这个语的分类理论,对于确定"语性"和专语语典的立目具有指导意义。

过去由于分类的标准和界限不明确,难以确定语性。有些兼收语的词典,给词标出词性,却未给语标出语性。专语语典的立目更是出现许多混乱现象。同一个出版社出版,乃至同一学者主编的系列性专语语典,也往往出现过多的重复收条的现象,就是一个突出表现。如成语词典,收了许多非"二二相承"的表述语和描述语,乃至引述语,结果与谚语词典、惯用语词典、歇后语词典重复。像"不入虎穴,焉得虎子"、"差之毫厘,谬以千里"、"初生牛犊不怕虎"、"当局者迷,旁观者清"、"道高一尺,魔高一丈"等,都是成语词典收了,谚语词典又收;像"快刀斩乱麻"、"此地无银三百两"、"身在曹营心在汉"、"神不知,鬼不觉"、"雷声大,雨滴小"等,都是成语词典收了,惯用语词典又收;像"八仙过海,各显神通"、"老鼠过街,人人喊打"、"韩信将兵,多多益善"等,都是成语词典收了,歇后语词典又收。而像"只许州官放火,不许百姓点灯",则是成语词典收了,谚语词典也收,惯用语词典又收。这说明,离开了科学的分类理论指导,语典的立目就难以做到准确性和合理性。

2. 释义

释义,是对语义进行概括性的描写。本书第四章"语义"所归纳的语义特点,所提出语义分析的方法,以及语义描写的要求、基本原则和一般做法等,对于释义具有十分重要的指导意义。这里针对目前语类辞书释义中较普遍存在的问题,作补充说明,着重强调以下几个问题。

(1) 坚持"从语料中来,到语料中去"的原则

我们曾经说过,从收集和分析语言事实入手,在正确理解语义的基础上进行描写,然后又用语言事实来验证,是语义描写的基本原则,也是基本做法。要贯彻这个基本原则和基本做法,就必须首先在收集语料上下工夫,否则,一切都无从谈起。

收集语料要有计划地进行,要有长远的打算,要建设语料库。过去多采用手工做法,用卡片摘录语料。《中国俗语大辞典》就是用手工方式从古今约两千种图书中,辑录十万多条语料为基础编纂成的。这样才确保了释义的准确性,出版十多年来,经受住了读者的检验。但同时,我们也常常看到,有些语类辞书,由于语料收集上不过硬,导致释义上存在诸多问题,常见的是释义不准确和释义不全面。

释义不准确的。如:

① "但存方寸地,留与子孙耕"。有的辞书解释为:"告诫人们要保存好每一寸土地,为子孙后代着想。"接着还申述评论道:"珍

惜土地这一光辉思想,我国古代劳动人民早已有之,可谓弥足珍贵;今天,人口骤增,土地日蹙,更应强调之。"编写者显然误解了"方寸地",认为它是指"一寸见方之地"。实际上,这里的"方寸地"是指心。对此,宋·罗大经《鹤林玉露》卷六有下面一段话:

> 俗语云:"但存方寸地,留与子孙耕。"指心而言也。三字虽不见于经传,却亦甚雅。

可见,"但存方寸地,留与子孙耕"是个古谚,它的正确释义应当是:指存心端正,做好事不做坏事,是留给后代的最好遗产。

②"钱到手,饭到口"。有的辞书解释为"钱拿到了手里,饭也就到了嘴里";有的辞书解释为"有了钱不愁没有饭吃"。这些解释都不是从语言事实中来,也就经不起语言事实的检验。试看以下两个用例:

> 这个月花钱和流水一样,800元的工资,1000元的奖金,一个子儿没剩。真是老话说的,"钱到手,饭到口",不知不觉的,都花完了!(萧红婉《腊月的黄土贵三分》)

> 你还不知道我这个人是钱到手饭到口,钟在寺院声在外,开费大着哩!(崔复生《太行志》一二)

分析这两个用例,可以看出"钱到手,饭到口",是指钱到了手里很容易就花掉,就像饭食到了嘴边很容易吃下去一样。用来形容人手头松,不节俭,钱花得很快。再从语源上看,《警世通言》卷三一作"食在口头,钱在手头":"常言'食在口头,钱在手头',费一分,没一分,坐吃山空。"清·石天基《传家宝》卷九作"钱在手头,食在口头":"俗谓'钱在手头,食在口头',可知若非大有主见之人,现钱在手,未有不浪费用而致害者。"都可以作为书证。

③"吃凉不管酸"。有的辞书解释为"指年纪小,不管家务"。

这个解释,从下面两例来看,似乎没有什么不妥:

志坚还是吃凉不管酸的岁数儿,就能说出这样的话来,多么懂事的孩子啊!(郭澄清《大刀记》一卷开篇一六)

按理儿说,像小乐这年纪,正是在学堂里念书的时候,就是不念书,也是吃凉不管酸的时候。(浩然《艳阳天》六〇章)

但用下面两例来检验,这个解释就显得欠妥:

"你怎么不把金秋拒之门外?""我又不是房主,吃凉不管酸。"(刘绍棠《水边人的哀乐故事》四六)

支书还没有下台就吃凉不管酸啦!(阎丰乐《县委书记》〔一〕一六)

如果我们再看下面这个用例,就能理解得更加准确,也更加透彻:

你对家里的事,可真叫是"吃凉(粮)不管酸(算)"哪!要说活计倒是没少干,这点我知足。可就是啥事不闻不问,拨一拨,转一转,真把自己当成长工了,处处听喝儿!(许俊选《金牛奇传》二)

看了这个用例,才恍然大悟,原来"凉"是"粮"的谐音,"酸"是"算"的谐音,本义当是"只知吃粮食,不管算账";引申义,指什么事也不操心,不过问。

释义不够全面的。如:

①"藏龙卧虎"。有的辞书解释为"比喻潜藏着杰出的人才"。这没错,但只是它的一个义项,还有一个义项是"比喻潜藏着的杰出人才"。如:

这中州地面,四通八达,乃是藏龙卧虎之地,英雄荟萃之区,非同小地方可比。(姚雪垠《李自成》二卷一六章)

我虽遭到排挤,解甲归田,坐着冷板凳蜗居在此,心里总有不甘!藏龙卧虎,应该待时而动。(王火《战争与人》(一)卷四)

前例,"藏龙卧虎"是比喻潜藏着杰出的人才;后例则是比喻潜藏着的杰出人才。此语宜解释为:比喻潜藏着杰出的人才;也比喻潜藏着的杰出人才。

②"八九不离十"。有的辞书解释为"接近(实际情况)"(如:我虽然没有亲眼看见,猜也能猜个八九不离十)。这也没错。但除此义项外,还有一个义项:指与所追求的目标或所要求的标准很接近。下面用例足以证明:

吃饭中间,郭祥看到他们两人相亲相爱,猜想事情已经八九不离十,就笑着问:"朴东木!我什么时候喝你们的喜酒呵?"(魏巍《东方》六部四章)

马名骓能双手打枪,虽不是百发百中,却也是八九不离十。(刘绍棠《敬柳亭说书》三章六)

不久,他就学得八九不离十,只差上下车不太自如了。(王琳《将军和诗人》)

因此,此语宜解释为:指接近(实际情况);也指距离所追求的目标或所要求的标准很接近。

③"陈谷子烂芝麻"。有的辞书解释为"比喻陈旧的无关紧要的话"。这也没有错。但此语不仅比喻陈旧的无关紧要的话,也比喻陈旧的无关紧要的事或形容事情陈旧,无关紧要。试看下面两例:

两个老人把多年来的陈谷子烂芝麻都由记忆中翻拾出来,整整的谈了一个半钟头。(老舍《四世同堂》五七)

王跑叹了口气说:"咳!别提那些陈谷子烂芝麻的事了。"(李準《黄河东流去》四四章一)

前例里的"陈谷子烂芝麻"作"把"的宾语,是指陈旧的无关紧要的事;后例里的"陈谷子烂芝麻"作"事"的定语,形容事情陈旧而无关紧要。

(2) 坚持释文的叙述性原则

我们曾经反复强调过,语和词(主要指实词)最重要的区别,是词属于概念性的语言单位,而语则属于叙述性的语言单位。因此,语的释文必须具有叙述性。过去,在语的性质和作用相当于词、语是词的"等价物"的观点影响下,往往把语也看成是概念性的语言单位,认为语"都能找到一个含义与之相同(至少极为近似)的词,在二者之间画上等号",例如:"千钧一发"="危险","煽风点火"="煽动","虚怀若谷"="虚心","风马牛不相及"="无关",等等。这显然不符合事实。试看《新华成语词典》(商务印书馆,2002)里这些语的释文(摘要):

【千钧一发】千钧的重量系在一根头发上。比喻情况万分紧急。(注:"比喻"似宜作"形容")

【煽风点火】比喻煽动或唆使别人干坏事。

【虚怀若谷】胸怀像山谷一样深广。形容十分谦虚。

【风马牛不相及】《左传·僖公四年》:"君处北海,寡人处南海,唯是风马牛不相及也。"意思是说,楚国与齐国相距很远,即使牝牡相诱,马和牛也碰不到一起。后比喻事物之间毫无关系。

上述释文都具有叙述性,不是某个概念所能涵盖的。

坚持释文的叙述性原则,必须注意释文的内容与"语性"相一致。第四章第三节讲"语义的描写"时,我们曾经提出要注意区分表述语和描述语,这里再分别针对成语、谚语、惯用语和歇后语的释义作进一步说明。

成语就内容来说,有表述性成语和描述性成语之分。表述性成语的释文应当具有知识性,而描述性成语的释文则应当具有描绘性。试比较下面几个成语的释文:

【众擎易举】许多人一齐用力,就容易把东西托起来,比喻大家同心合力,就容易把事情做成功。

【积非成是】长期沿袭下来的谬误,会被认为是正确的。

【得意忘形】形容浅薄的人稍稍得志,就高兴得控制不住自己。

【道貌岸然】形容神态庄严(现多含讥讽意)。

【倒背如流】倒着背诵像流水那样顺畅,形容诗文等读得很熟。

——摘自《现代汉语词典》(第5版)

"众擎易举"、"积非成是",属于表述性成语,释文都具有知识性;"得意忘形"、"道貌岸然"、"倒背如流"都属于描述性成语,释文都具有描绘性。

谚语属于表述语,其释文都应具有知识性。如:

【长痛不如短痛】与其长时间受痛苦的折磨,不如忍受一时剧痛,使痛苦彻底消除。

【病来如山倒,病去如抽丝】指疾病发作往往非常迅猛,而痊愈却很缓慢。

【年年防俭,夜夜防贼】年年都要预防歉收,夜夜都要提防盗贼。指防俭和防盗要坚持不懈。

【路遥知马力,日久见人心】路途遥远才能检验出马的力气,日子长久才能看清人的心地。指时间长了就能知道一个人的品德好坏。

——摘自《新华谚语词典》

惯用语属于描述语,其释文都应具有描绘性。如:

【打头阵】比喻冲在前面带头干。

【不费吹灰之力】形容做事情非常容易,不费什么力气。

【八竿子打不着】形容二者之间关系疏远或毫无关联。

【前怕狼后怕虎】形容顾虑重重,畏缩不前。

——摘自《现代汉语词典》(第5版)

歇后语属于引述语,表义的重点在后一部分,前一部分表示某种色彩意义。常运用"双关"手法。释义要注意这些特点。如:

【狗咬老鼠——多管闲事】咬老鼠是猫的事。责骂人管了不该管的事情。

【窗户纸——一点就破】破:双关,本指捅破窗户纸,转指说破。指稍一指点就明白。

【打破沙锅——璺到底】璺:沙锅等陶器上的裂纹,与"问"同音相谐。到底:双关,本指沙锅性脆,一打破就从上裂到底,转指到尽头。指对事情追问到底。

——摘自《中国歇后语大词典》

"狗咬老鼠——多管闲事"的释文里,"咬老鼠是猫的事",点明了前后两个部分之间的内在联系;"管了不该管的事情",指明了基本意义,"责骂"二字指明了色彩意义。"窗户纸——一点就破"的释文里,指出"破"的双关义,点明了前后两个部分之间的内在联系;"稍一指点就明白",指明了基本意义。"打破沙锅——璺到底"

的释文里,通过说明"壂"和"问"的谐音关系,以及"到底"的双关义,点明了前后两个部分之间的内在联系,又指明了整个歇后语的基本意义。从歇后语的整体语义上看,歇后语绝大多数属于描述语,故释文大都具有描绘性。

(3) 注意辨别比喻义和非比喻义

比喻义是语的比喻用法逐渐固定下来的意义。释义时要注意辨别比喻义和非比喻义。除了第四章第三节"语义的描写"中提到的,要"注意区分构语层面的比喻手法和语义层面的比喻义"外,还要注意以下三点。

(一) 比喻作为修辞学上的辞格之一,是"利用乙事物来说明与其本质不同而又有相似之处的甲事物的一种修辞手法"。(袁晖《比喻》,安徽人民出版社,1982,第 2 页)因此本质上不同的事物才能构成比喻。如:

【爱屋及乌】比喻爱一个人而连带地关心跟他有关系的人或物。

【风中之烛】比喻随时可能死亡的人或随时可能消灭的事物。

【釜底游鱼】比喻处在极端危险境地的人。

【留得青山在,不怕没柴烧】比喻只要把人或实力保存下来,将来还会得到恢复和发展。

——摘自《现代汉语词典》(第 5 版)

如果是相同或本质上相同的事物,便不能构成比喻关系。因此,以下释义值得商榷:

【不刊之论】比喻不能改动或不可磨灭的言论。

【雕虫小技】比喻微不足道的技能(多指文字技巧)。

【狐朋狗友】比喻品行不端的朋友。

　　【九牛二虎之力】比喻很大的力量。

　　【新官上任三把火】比喻新上任的官员总要先做几件有影响的事,以显示自己的才能和胆识。

"论"和"言论"、"技"和"技能"、"…朋…友"和"朋友"、"力"和"力量"、"新官"和"新上任的官员",都没有本质上的不同,不能构成比喻。"比喻"二字应当删去或改为"指"。

(二)根据上述比喻的定义,构成比喻的对象应当是事物,如果是状态,一般不宜用比喻。如:

　　【白驹过隙】形容时间过得飞快,像小白马在细小的缝隙前一闪而过。

　　【流星赶月】形容非常迅速,好像流星追赶月亮一样。

　　【鹅行鸭步】像鹅和鸭子那样走路,形容行动迟缓。

　　【一衣带水】水面像一条衣带那样窄,形容一水之隔,往来方便。

　　【珠圆玉润】像珠子那样圆,像玉石那样滑润,形容歌声婉转优美或文字流畅明快。

——摘自《现代汉语词典》(第5版)

上面这些成语,由于描绘的是状态,所以释文不用"比喻",而用形容。

下面的释义就值得商榷:

　　【沧海一粟】大海里的一颗谷粒,比喻非常渺小。

　　【轻车熟路】驾着轻便的车在熟路上走,比喻对情况熟悉,做起来容易。

　　【拆东墙,补西墙】比喻处境困难,临时勉强应付。

【杀人不见血】比喻害人的手段非常阴险毒辣,人受了害还一时察觉不出。

【一步一个脚印】比喻做事踏实。

这些语都是描绘状态,"比喻"都宜改为"形容"。

(三) 歇后语的释文要慎用比喻

过去由于把歇后语前后两个部分的关系理解为"譬解"关系,认为前一部分是比喻。因此,有些歇后语辞书解释时多用"比喻"。如:

【八哥啄柿子——拣软的欺】比喻只会欺负软弱的人。

【巴掌心里长胡须——老手】巴掌:手掌。双关语。比喻对于某种事情经验丰富,十分内行。

【扁担上睡觉——想得宽】扁担很窄,在上面睡觉,想宽裕舒服一些,做不到。比喻白费心思,空想。

我们在第八章第三节"歇后语的语义"里曾经说过,歇后语的前一部分在表义上只起辅助作用,表示某种附加意义;表义重点在后一部分。因此,解释歇后语语义时,既要点出前一部分和后一部分在表义上的内在联系,更要说明后一部分所表示的基本意义。上面三个歇后语的后一部分,都不含比喻义。所以释文都不能用"比喻",宜改为"指"。试比较《中国歇后语大词典》对上面三个歇后语的释义:

【八哥啄柿子——拣软的欺】软:双关,本指柔软,转指软弱。指欺负软弱的人,或拿软弱的开刀。

【巴掌心里长胡须——老手】巴掌心,指手。长胡须,表明"老"。指熟悉某种事情,操办起来很老练的人。

【扁担上睡觉——想得宽】本指以为扁担上能睡人,那是把扁担想得过于宽了,转指主观上想得好,就是不能实现。

只有当歇后语的后一部分含有比喻义时,释文才宜用"比喻"。如:

【土地老爷住深山——自在没香火】比喻虽然无人管束,但也受冷落,无人理睬。

【黄鼠狼在鸡窝边——不偷鸡也偷鸡】比喻品质不好的人,即使没做坏事,也有心做坏事。也比喻即使没做坏事,也会被怀疑做坏事。

【鱼篮子打水——无处不是漏洞】本指到处都是漏水的孔眼,转喻说话、做事或规章制度、办法等存在许多缺点、破绽或不周密之处。

——摘自《中国歇后语大词典》

如何编好语典,还有许多问题须要继续研究。目前,语类辞书越来越多。在丰富的实践基础上总结经验,进行深入的理论联系实际的探讨,既是语汇学的一个重要内容,也是辞书学的一项任务。

思 考 题

一、试比较语典和词典的性质和功能,指出相同点和不同点。

二、目前不少词典也收语,试分析其利弊。

三、有人说,目前语类辞书,特别是成语类辞书重复出版的现象非常严重,应当纠正。说说你的看法。

练 习 题

一、专语语典有哪些种类?各举一例说明。

二、注出下列语的语性,用简称(成语简称"成",谚语简称"谚",惯用语简称"惯",歇后语简称"歇")写在括号里。

高屋建瓴(　　)　　　得饶人处且饶人(　　)

眼不见,心不烦(　　)　摸不着头脑(　　)

强将手下无弱兵(　　)　老虎还有打盹的时候(　　)

花木瓜,空好看(　　)　醉翁之意不在酒(　　)

头痛医头,脚痛医脚(　　)　猴子屁股坐不住(　　)

三、解释下列语的语义:

马放南山:＿＿＿＿＿＿＿＿＿＿＿＿＿＿＿＿＿＿＿＿

河东狮吼:＿＿＿＿＿＿＿＿＿＿＿＿＿＿＿＿＿＿＿＿

头是头,脚是脚:＿＿＿＿＿＿＿＿＿＿＿＿＿＿＿＿＿

乌狗吃食,白狗当灾:＿＿＿＿＿＿＿＿＿＿＿＿＿＿＿

乌云遮不住太阳:＿＿＿＿＿＿＿＿＿＿＿＿＿＿＿＿＿

虎瘦雄心在:＿＿＿＿＿＿＿＿＿＿＿＿＿＿＿＿＿＿＿

剃头挑子一头响(想):＿＿＿＿＿＿＿＿＿＿＿＿＿＿

买干鱼放生,不知死活:＿＿＿＿＿＿＿＿＿＿＿＿＿＿

四、下列各语的释义有什么毛病:

赤子之心:比喻纯洁的心灵。

夫唱妇随:比喻夫妻互相配合,行动一致。

一个巴掌拍不响:比喻矛盾和纠纷不是单方面所能引起的。

放羊的拾柴禾,捎带:比喻顺便或附带做的事。

附录：

本书参考文献及相关论著

（一）专著

修辞学发凡（陈望道），大江书铺，1932，新文艺出版社，1955
修辞概要（张瓌一），中国青年出版社，1953
普通话词汇（张世禄），新知识出版社，1957
汉语词汇（孙常叙），吉林人民出版社，1957
词汇教学讲话（张静），湖北人民出版社，1957
汉语的构词法（陆志韦等），科学出版社，1957
成语简论（马国凡），辽宁人民出版社，1958
汉语词汇讲话（周祖谟），人民教育出版社，1959
词汇（许威汉），人民教育出版社，1959
现代汉语词汇（王勤、武占坤），湖南人民出版社，1959
谚语、歇后语、惯用语（马国凡），辽宁人民出版社，1961
词语的知识和运用（李行健、刘叔新），天津人民出版社，1975
成语（马国凡），内蒙古人民出版社，1978
歇后语（马国凡、高歌东），内蒙古人民出版社，1979
汉语成语研究（史式），四川人民出版社，1979
谚语（武占坤、马国凡），内蒙古人民出版社，1980
谚语歇后语概论（王勤），湖南人民出版社，1980

谚语·格言·歇后语(宁榘),湖北人民出版社,1980

成语、谚语、歇后语、典故概说(唐启运),广东人民出版社,1981

汉语造词法(任学良),中国社会科学出版社,1981

构词法和构形法(张寿康),湖北人民出版社,1981

惯用语(马国凡、高歌东),内蒙古人民出版社,1982

词汇学简论(张永言),华中工学院出版社,1982

词典学概论(胡明扬、谢自立、梁式中、郭成韬、李大忠),中国人民大学出版社,1982

词义和释义(孙良明),湖北教育出版社,1982

成语概说(向光忠),湖北教育出版社,1982

词汇学研究(王德春),山东人民出版社,1983

现代汉语词汇概要(武占坤、王勤),内蒙古人民出版社,1983

词汇(武占坤),上海教育出版社,1983

词汇漫谈(徐青),浙江人民出版社,1983

词汇学研究(王德春),山东教育出版社,1983

歇后语新论(谭永祥),山东教育出版社,1984

词汇学和词典学研究(刘叔新),天津人民出版社,1984

惯用语再探(高歌东),山东教育出版社,1985

词汇(郭良夫),商务印书馆,1985

谚语(温端政),商务印书馆,1985

歇后语(温端政),商务印书馆,1985

成语(刘洁修),商务印书馆,1985

现代汉语词汇(符淮青),北京大学出版社,1985;2004年增订本

汉语词汇研究(葛本仪),山东人民出版社,1985

《齐民要术》谚语民谣成语典故浅释(葛能全),知识出版社,1988

熟语浅说（刘广和），中国物资出版社，1989
汉语熟语学（孙维张），吉林教育出版社，1989
汉语描写词汇学（刘叔新），商务印书馆，1990；2005年重排本
实用词汇学（许德楠），燕山出版社，1990
同义词语研究（周荐），天津人民出版社，1991
俗语古今（屈朴），河北人民出版社，1991
汉语词汇学引论（许威汉），商务印书馆，1992
汉语词义学（苏新春），广东教育出版社，1992
汉语词法论（陈光磊），学林出版社，1994
汉语词汇研究史纲（周荐），语文出版社，1995
汉语词汇与文化（常敬宇），北京大学出版社，1995
当代中国词汇学（苏新春），广东教育出版社，1995
汉语词汇学史（符淮青），安徽教育出版社，1996
汉语词汇与华夏文化（杨琳），语文出版社，1996
阴阳五行与汉语词汇学（陈立中），岳麓书社，1996
词义的分析和描写（符淮青），语文出版社，1996
俗语（马国凡、马叔骏），内蒙古人民出版社，1997
汉语熟语与中国人文世界（崔希亮），北京语言文化大学出版社，1997
词汇学问题（周荐），天津古籍出版社，1998
俗语（徐宗才），商务印书馆，1999
二十世纪的汉语俗语研究（温端政、周荐），书海出版社，2000
二十世纪的汉语词汇学（许威汉），书海出版社，2000
中华谚谣研究（武占坤），河北大学出版社，2000
汉语流俗词源研究（张绍麒），语文出版社，2000

词义研究与辞书释义(苏宝荣),商务印书馆,2000
词汇学理论与实践(李如龙、苏新春编),商务印书馆,2001
词汇学丛稿(王吉辉),中央文献出版社,2001
现代汉语词汇学(葛本仪),山东人民出版社,2001
词典论(黄建华),上海辞书出版社,2001
汉语造词研究(陈宝勤),巴蜀书社,2002
汉语词汇学(宋均芬),知识出版社,2002
现代辞典学导论(李尔纲),汉语大词典出版社,2002
汉语词汇学(葛本仪主编),山东大学出版社,2003
汉语词汇结构论(周荐),上海辞书出版社,2004
汉语语汇学(温端政),商务印书馆,2005
汉语熟语通论(武占坤),河北教育出版社,2005

(二) 论文

1. 俗语·语汇(熟语)

成语跟俗语(佛朗)《太白》半月刊第1卷第1期(1934)
关于"熟语"(云生)《中国语文》1959年第7期
熟语和成语的种属关系(唐松波)《中国语文》1960年第11期
成语、谚语、格言、俗语、俚语的区别(瓒一)《语文学习》1958年第1期
谈谈"俗语"(韩阙林)《河北师院学报》(社会科学版)1979年第3期
广州方言熟语举例(陈慧英)《方言》1980年第2期
固定语及其类别(刘叔新)《语言研究论丛》第2辑,天津人民出版社,1982

试谈数词性熟语(寿纪芳)《浙江师范学院学报》1982年第4期

试论民间俗语(吕洪年)《民间文学论坛》1983年第2期

俗语转化为成语的途径(黄佩文)《辞书研究》1983年第3期

上海方言的熟语(许宝华、汤珍珠、钱乃荣)《方言》1985年第2、3、4期

熟语的修辞特色(杨敦贵)《福建师范大学学报》(哲学社会科学版)1988年第3期

俗语的性质和范围:俗语论之一(王勤)《湘潭大学学报》(社会科学版)1990年第4期

《金瓶梅》中俗语的连用(沈慧云)《语文研究》1991年第4期

论熟语的民族气质(武占坤)《河北大学学报》(社会科学版)1991年第4期

俗语:一种独立的熟语语种(徐建华)《衡阳师专学报》(社会科学版)1992年第1期

熟语文化内涵浅探(谢资娅)《益阳师专学报》1993年第3期

熟语的经典性和非经典性(周荐)《语文研究》1994年第3期

熟语文化论(姚锡远)《河北大学学报》(社会科学版)1994年第3期

汉语俗语的民族性和时代性(李恕仁)《云南民族学院学报》1995年第3期

马烽作品中俗语的妙用(郝全梅)《吕梁高等专科学校学报》2000年第1期

俗中见雅浅中寓深——浅淡俗语在《红楼梦》中的作用(万同乐)《河北大学成人教育学院学报》2000年第2期

三国文化熟语试析(李树新)《内蒙古大学学报》(人文社会科学版)

2000年第4期

"龙虫并雕"和"语"的研究——敬以此文纪念王力先生百年诞辰（温端政、沈慧云）《语文研究》2000年第4期

谈《红楼梦》中熟语的使用（刘筠梅）《内蒙古电大学刊》2002年第2期

汉语俗语教学初探（高远月）《乌鲁木齐职业大学学报》2002年第3期

熟语中俗语类的界定（徐晓敏、孙静）《绥化师专学报》2002年第3期

论语词分立（温端政）《辞书研究》2002年第6期

谈明清俗语辞书在当代大型语文辞书编纂方面的作用（曾昭聪）《贵州文史丛刊》2003年第1期

群星灿烂，不如一轮孤月独明——漫谈胡裕树在当代"熟语学史"上的作用（武占坤）《汉字文化》2003年第1期

论典故与成语、俗语、谚语、歇后语等的区别与"融通"（吴直雄）《南昌大学学报》（人文社会科学版）2003年第6期

浅谈熟语中反映出的民族性（代新华）《哈尔滨学院学报》2003年第6期

俗语入诗趣话（黄炳麟）《语文知识》2003年第12期

论《西游记》中俗语谚言（田同旭）《运城学院学报》2004年第4期

《红楼梦》中俗语的运用（陈慧）《四川教育学院学报》2004年第9期

《金瓶梅》中的聊城俚语俗语例释（孙绪武）《广东技术师范学院学报》2005年第1期

熟语的分类积累（方晓宁）《语文教学与研究》2005年第1期

港台作家作品中的熟语变异现象之我见(卢卓群)《沙洋师范高等
    专科学校学报》2005年第2期
"语词分立"和方言语汇研究——重温吕叔湘先生《中国俗语大辞
    典·序》(温端政)《语文研究》2005年第2期
福州方言熟语的修辞特点(祝敏青)《方言》2005年第2期
熟语常见的错误用法(彭桂平)《语文教学与研究》2005年第5期
汉语熟语的民族特色研究(高兵)《河北大学学报》(哲学社会科学
    版)2005年第6期
以"俗"致"雅"——浅谈方言、俗语、流行语在国际时事新闻中的运
    用(陈月媛、白雪)《青年记者》2005年第8期
说说"熟语"(沈金虎)《语文天地》2005年第8期
俗语与同义的成语(冯兴方)《中学语文园地》(初中版)2005年第
    10期
广告语言中熟语翻新的方式和规范(夏吉英)《常州工学院学报》
    (社科版)2006年第1期

2. 谚语

关于谚语的报告和说明《国语周刊》(北新)第9期(1925)

谚语之研究(任访秋)《礼俗》第6、7期合刊(1931)

谈谚语(伯韩)《太白》半月刊第1卷第8期(1935)

北夏农谚的研究 (王顺)《教育与民众》第7卷第1期(1935)

谚语的搜集和整理 (王国栋)《师大月刊》第22期(1935)

谚语的探讨(薛诚之)《文学年报》第2期(1936)

数字谚语(余逸人)《艺风月刊》第4卷第1期(1936)

中国谚语中的社会关系论 (陈定闳)《经世》第1卷第11期(1937)

唐宋诗与谚语之交互关系（刘铭恕）《学术评论月刊》第1期(1940)

谈谚语及中国大辞典（黎锦熙）《建国语文月刊》第1卷第2期(1942)

乡谚证古（陈康祺、张寿镛）《大众》第1卷第1期，第2期，第3、4期合刊，第5期(1945)

论中国谚语的格调（朱介凡）《新中华》（复刊）第5卷第8期(1947)

论中国谚语的搜集（朱介凡）《新中华》（复刊）第6卷第8期，第9期(1948)

成语和谚语的区别（杨欣安）《中国语文》1961年第3期

成语和谚语（何文才）《语文战线》1982年第11期

论"谚语"（霍旭东）《山东大学学生科学论文集刊》（人文科学版）1956年第1期

论谚语的思想和艺术（朱泽吉）《河北师范学院学报》（人文科学号）1956年第1期

论民间谚语所表现的阶级意识与社会风貌（朱泽吉）《天津日报》1957年1月5日

古谚语简论及其试译（黄绮）《天津师范学院科学论文集刊》（人文科学版）1957年第1期

论我国古代的谚语（王骧）《文史哲》1958年第11期

谚语与歇后语（马国凡）《内蒙师院学报》（人文科学版）1960年第2期

谚语的特点（马国凡）《中国语文》1960年第11期

略论中国谚语（王毅）《民间文学》1961年第10期

漫谈农谚的语言特点和表现手法（王梦熊）《民间文学》1961年第

10 期

谚语浅探(肖庚远)《齐齐哈尔师院学报》(社会科学版)1978 年第 2 期

漫谈民间谚语(苏长仙)《广西教育》1978 年第 3 期

谚语概论(朱安群)《江西师院学报》(社会科学版)1979 年第 1 期

谚语的语言艺术(阮显忠)《安徽大学学报》(社会科学版)1979 年第 2 期

谈谈谚语(朱安群)《语文教学》(江西师院)1979 年第 2 期

民间艺谚学习札记(高学敏)《西北大学学报》(社会科学版)1979 年第 2 期

谚语·成语·格言(王书贵)《语文学习》1979 年第 4 期

谚语的运用(荆鸿)《辽宁日报通讯》1979 年第 5 期

谚语的韵(马清文)《民间文学》1979 年第 9 期

谚语的文学性(马威)《民间文学》1979 年第 12 期

说"谚语"(张帆)《菏泽师专学报》1980 年第 1 期

谈谚语(王书贵)《武汉师范学院学报》(社会科学版)1980 年第 1、2 期合刊

谚语的讹传(黄湘荣)《民间文学》1980 年第 3 期

谚语及其艺术特色(段平)《兰州大学学报》(社会科学版)1980 年第 4 期

谚语之花不凋谢——谚语论谚语(蒋风)《教学与研究》(中学语文版)(浙江师院)1980 年第 6 期

《西游记》中谚语的引用(陈坚)《语言研究论丛》天津人民出版社,1980

谚语——语言之花 (周文彬)《天津师专学报》1981 年第 1 期

《水经注》中的歌谣、谚语(房聚棉)《语文学习》1981年第10期
谚语的起源、发展和散史(马清文)《民间文学》1983年第10期
谚语浅说(常树)《语文教学之友》1983年第10期
试论谚语的修辞手法(焦启明)《徽州师专学报》1981年第1期
谚语、歇后语的艺术效果(王朝闻)《文史知识》1983年第10期
俗语转化为成语的途径(黄佩文)《辞书研究》1983年第3期
浅论谚语和格言之异同(张如芳)《辽宁师大学报》1984年第2期
略论谚语与古代诗歌的关系问题(姚万年)《教学与进修》1984年第2期
谚语在古代诗歌中的运用(姚万年)《教学与进修》(语言文学版)1984年第4期
谚语和紧缩复句(蒲申言等)《语文教学》(烟台)1984年第6期
中国谚语的科学价值(叶永烈)《大众修辞》1985年第1期
谚语与俗语的关系和区别(周道胜)《民间文学论坛》1985年第4期
试论古谚语非共时性的结构变化(孟肇咏)《语文研究》1985年第4期
一则中国谚语带来的启示(汇章)《民间文学》1985年第9期
论谚语(朱千波)《大理师专学报》(哲学社会科学版)1992年第1-2期
从谚语看我国传统文化中的择偶观(杨万娟)《中南民族学院学报》(哲学社会科学版)1992年第2期
谚语格言的社会学透视(李丽芳)《中国社会科学院研究生院学报》1993年第4期
谚语群初探(陶汇章)《民间文学论坛》1994年第2期

当代谣谚概论(蒋荫楠)《安徽师范大学学报》(哲学社会科学版)
　　1994年第3期
谚语与比喻(杨芳)《平顶山师专学报》2000年第1期
谚语——表达众人智慧的妙语(蒋荫南)《安徽师范大学学报》(哲
　　学社会科学版)2000年第3期
谚语的通俗性分析(冯凤麟)《连云港师专学报》2000年第4期
从民间谚语看思想差距(郭跃进、张翠红)《山西发展导报》2000
　　年7月11日7版
谈谈节气气象谚语的科学性(斯迪)《西藏科技报》2001年7月25
　　日3版
论谚语和它近邻的种属分界(杨万娟)《中南民族学院学报》(人文
　　社会科学版)2001年第4期
从一组有关言语的谚语看人类共同的言语观(刘新义)《济南大学
　　学报》(社会科学版)2001年第5期
关东婚俗谚语辑释(齐兆麟)《吉林日报》2001年12月11日B2版
谚语的修辞特点(张航)《郑州经济管理干部学院学报》2002年第1
　　期
谚语在外语教学中的作用(张冬贵)《桂林师范高等专科学校学报》
　　2002年第2期
"南船北马"析——谈游牧民族与农耕民族民间谚语中的民俗价值
　　(杨万娟)《西北民族研究》2003年第1期
略论隐喻性谚语的语义特征(李涛贤、赵广升)《宜宾学院学报》
　　2003年第1期
论汉语谚语(罗圣豪)《四川大学学报》(哲学社会科学版)2003年
　　第1期

论谚语的形式美(何学威、陈素萍)《中南大学学报》(社会科学版)
2003年第2期

谚语——一种民间审美文化的特殊形态(王勇卫)《集美大学学报》
(哲学社会科学版)2003年第3期

四川谚语的地域特色(侯光)《文史杂志》2004年第1期

明清章回小说在民间的影响——以谚语和歇后语为中心(刘勇强)
《江西社会科学》2004年第1期

浅谈气象谚语在观测工作中的运用(邓昕)《四川气象》2004年第1期

略论道德谚语的社会价值(黎浩邦)《广西梧州师范高等专科学校学报》2004年第2期

汉语谚语中意合法的应用(沈怀兴)《语言教学与研究》2004年第3期

《战国策》谚语俗语浅考(陈英立)《佳木斯大学社会科学学报》2004年第4期

浅谈谚语的审美特征(胡文贵、岳海民)《昭乌达蒙族师专学报》2004年第4期

谚语的修辞特征分析(余洁)《海南师范学院学报》(社会科学版)
2004年第6期

谚语的语用修辞分析(朱凤云)《淮阴师范学院学报》(哲学社会科学版)2004年第6期

什么是谚语、格言、惯用语(唐锡铭)《中学课程辅导》(初一版)2005年第1期

谚语的语用连接意义(谭江竹)《河南理工大学学报》(社会科学版)
2005年第1期

满蒙汉谚语语义比较(高娃)《满语研究》2005年第1期
汉语谚语中的语用观(李海宏)《语言文字应用》2005年第S1期
谚语格言中的儒家思想精髓(李丽芳)《民族艺术研究》2005年第2期
《格萨尔》谚语分类小议(里太吉)《西藏研究》2005年第2期
试论谚语、俗语之分(武占坤、高兵)《汉字文化》2005年第3期
汉语谚语中关联法的应用(沈怀兴)《语文研究》2005年第4期
谚语格言悟养生(廖明凯)《养生月刊》2005年第7期
简论民间谚语的局限性及现代走向(冯庆堂)《河南社会科学》2005年第6期
谚语——中国农业社会的心理结构(袁妮、李泽志、熊会)《康定民族师范高等专科学校学报》2005年第6期
汉语谚语的句法形式特点分析(王鸿雁)《广西社会科学》2005年第8期
无神论谚语释解(詹华如)《科学与无神论》2006年第1期
谈气象谚语与养蜂的关系(夏邦建)《蜜蜂杂志》2006年第3期
《新华谚语词典》简述(温端政)《文汇读书周报》2006年4月28日12版

3. 惯用语

惯用语的性质(马国凡)《语言文学》1980年第1期
浅谈惯用语(王桂华)《语文知识丛刊》1981年第1期
南北朝造像题记中的一些惯用词语(赵超)《文史哲》1982年第2期
谈惯用语(马兴业)《语言文学》1982年第3期

汉语惯用语简说(施宝义等)《语言教学与研究》1982年第4期
谈惯用语(杨知文)《南京大学学报》1984年第3期
从语言规范化上看社会习惯语的发展前途(彭国钧)《云南师大学报》1984年第4期
简论惯用语(寿纪芳)《浙江师院学报》1985年第1期
谈谈惯用语的特点及其作用(肖传哲)《东疆学刊》1985年第1期
惯用语的来源及其结构特点(付泽)《东疆学刊》1985年第2期
惯用语的划界和释义问题(吕冀平、戴昭铭、张家骅)《中国语文》1987年第6期
惯用语感情色彩试谈(华培芳)《语文知识》1991年6期
惯用语初论(华培芳)《许昌师专学报》(社会科学版)1992年第4期
再说惯用语(张清常)《语言教学与研究》1993年第2期
惯用语新论(周荐)《语言教学与研究》1998年第1期
意义的双层性及其在成语、惯用语划分中的具体运用(王吉辉)《南开学报》(哲学社会科学版)1998年第4期
浅说行业语向惯用语的转化(武文杰、张胜广)《沧州师范专科学校学报》2000年第3期
浅谈社会习惯语和惯用语(丁建川)《泰安教育学院学报岱宗学刊》2000年第4期
形似义异的惯用语和词组(徐苹)《苏州丝绸工学院学报》2000年第6期
惯用语比喻意义理解的心理模型(佘贤君、吴建民、张必隐)《心理科学》2001年第3期
汉语惯用语的特征探析(楼志新)《浙江海洋学院学报》(人文科学

版)2001年第4期

惯用语理解的认知研究(刘正光、周红民)《外语学刊》2002年第2期

惯用语的定义与熟语的分野(孙光贵)《长沙电力学院学报》(社会科学版)2002年第3期

惯用语初探(邓春琴)《四川教育学院学报》2003年第3期

从原型理论看成语、惯用语的划分(刘智芳)《池州师专学报》2004年第1期

惯用语和成语的色彩义比较(谷俊)《西南民族大学学报》(人文社科版)2004年第7期

浅析三字格惯用语的稳固性(池挺钦)《广西社会科学》2004年第8期

运用惯用语的点化技巧(李宗学)《语文教学与研究》2004年第25期

"××子"式惯用语(石礼国)《语文知识》2005年第2期

惯用语认知机制及其词汇语义特征(陈明芳)《外语教学》2006年第1期

4. 成语

成语和成语的运用(方辉绳)《国文杂志》(桂林)2卷3期(1943)

成语中的音韵关系(张拱贵)《大公报》1952年3月26日6版

数词成语的构成方式(张拱贵)《语文知识》1953年第7期

谈成语(周祖谟)《语文学习》1955年第1期

成语的基本形式及其组织规律的特点(朱剑芒)《中国语文》1955年第2期

谈成语的褒贬(汪见薰)《语文学习》1955年第9期
试谈"成语"(孙慎之)《山东大学学生科学论文集刊》(人文科学版)
　　1956年第1期
谈联合式成语的修辞作用(潘汆)《语文知识》1956年第12期
汉语的成语(何霭人)《语文知识》1957年第7期
漫谈成语的运用(雨水)《语文知识》1957年第7期
成语与歇后语(童致和)《语文知识》1957年第9期
从《子夜》中运用的成语来谈谈成语的几个问题(蒲永川)《语文知
　　识》1958年第3期
成语的演变(马国凡)《语言文学》1958年第2期
汉语的成语(马国凡)《内蒙师院学报》1958年第1期
意义相近的四字成语(师葵)《语文知识》1958年第7期
论成语(昌煊、全基)《中国语文》1958年第10期
成语的特性(欣向)《中国语文》1958年第10期
成语的定型和规范化(马国凡)《中国语文》1958年第10期
成语做谓语的句法功能(黄再春)《中国语文》1958年第10期
成语性谓语新例(赵生明)《中国语文》1959年第4期
从性质和特点看成语的范围(林文金)《中国语文》1959年第2期
试谈成语的新发展(吴建扬)《中国语文》1959年第2期
成语和谚语的区别(杨欣安)《中国语文》1961年第3期
有关成语的几个问题(武占坤)《河北大学学报》(社会科学版)1962
　　年第2期
熟语和成语的种属关系(唐松波)《中国语文》1960年第11期
同义成语的来源与辨析(吴越)《天津师范学报》1978年第4期
成语与民族自然环境、文化传统、语言特点的关系(向光忠)《中国

语文》1979 年第 2 期

成语、典故的形成和发展(潘允中)《中山大学学报》(社会科学版)1980 年第 2 期

四字格成语的节奏和韵律(杨东)《齐齐哈尔师范学院学报》(社会科学版)1980 年第 2 期

成语释源(杨天戈)《中学语文教学》1980 年第 4 期

关于汉语成语释义表现词性的问题(孙良明)《中国语文通讯》1980 年第 5 期

成语中数词所表示的抽象义(黄岳洲)《中国语文》1980 年第 6 期

谈成语的结构及其意念关系(卢文庄)《广东教育》1980 年第 10 期

成语和谚语(何文才)《语文战线》1982 年第 11 期

成语的表意特点(王今铮等)《语言文学》1983 年第 6 期

成语释义琐谈(蔡镜浩)《苏州大学学报》1984 年第 2 期

成语的义体与义场(张宗华)《辞书研究》1984 年第 4 期

四字格成语的结构模式(张其昀)《盐城师专学报》1985 年第 1 期

论成语蕴含的时代因素(向光忠)《南开学报(哲社版)》1989 年第 5 期

从成语特点看汉语词义的人文性(李启文)《语言文字学》1990 年第 12 期

浅谈成语的美学意义(张良国)《学语文》1991 年第 1 期

成语结构分析(李家昱)《天津教育学院学报》(社会科学版)1991 年第 3 期

成语的语素义说略(姚鹏慈)《中文自学指导》1991 年第 5 期

从成语看汉语的"意合"特征(韩晓光)《学语文》1992 年第 6 期

论成语的形式变化(谢庆芳)《安徽师范大学学报》(哲学社会科学

版)1992年第2期

汉语成语和佛教文化(梁晓红)《语言文字应用》1993年第1期

源于《论语》的成语与传统文化(曹青)《内蒙古民族师范学院(哲社版)》1993年第3期

成语在结构上的灵活性(孙立民)《逻辑与语言学习》1993年第5期

成语是古汉语特点的缩影(毛学河)《汉语学习》1994年第1期

成语与民族文化(青阳)《语言与翻译》1994年第1期

成语内部形式论(周光庆)《华中师范大学学报》(哲学社会科学版)1994年第5期

成语与中国文化(李大农)《南开学报》(哲学社会科学版)1994年第6期

成语与社会生活(陈国庆)《语文学习》1994年第11期

等义成语四题(倪宝元、姚鹏慈)《中国语文》1995年第1期

成语与民族文化背景(刘培华)《语言与翻译》1995年第3期

成语的范围界定及其意义的双层性(王吉辉)《南开学报》(哲学社会科学版)1995年第6期

成语的划界、定型和释义问题(徐耀民)《中国语文》1997年第1期

试论成语的经典性(周荐)《南开学报》(哲学社会科学版)1997年第2期

唐诗与成语(马丕环)《阅读与写作》1999年第12期

汉语成语中的流俗词源现象——兼谈对流俗词源的误解(张军)《内蒙古大学学报(人文·社会科学版)》2000年第S1期

汉语四字格成语语义结构的对称性与认知(刘振前、邢梅萍)《世界汉语教学》2000年第1期

"从成语中,另外抽出思绪"——谈成语在鲁迅小说中的创造性运用(杨晓黎)《修辞学习》2000年第1期

浅析汉语成语的非文化特征(李敏)《河北广播电视大学学报》2000年第2期

成语语义类型及其对词汇——语义搭配的限制(王庆疆)《解放军外国语学院学报》2000年第3期

词素的结构对称效应:结构对称汉语成语认知特点的进一步研究(陈传锋、黄希庭、余华)《心理科学》2000年第3期

试论成语褒贬色彩的历史演变(左林霞)《培训与研究—湖北教育学院学报》2000年第6期

成语该怎样规范(何知)《光明日报》2000年9月28日C2版

因音变义的成语三题(张国学)《阅读与写作》2000年第11期

成语与广告语(奚仁德)《读写月报》2000年第22期

成语与熟语及典故的关系(吴铁魁)《九江职业技术学院学报》2001年第1期

相反方位词在成语里的搭配法(佳惠)《修辞学习》2001年第1期

《现代汉语词典》四字成语的意义及释义特征(余桂林)《萍乡高等专科学校学报》2001年第2期

成语词典编纂中的主副条设置问题探讨(沈治浩、邱景蓉)《湖北汽车工业学院学报》2001年第3期

汉语成语中的历史文化积淀(王化鹏)《烟台师范学院学报》(哲学社会科学版)2001年第4期

汉语成语的同语素异组合分析(申芝言)《修辞学习》2001年第4期

成语在功能和意义上的活用(周建民)《武汉教育学院学报》2001年

第 5 期

不要随意调动成语成分的位置(李栋臣)《光明日报》2001 年 9 月 26 日 B3 版

注重发掘成语在语言学习中的独特价值(刘志基)《语文建设》2001 年第 12 期

关于成语注释——《现代汉语词典》札记(陈霞村、白云)《山西大学学报》(哲学社会科学版)2002 年第 1 期

关于成语语感与成语度的思考(姚鹏慈)《广播电视大学学报》(哲学社会科学版)2002 年第 2 期

俗成语"乌焦巴弓"(朱建颂)《辞书研究》2002 年第 2 期

成语的范围问题(马宏基)《山东理工大学学报》(社会科学版)2002 年第 4 期

成语使用的从俗从众与规范(姚奎尧)《阅读与写作》2002 年第 4 期

从"成语的省略"谈起(邹哲承)《汉字文化》2002 年第 4 期

张中行作品中的汉语成语规范问题(许剑宇)《哈尔滨工业大学学报》(社会科学版)2003 年第 2 期

概念隐喻理论和汉语成语运用中的隐喻性思维结构(罗瑞球)《广西社会科学》2003 年第 7 期

从成语看古代汉语语法特征(宁皖平)《经济与社会发展》2003 年第 8 期

全面准确把握多义成语(张德昌)《语文天地》2003 年第 21 期

汉语成语词典编纂出版的回顾与思考(杨薇)《辞书研究》2004 年第 2 期

成语传承着伟大的民族精神(王今铮)《内蒙古民族大学学报》(社

会科学版)2004 年第 3 期

反仿成语的分类及其他(秦炯灵、马斌)《唐山师范学院学报》2004 年第 3 期

成语语义的发展演变(左林霞)《武汉科技大学学报》(社会科学版)2004 年第 3 期

《汉语大词典》割裂成语现象举例(王文晖)《辞书研究》2004 年第 4 期

简论先秦文化对成语的影响(刘筠梅)《语文学刊》2004 年第 5 期

汉语成语夸张用法类析(龙青然)《邵阳学院学报》(社会科学版)2004 年第 5 期

成语在广告语中翻新的修辞现象(姜颖)《鞍山师范学院学报》2004 年第 5 期

成语使用也要与时俱进(赵天明、李冲)《秘书之友》2004 年第 6 期

汉语成语——文化符号(骆增秀)《中国教师》2004 年第 10 期

《论语》对汉语成语的影响及意义(周祖平、余学奎)《成都纺织高等专科学校学报》2005 年第 1 期

汉语成语中的民族历史文化初探(傅倩琛)《宁德师专学报》(哲学社会科学版)2005 年第 1 期

成语界说与成语词典立目(陈桂成)《辞书研究》2005 年第 1 期

成语熟语谐音讹变四例(兰殿君)《文史杂志》2005 年第 3 期

汉语成语中的语义转移——以四字格目标域缺失的汉语成语为基点(陶文好、施晓盛)《宁波大学学报》(人文科学版)2005 年第 3 期

成语的活用及其规范漫谈(朱建锋)《南通航运职业技术学院学报》2005 年第 3 期

汉语成语的语法功能研究(杨翠兰)《烟台教育学院学报》2005年第3期

成语中的古代汉语因素浅探(徐四海)《重庆广播电视大学学报》2005年第3期

谈主干筛选法在划分成语和惯用语中的运用(赵鹏)《中等职业教育》2005年第4期

《荀子》成语研究(韩娟)《山东教育学院学报》2005年第5期

《论语》与汉语成语(饶玮)《重庆教育学院学报》2005年第5期

论成语对体态语的借用(赵昆艳)《云南师范大学学报》(哲学社会科学版)2005年第5期

论《金瓶梅词话》的数词成语与熟语(许仰民)《河南教育学院学报》(哲学社会科学版)2005年第6期

成语的分类与界标(王笑琴)《社会科学论坛》(学术研究卷)2005年第7期

从成语看字的本义(彭静)《语文知识》2006年第1期

成语误用例说的层面透析与运用(张灵芝)《卫生职业教育》2006年第1期

成语与创新(莫彭龄)《常州工学院学报》(社科版)2006年第1期

成语和谚语意义的认知理据(张连超)《大学英语》(学术版)2006年第1期

从语言学看广告中成语仿词的利与弊(汤梅、桂世河)《湖北教育学院学报》2006年第1期

成语中的矛盾修辞手法(陈平)《现代语文》(教学研究版)2006年第1期

意义的双层性是汉语成语的"区别性特征"(刘正江)《新疆财经学

院学报》2006年第1期

约定俗成与语言规范——对成语误用现象的教学思考(刘翠霄)《语文建设》2006年第2期

5. 歇后语

采辑歌谣所宜兼收的——歇后语(白启明)《歌谣周刊》第44号(1924)

谜谚歇后语研究之一斑(傅振伦)《歌谣周刊》第68号(1924)

关于歇后语与歌谣的研究（于飞)《民俗》第84期(1929)

北京的俏皮话儿(齐铁恨)《国语旬刊》第1卷第7、8、12期(1929)

论"俏皮话"(温锡田)(北平)《世界日报》(国语周刊第91期)1933年6月24日

再论"俏皮话"(温锡田)(北平)《世界日报》(国语周刊第92期)1933年7月1日

歇后语的研究(汪锡鹏)《文艺月刊》第7卷第2期(1935)

歇后语(黄华节)《太白》半月刊第2卷第6期(1935)

略谈"缩脚语"(黄华节)《太白》半月刊第2卷第9期(1935)

我也来谈谈歇后语(樊演)《太白》半月刊第2卷第10期(1935)

歇后语堪称绝妙好词(天香楼主)(北平)《世界日报》(明珠)1937年1月24日

歇后语的名称(林丁)(北平)《世界日报》(明珠)1937年2月6日

古士大夫之歇后语(徐亚杰)(北平)《世界日报》(明珠)1937年2月6日

歇后语的母体(二令)(北平)《世界日报》(明珠)1937年2月7日

歇后语杂谈（黄力)(北平)《世界日报》(明珠)1937年3月9日

所谓"缩脚语"(林丁)(北平)《世界日报》(明珠)1937年3月9日

民众"解后语"研究(李纪生)《中华教育界》(复刊)第1卷第9期
　　(1947)
谈譬解语(姚念琴)《大公报》1952年3月26日
"譬解语"和"歇后语"(刘家继)《大公报》1952年4月30日
"拆字口语"——谈谈"打市语"(黄金义)《语文知识》1953年第4
　　期
歇后语是"语言游戏"吗？(朱伯石)《中国语文》1954年第5期
歇后语是不是文学语言？(张寿康)《中国语文》1954年第5期
关于歇后语(茅盾)《人民文学》1954年第6期
关于歇后语问题的几点意见(王天石、张鸣春)《中国语文》1955年
　　第1期
歇后语汇的变化(柳絮)《解放日报》1957年1月15日
谈歇后语(何明延)《语文知识》1957年第6期
成语与歇后语(童致和)《语文知识》1957年第9期
歇后语及谚语(吕洪年)《语文知识》1957年第12期
旧时代无锡粮食业的常用切口(陈祺生)《语文知识》1957年第12
　　期
《红楼梦》的歇后语(何仲英)《上海外国语学院季刊》1958年第1
　　期
《歇后语》不宜滥用(潘汆)《文汇报》1959年6月28日
谚语与歇后语(马国凡)《内蒙师院学报》(人文科学版)1960年第
　　2期
论隐语(马国凡)《内蒙师院学报》(人文科学版)1962年第1期
安徽歇后语初探(陈安明)《安徽日报》1962年3月2日、4日、7日
试谈歇后语(程达明、黎运汉)《中山大学学报》(社会科学版)1963

年 1、2 期合刊

民间歇后语杂谈(谭达先)《南方日报》1963 年 3 月 22 日

广东话中的歇后语(李新魁)《羊城晚报》1963 年 7 月 1 日

民间歇后语(于澄之)《河北文学》1963 年第 4 期

略谈歇后语的运用(江山瑞)《广西教育》1977 年第 12 期

关于歇后语(夏光芬)《语文学习丛刊》1978 年第 2 期

谈谚语、俗语、歇后语的运用(蒋成禹)《天津演唱》1978 年第 2 期

浅谈歇后语(谢建学)《陕西教育》1979 年第 1 期

关于歇后语的语法功能(张保明)《菏泽师专学报》1979 年第 2 期

浅谈歇后语(王存学、范宏贵)《广西民族学院学报》(社会科学版) 1979 年第 2 期

谈谈歇后语(张之伟)《教育与研究》(中学语文版)(浙江师院)1979 年第 6 期

引注语(歇后语)探讨〔一〕(温端政)《晋阳学刊》1980 年第 1 期

关于"歇后语"的名称问题(温端政)《语文研究》1980 年第 1 辑

试谈《歇后语词典》的编纂要点(夏光芬)《辞书研究》1980 年第 2 期

引注语(歇后语)探讨〔二〕(温端政)《晋阳学刊》1980 年第 3 期

歇后语琐谈(汤志宏)《语文教学》(湖南师院)1980 年第 2 期

歇后语及其在文学中的应用(郑兆立)《民间文学》1980 年第 3 期

也谈歇后语——与郑兆立同志商榷(谭永祥)《民间文学》1980 年第 6 期

谈谈歇后语(王业伟)《中学语文》(武汉师院)1980 年第 4、5 期合刊

歇后语漫谈(张胜)《雷州师专学报》1981 年第 1 期

试论譬解语及其与歇后语、成语、谚语的区别(李道一)《浙江师院学报》1981年第1期

试谈引注结构(温端政)《语文研究》1981年第2期

歇后语应该"归入成语和谚语之中"吗?(沈慧云)《语文研究》1981年第2期

说说汉语的歇后语(金鸿)《汉语学习》1981年第2期

关于歇后语的几个问题(朱建颂、刘兴策)《华中师院学报》1981年第2期

歇后语初探(马达远等)《杭州师院学报》1981年第2期

《金瓶梅》中的歇后语(王强)《天津师院学报》1981年第6期

谈谈歇后语——兼与朱伯石等同志商榷(沈俊)《语文园地》1982年第1期

浅谈歇后语(乔随根)《语文知识丛刊》1982年第3期

歇后语中的笑(李宇明)《研究生战线》1982年总3

漫谈歇后语(马国凡)《语文战线》1982年第6期

歇后语的结构和类型(黄佩文)《语文战线》1982年第6期

歇后语的构成形式(张彦)《语文战线》1982年第6期

漫谈歇后语(张铭)《晋阳文艺》1983年第1期

略论"歇后语"前后两部分的关系——对几种流行说法的商榷(温端政)《语文研究》1983年第1期

试论歇后语(武德运)《朝阳师专学报》1983年第3期

谚语、歇后语的艺术效果(王朝闻)《文史知识》1983年第10期

浅谈歇后语的群众性(郑伯成)《黄冈师专学报》1984年第1期

谈谈歇后语的结构分析(邵霭吉)《盐城师专学报》1984年第3期

歇后语是汉语独有的语言现象吗?(星全成)《文艺研究》1984年

第 4 期
成语、谚语、歇后语(李大魁)《自修大学》1984 年第 4 期
漫说歇后语(黄新根)《修辞学习》1984 年第 1 期
戏剧中的"歇后语"运用(蓝凡)《新剧作》1984 年第 2 期
浅谈歇后语(李道一)《修辞学习》1984 年第 4 期
论元曲中的歇后语(王学奇等)《河北师院学报》1985 年第 2 期
歇后语的产生和发展初探(丁省三)《信阳师范学院学报》1986 年
　　第 3 期
歇后三式论(李正纲)《宁夏大学学报》1987 年第 1 期
歇后语与中国宗教(孙洪德)《中国语文天地》1988 年第 1 期
歇后语与传统节日文化(孙洪德)《安徽教育学院学报》1988 年第 2
　　期
民间歇后语的特点及其演变(王仿)《思想战线》1988 年第 3 期
歇后语 S_1 的语境提炼(乌坤明)《齐齐哈尔师范学院学报》1989 年
　　第 4 期
歇后语嬗变,吴歌格成立(颜新腾)《民间文学论坛》1991 年第 5 期
歇后语和动物(王守民)《中学语文》1991 年第 10-11 期
宰相和"歇后郑五"(宗廷虎)《语文月刊》1992 年第 11 期
概说歇后语在使用中的变异(杨惠临)《民间文学论坛》1993 年第 1
　　期
歇后语和歇后格(张宗正)《修辞学习》1993 年第 5 期
说"俏皮话儿"(刘广和)《语文建设》1993 年第 7 期
歇后语的修辞特征(赵耀昌)《读写月报》1993 年第 8 期
汉语歇后语中的"谤佛"现象与中国佛教(郑贵友)《延边大学学报》
　　1994 年第 3 期

《妙趣横生的歇后语》(温端政)《新民晚报》2000年3月16日
粤语歇后语的方言性和民族性(关湘)《修辞学习》2000年第4期
老舍与歇后语(娄国忠)《教师报》2002年10月30日B7版
对《〈醒世姻缘传〉歇后语汇释》一文的几点意见(蒲先和)《蒲松龄研究》2003年第2期
试探歇后语的来源及其命名问题(李升薰)《柳州职业技术学院学报》2003年第2期
论歇后语的非现实虚构(扬清)《内蒙古大学学报》(人文·社会科学版)2003年第6期
《金瓶梅》歇后语的民俗文化色彩(陈新)《阅读与写作》2003年第9期
歇后语语义关联的微观考察(曾小武)《华南农业大学学报》(社会科学版)2004年第1期
歇后语中的"涉残"现象(潘先军)《语文学刊》2004年第1期
浅谈歇后语的辞格运用(李学军)《濮阳职业技术学院学报》2004年第1期
歇后语的风格色彩(夏雪峰)《龙岩师专学报》2004年第2期
"歇后语化"评介(邹哲承)《汉字文化》2004年第3期
双句歇后语分析(邹哲承)《语言研究》2004年第3期
《金瓶梅》歇后语的修辞特征(陈新)《阅读与写作》2004年第3期
是歇后语,还是歇脚语(董绍克)《语文建设》2004年第4期
歇后语的形式(孙雁群)《语文知识》2004年第6期
《忻州歇后语词典》试编样条(张光明、檀栋、肖建华、姚勤智等)《忻州师范学院学报》2005年第1期
从校园歇后语的发展看传媒的影响(周一农)《西安通信学院学报》

2005 年第 3 期
歇后语与隐喻(徐志民、刘裕莲)《修辞学习》2005 年第 6 期
四大古典名著歇后语(吴祥炬)《语文知识》2005 年第 8 期
歇后语有大智慧(刘阳)《语文新圃》2006 年第 3 期